주한미군지위협정(SOFA)

서명 및 발효 12

주한미군지위협정(SOFA)

서명 및 발효 12

한국학술정보

| 머리말

미국은 오래전부터 우리나라 외교에 있어서 가장 긴밀하고 실질적인 우호 · 협력관계를 맺어 온 나라다. 6 · 25전쟁 정전 협정이 체결된 후 북한의 재침을 막기 위한 대책으로서 1953년 11월 한미 상호방위조약이 체결되었다. 이는 미군이 한국에 주둔하는 법적 근거였고, 그렇게 주둔하게 된 미군의 시설, 구역, 사업, 용역, 출입국, 통관과 관세, 재판권 등 포괄적인 법적 지위를 규정하는 것이 바로 주한미군지위협정(SOFA)이다. 그러나 이와 관련한 협상은 계속된 난항을 겪으며 한미 상호방위조약이 체결로부터 10년이 훌쩍 넘은 1967년이 돼서야 정식 발효에 이를 수 있었다. 그럼에도 당시 미군 범죄에 대한 한국의 재판권은 심한 제약을 받았으며, 1980년대 후반 민주화 운동과 함께 미군 범죄 문제가 사회적 이슈로 떠오르자 협정을 개정해야 한다는 목소리가 커지게 되었다. 이에 1991년 2월 주한미군지위협정 1차 개정이 진행되었고, 이후에도 여러 사건이 발생하며 2001년 4월 2차 개정이 진행되어 현재에 이르고 있다.

본 총서는 외교부에서 작성하여 최근 공개한 주한미군지위협정(SOFA) 관련 자료를 담고 있다. 1953년 한미 상호방위조약 체결 이후부터 1967년 발효가 이뤄지기까지의 자료와 더불어, 이후 한미 합동위원회을 비롯해 민 · 형사재판권, 시설, 노무, 교통 등 각 분과위원회의 회의록과 운영 자료, 한국인 고용인 문제와 관련한 자료, 기타 관련 분쟁 자료 등을 포함해 총 42권으로 구성되었다. 전체 분량은 약 2만 2천여 쪽에 이른다.

2024년 3월

한국학술정보(주)

일러두기

· 본 총서에 실린 자료는 2022년 4월과 2023년 4월에 각각 공개한 외교문서 4,827권, 76만 여 쪽 가운데 일부를 발췌한 것이다.

· 각 권의 제목과 순서는 공개된 원본을 최대한 반영하였으나, 주제에 따라 일부는 적절히 변경하였다.

· 원본 자료는 A4 판형에 맞게 축소하거나 원본 비율을 유지한 채 A4 페이지 안에 삽입하였다. 또한 현재 시점에선 공개되지 않아 '공란'이란 표기만 있는 페이지 역시 그대로 실었다.

· 외교부가 공개한 문서 각 권의 첫 페이지에는 '정리 보존 문서 목록'이란 이름으로 기록물 종류, 일자, 명칭, 간단한 내용 등의 정보가 수록되어 있으며, 이를 기준으로 0001번부터 번호가 매겨져 있다. 이는 삭제하지 않고 총서에 그대로 수록하였다.

· 보고서 내용에 관한 더 자세한 정보가 필요하다면, 외교부가 온라인상에 제공하는 『대한민국 외교사료요약집』 1991년과 1992년 자료를 참조할 수 있다.

| 차례

정/리/보/존/문/서/목/록					
기록물종류	문서-일반공문서철	등록번호	929 9602	등록일자	2006-07-27
분류번호	741.12	국가코드	US	주제	
문서철명	한.미국 간의 상호방위조약 제4조에 의한 시설과 구역 및 한국에서의 미국군대의 지위에 관한 협정 (SOFA) 전59권. 1966.7.9 서울에서 서명 : 1967.2.9 발효 (조약 232호) *원본				
생산과	미주과/조약과	생산년도	1952 - 1967	보존기간	영구
담당과(그룹)	조약	조약	서가번호	--	
참조분류					
권차명	V.31 교섭 경위 및 현황, 1964-65.5월				
내용목차	* 일지 : 1953.8.7 이승만 대통령-Dulles 미국 국무장관 공동성명 - 상호방위조약 발효 후 군대지위협정 교섭 약속 1954.12.2 정부, 주한 UN군의 관세업무협정 체결 제의 1955.1월, 5월 미국, 제의 거절 1955.4.28 정부, 군대지위협정 제의 (한국측 초안 제시) 1957.9.10 Hurter 미국 국무차관 방한 시 각서 수교 (한국측 제의 수락 요구) 1957.11.13, 26 정부, 개별 협정의 단계적 체결 제의 1958.9.18 Dawling 주한미국대사, 형사재판관할권 협정 제외 조건으로 행정협정 체결 의사 전달 1960.3.10 정부, 토지, 시설협정의 우선적 체결 강력 요구 1961.4.10 장면 국무총리-McConaughy 주한미국대사 공동성명으로 교섭 개시 합의 1961.4.15, 4.25 제1, 2차 한.미국 교섭회의 (서울) 1962.3.12 정부, 교섭 재개 촉구 공한 송부 1962.5.14 Burger 주한미국대사, 최규하 장관 면담 시 형사재판관할권 문제 제기 않는 조건으로 교섭 재개 통고 1962.9.6 한.미국 간 공동성명 발표 (9월 중 교섭 재개 합의) 1962.9.20~ 1965.6.7 제1-81차 실무 교섭회의 (서울) 1966.7.8 제82차 실무 교섭회의 (서울) 1966.7.9 서명 1967.2.9 발효 (조약 232호)					

마/이/크/로/필/름/사/항				
촬영연도	*롤 번호	화일 번호	후레임 번호	보관함 번호
2006-11-23	I-06-0069	08	1-328	

0001

주둔군지위협정 체결 교섭 경위(A)

1964 년 2 월

외 무 부

0002

주둔군지위협정 체결 교섭

1. 의의

주둔군 지위협정은 통상 주둔군대 구성원, 군속 및 그들의 가족들의 신분과 법적지위를 규률하며 아울러 접수국법률의 적용 범위를 규제하는바 협정에서 규제할 대상에는 복잡한 많은 문제가 포함되며 그중 형사재판 관할권, 청구권, 토지시설, 관세업무, 출입국관리, 조세문제등은 특히 중요한 규제대상이라 하겠다.

2. 교섭방침

고섭에 있어서 우리측 실무교섭자들은 접수국의 이익을 최대한도로 보장하기 위하여 미국이 선진제국과 체결한 "나또" 협정 및 미·일협정등의 내용과 형태를 기준으로 하고 또한 우리나라의 현실적 특수사정을 반영케하여 한미양국에 상호만족스러운 협정을 체결할 방침에서 현재 가능한 노력을 경주하고 있다.

3. 고섭경위

가. 미국군대의 우리나라 주둔경위는 첫째 1950년 6월 25일 북한괴뢰군의 남침으로 인한 동란 발발시 한국방위를 위하여 국제연합 안전보장 이사회의 결의에 따라 국제연합군으로서 미군이 파견되었으며 1954. 11. 17, 발효한 한미 양국의 상호방위조약 제4조에 의거하여 미국은 한국영토 및 그부근에 미국군대를 배치할 권리를 부여받게 된것이다.

나. 그러나 동란으로 인한 긴급사태로 말미아마 1950년 7월 12일 부득이 전시하의 잠정적 협정으로 배타적 재판관활권을 미군당국에 허용하는 소위 대전 협정을 체결하였다.

다. 1953년 8월 7일 당시 이승만 대통령과 "덜레스" 미국무장관은 한미상호 방위조약 가조인시 주둔군 지위협정 체결을 위한 교섭을 조속 개시할것에 약속하였으며 그후 한국정부는 미국측에 포괄적 협정, 사항별 개별협정 또는 참전국별 협정등 미국측의 입장과 사정을 고려하여 강력한 교섭을 꾸준히 전개하였으나 미국측은 여러가지 이유와 구실로서 우리측 제의에 응하지 않았다.

그러나, 우리정부의 적극적인 교섭결과로 미국측은 1961년 4월 17일 드디어 교섭개시에 합의하고 공동성명서를 발표하는 한편 제1차 실무자 교섭 회의를 개최하게 되었다. 그러나 실무자 교섭 회의는 1961년 4월 25일 제2차 실무자 교섭회의를 개최한후 미국측의 요청으로 연기되어 왔으나 5.16 군사혁명으로 중단되고 말았다.

라. 혁명후 우리정부는 파주사건을 위시한 불상사의 접종으로 주한 미국군대 지위협정 체결을 위한 교섭재개를 십수차에 걸쳐 미국측에 강력히 요구하였으며 한미양국은 1961년 9월 6일 교섭재개에 합의하고 공동성명을 발표하게 이르렀다.

한미양국은 공동성명에서 (ㄱ) 9월중에 실무자 교섭회의를 재개할것과 (ㄴ) 협정 체결을 민정이양을 기다려 이루어 질것이라는 점을 명백히 하였으나 이러한 양해하에 한미양국은 주한미군대 지위협정 체결을 위한 제1차 실무자 교섭회의를 1963년 9월 20일 개최하였으며 그후 1964년 2월 14일 현재 42차에 걸친 회의를 개최하였다.

4. 교섭현황

가. 한미양측의 실무자 교섭회의는 회의벽두 협정에

포함될 주요 조항으로 다음과 같은 29개 항목을 채택하였다.

그중 (*)를 한 14개 조문은 교섭중 완전 합의를 본 조항이며, (@)묘시를 한 12개 조문은 토의중에 있는 조항들이며, 기타 3개의 조문은 아직 초안을 교환치 못한 조항임.

* 1. 협정의 서문

* 2. 용어의 정의

@ 3. 토지시설

* 4. 항공통제 및 항해보조시설

* 5. 합동위원회

* 6. 출입국 관리

@ 7. 관세업무

* 8. 선박 및 항공기 기착문제

@ 9. 공익물 및 용역

@ 10. 군표

* 11. 군사우편

* 12. 예비병 소집 및 훈련

@ 13. 미군인 가족 및 재산의 안전

* 14. 기상업무

* 15. 차량 및 운전면허

@ 16. 외환통제

@ 17. 비세출 자금기관

* 18. 접수국 법의 존중

@ 19. 형사재판 관할권

@ 20. 청구권

* 21. 조세

@ 22. 현지조달

23. 계약상의 분쟁

@ 24. 노무문제

@ 25. 군 계약자

* 26. 보건 및 위생

27. 협정의 비준 발효 및 시행사항

* 28. 협정의 개정 및 수정

29. 협정의 유효기간 및 만료사항

5. 문제점

그간의 고섭경위로 보아 현재 토의중에 있는 대부분의 조문은 부분적 합의를 이미 보았으며 지엽적인 기술적 사항만을 조정한다면 불원 완전합의에 이룰수 있을 것으로 전망되나, 청구권, 토지시설, 및 형사재판 관할권등 3개 조문은 양국간의 입장에 상당한 거리가 있으며 고섭상 문제점으로서 합의에 이루기 까지에는 한미양국의 신축성 있는 고섭태도와 미국측의 협조와 이해가 요망된다.

가. 청구권

청구권에 관한 양측 입장의 주요 차이점은 대략 아래와 같다.

(1) 공무집행중의 군인, 군속 및 차량, 항공기, 선박에 의한 상대방 정부재산에 끼친 손해

한국측: 미화 800불 미만의 손해에 대한 청구권은 포기하나 손해액이 그이상 초과할 경우에는 양국간에 합의가 없는한 중재자를 통하여 해결하도록 요구.

미국측: 미화 1,400불 미만의 손해에 대한 청구권은 포기하나 손해액이 그이상 초과할 경우에는 피청구권의 국내법에 의거 해결하도록 요구.

(2) 공무집행중의 작위와 부작위 및 기타 미국정부가 책임질 작위 및 부작위로 인한 제3자에 기친 손해

한국측: 한국법에 의거 심의 처리하되 미국측에만 책임이 있을 경우는 보상액의 85퍼센트는 미국이, 15퍼센트는 한국이 각각 부담하나 공동책임이 있거나 책임한계가 분명치 않을 경우는 각각 50퍼센트 씩 부담하도록 요구.

미국측: 미국법에 의거 심의 처리하도록 요구.

(3) 비공무중의 불법행위나 차량의 불법사용으로 인한 손해

한국측: 한국측이 심의하고 그결과를 미국측에 통고하도록 하며 미국측의 위자료에 불만이 있을 경우 청구권자가 소송을 제기할수 있도록 규제하고 있음.

미국측: 미국측이 처리하며 경우에 따라 위자료를 지불할 것을 규제하고 있음.

(4) 불법행위 또는 부작위가 공무집행의 행위인지의 여부 혹은 차량사용의 합법성 여부 결정.

한국측: 중재자가 결정할 것을 요구.

미국측: 한미 양국이 각각 결정할 것을 요구.

그러나 청구권 문제에 관하여 미국측은 수차에 걸친 비공식 회담을 통하여 우리측 입장에 상당히 접근해 오고 있으며 (ㄱ) 한국의 국가배상심위제도가 시행된 기간이 짧은점에 비추어 당분간 미국법 즉 미국대외 소청법에 의거 문제를 해결할 것과 (ㄴ) 미국측이 부담할

보상액은 75퍼센트를 초과치 않을것과

(ㄷ) 청구권자에게 보상금을 지불하기 전에 미국측의 사전 동의를 구할것을 요구하고 있다.

나. 토지시설

토지시설 조문에 있어서 보상문제를 제외한 기타 사항은 거이 완전 합의를 보았다. 보상문제에 관하여 우리측은 미국군대가 사용하였거나 사용중에 있는 토지시설 가운데 사유재산에 대한 보상과 미국군대의 사용으로 인한 막심한 파손을 입은 사유재산에 대한 원상복귀나 보상을 미국정부가 책임지도록 요구하고 있으나, 미국측은 우리측 요구에 절대 응할수 없다는 입장을 취하고 있다.

다. 형사재판 관할권

한미양측은 지난 2월 14일 개최된 제42차 실무자교섭회의에서 형사재판관할권에 관한 초안을 상호 수교함으로서 교섭의 최종적 단계에 들어섰다. 형사재판관할권의 본문에서 규제되고 있는 재판관할권의 원칙적인 귀속문제에는 한미 양측 초안이 대체적으로 일치하고 있으며 그내용이 미일협정과 거이 동일하나 미국측은 합의의사록에서 상당한 예외규정을 두고 있다.

양측 초안을 비교 검토한 결과 원칙적으로 양측 입장이 일치되는 점과 대립되는점 그리고 문제점으로 구분 요약해 본다면 다음과 같다.

(1) 입장이 일치되는점

(ㄱ) 대한민국 영역내에서 범하고 또한 대한민국 법률에 의하여 처벌할수 있는 범죄에

관하여 대한민국은 미국군대 구성원, 군속 및 그들의 가족에 대하여 재판권을 가진다.

(ㄴ) 미국당국이 그법에 따라서 대한민국 내에서 형사상 및 징계상의 재판권을 행사할수 있는 대상자의 범위는 미국군대 구성원, 군속 및 그들의 가족으로 하고 있다. (한국측 안은 가속을 이범위에서 제외 하고 있다.)

(ㄷ) 양국의 재판권 행사가 상호 경합될 경우에는 미국측으로서는 미국의 재산 또는 안전에 관한 범죄 또는 미국군대 구성원, 군속 또는 가족의 신체와 재산에 관한 범죄 또는 공무수행중에 행하여진 작위 또는 부작위로 인하여 발생하는 범죄에 대하여 제1차적인 관할권을 가지며 기타의 경우에 있어서는 한국측이 제1차적인 관할권을 가진다.

(2) 입장이 대립되는 점

범죄가 공무수행중에 발생한 것인지 아닌지를 결정함에 있어서, 한국측은 관할검찰청 검사가 결정권을 가지며 이에 대하여 당해 범죄자의 지휘관이 이의가 있을 경우에는 결정의 통고를 받은 날로부터 10일 이내에 법무부 장관에게 항변을 할수 있으며, 이경우에 법무부장관의 결정은 최종적인 것으로 하고 있으나 미국측은 당해 범죄인의 지휘관의 결정이 최종적인 것으로 하고 있다.

(3) 문제점

(ㄱ) 한미 상호 방위조약 제2조가 적용되는

전투행위가 발생하는 경우, 형시재판 관할권에 관한 본 협정의 규정은 즉각 정지되고, 미국당국은 군대 구성원, 군속 및 그들의 가속에 대하여 배타적인 관할권을 행사한다.

(ㄴ) 본 협정의 발효 이전에 행하여진 범죄에 대하여서는 본 협정의 적용을 받지 않고 1950년 7월 12일자의 대전협정에 의하여 규율한다.

(ㄷ) 전투지역에 있어서는 군대구성원, 군속 및 그들의 가족에 대하여 미군당국이 배타적인 관할권을 가지며 이전투지역의 범위는 추후 합동위원회에서 결정될 일이나 이는 비무장지대로 부터 미국군대 군단 및 한국군 이전군의 후방경계선 까지를 포함하여야 한다.

(ㄹ) 대한민국에 의하여 계엄령이 선포되는 경우 계엄령이 선포된 지역에서는 본 협정의 규정의 적용이 즉각 정지되며 미군당국이 계엄령이 끝날때까지 배타적인 관할권을 갖는다.

(ㅁ) 대한민국은 미국당국이 취할 행정적이고 징계적인 제재를 고려하여 미군 구성원, 군속 및 그들의 가속에 대한 형사재판 관할권에 대한 대한민국의 권리를 포기하는데 동정적인 고려를 한다.

(ㅂ) 만일 그범죄가 한국군 군인이 범하였다면 군법재판에 회부될 범죄를 미군이 범하였을 경우에는 그범죄에 대한 제1차적인 관할권은 미국당국이 보유한다.

6. 전망

한미실무 교섭자들은 현재까지 상호 신뢰와 존중의 정신하에 진지한 태도로서 교섭에 임하여 왔는바, 조속히 교섭을 완결하기 위하여서는 양측의 신축성 있는 교섭태도와 상호 협력이 계속 필요하며 특히 전기한 청구권, 토지시설 및 형사재판관할권 등 3개 조문에 관해서는 미국측의 각별한 이해가 촉구되는바 이며 문제의 복잡성과 중요성에 비추어 앞으로도 상당한 교섭기간이 필요할 것이나 우리측 실무교섭자들은 오랜 현안의 교섭을 가급적 단시일내에 완료하고 조속한 협정체결을 실현코저 모든 노력을 경주할 것이다.

7. 참고사항

미국이 타국과 협정을 체결한 교섭기간

협정	기간	비고
나토 협정	2개년	1951.6.19 서명
미일 협정	2개년	1952.2.28 "
미일 개정	1년반	1960.1.19 "
미중 협정	7개년	1957년이래계속중
미비 협정	10개년	1954년이래 협정 개정 교섭중

주둔군지위협정 체결 교섭 경위 (B).

1964 년 2 월

외 무 부

0012

주둔군지위협정 체결 고섭

1. 의의

주둔군 지위협정은 통상 주둔군대 구성원, 군속 및 그들의 가족들의 신분과 법적지위를 규률하여 아울러 접수국법률의 적용 범위를 규제하는바 협정에서 규제할 대상에는 복잡한 많은 문제가 포함되며 그중 형사재판 관할권, 청구권, 토지시설, 관세업무, 출입국관리, 조세문제등은 특히 중요한 규제대상이라 하겠다.

2. 고섭방침

고섭에 있어서 우리측 실무고섭자들은 접수국의 이익을 최대한도로 보장하기 위하여 미국이 선진제국과 체결한 "나도"협정 및 미.일협정등의 내용과 형태를 기준으로 하고 또한 우리나라의 현실적 특수사정을 반영케하여 한미양국에 상호만족스러운 협정을 체결할 방침에서 현재 가능한 노력을 경주하고 있다.

3. 고섭경위

가. 미국군대의 우리나라 주둔경위는 첫째 1950.6.25일 북한괴뢰군의 남침으로 인한 동란 발발시 한국방위를 위하여 국제연합안전보장 이사회의 결의에 따라 국제연합군으로서 미군이 파견되었으며 1954.11.17, 발효한 한미 양국의 상호방위조약 제4조에 의거하여 미국은 한국영토 및 그부근에 미국군대를 배치할 권리를 부여받게 된것이다.

나. 그러나 동란으로 인한 긴급사태로 말미아마 1950.7.12일 부득이 전시하의 잠정적 협정으로 배타적 재판관할권을 미군당국에 허용하는 소위 대전협정을 체결하였다.

다. 1953.8.7일 당시 이승만 대통령과 "덜레스" 미국무장관은 한미상호방위조약 가조인시 주둔군 지위협정 체결을 위한 교섭을 조속 개시할것에 약속하였으며 그후 한국정부는 미국측에 포괄적 협정, 사항별 개별협정 또는 참전국별 협정등 미국측의 입장과 사정을 고려하여 강력한 교섭을 꾸준히 전개하였으나 미국측은 여러가지 이유와 구실로서 우리측 제의에 응하지 않았다.

그러나, 우리정부의 적극적인 교섭결과로 미국측은 1961.4.17일 드디어 교섭개시에 합의하고 공동 성명서를 발표하는 한편 제1차 실무자 교섭 회의를 개최하게 되었다. 그러나 실무자 교섭 회의는 1961.4.25일 제2차 실무자 교섭회의를 개최한후 미국측의 요청으로 연기되어 왔으나 5.16군사혁명으로 중단되고 말았다.

라. 혁명후 우리정부는 파주사건을 위시한 불상사의 접종으로 주한미국군대 지위협정 체결을 위한 교섭재개를 십수차에 걸쳐 미국측에 강력히 요구하였으며 한미양국은 1962.9.6일 교섭재개에 합의하고 공동성명을 발표하게 이르렀다.

한미양국은 공동성명에서 (ㄱ) 9월중에 실무자 교섭회의를 재개할것과 (ㄴ)협정체결을 민정이양을 기다려 이루어 질것이라는 점을 명백히 하였으나 이러한 양해와에 한미양국은 수한미군대 지위협정 체결을 위한 제1차 실무자 교섭회의를 1963.9.20일 개최하였으며 그후 1964.2.21일 현재 43차에 걸친 회의를 개최하였다.

4. 고섭현황

가. 한미양측의 실무자 교섭회의는 회의벽두 협정에 포함될 주요 조항으로 다음과 같은 29개 항목을

채택하였다.

그중 (*)를 한 14개 조문은 교섭중 완전 합의를 본 조항이며, (@)표시를 한 12개 조문은 토의중에 있는 조항들이며; 기타 3개의 조문은 아직 초안을 교환치 못한 조항임.

* 1. 협정의 서문
* 2. 용어의 정의
@ 3. 토지시설
* 4. 항공통제 및 항해보조시설
* 5. 합동위원회
* 6. 출입국 관리
@ 7. 관세업무
* 8. 선박 및 항공기 기착문제
@ 9. 공익물 및 용역
@ 10. 군표
* 11. 군사우편
* 12. 예비병 소집 및 훈련
@ 13. 미군인 가족 및 재산의 안전
* 14. 기상업무
* 15. 차량 및 운전면허
@ 16. 외환통제
@ 17. 미세출 자금기관
* 18. 접수국 법의 존중
@ 19. 형사재판 관할권
@ 20. 청구권
* 21. 조세
@ 22. 현지조달
23. 계약상의 분쟁

@ 24. 노무문제

@ 25. 군계약자

* 26. 보건 및 위생

27. 협정의 비준 발효 및 시행사항

* 28. 협정의 개정 및 수정

29. 협정의 유효기간 및 만료사항

5. 문제점

그간의 교섭경위로 보아 현재 토의중에 있는 대부분의 조문은 부분적 합의를 이미 보았으며 지엽적인 기술적 사항만을 조정한다면 불원 완전합의에 이룰수 있을 것으로 전망되나, 청구권, 토지시설 및 형사재판관할권 등 3개조문은 양국간의 입장에 상당한 거리가 있으며 교섭상 문제점으로서 합의에 이루기 까지에는 한미 양국의 신축성 있는 교섭태도와 미국측의 협조와 이해가 요망된다.

가. 청구권

청구권에 관한 양측 입장의 주요 차이점은 대략 아래와 같다.

(1) 공무집행중의 군인, 군속 및 차량, 항공기, 선박에 의한 상대방 정부재산에 끼친 손해

한국측 : 미화 800불 미만의 손해에 대한 청구권은 포기하나 손해액이 그이상 초과할 경우에는, 양국간에 합의가 없는한 중재자를 통하여 해결하도록 요구.

미국측 : 미화 1,400불 미만의 손해에 대한 청구권은 포기하나 손해액이 그이상 초과할 경우에는 피청구권의 국내법에 의거 해결하도록 요구.

0016

(2) 공무집행중의 작위와 부작위 및 기타 미국정부가 책임질 작위 및 부작위로 인한 제3자에 끼친 손해

한국측 : 한국법에 의거 심의 처리하되 미국측에만 책임이 있을 경우는 보상액의 85퍼센트는 미국이, 15퍼센트는 한국이 각각 부담하나 공동책임이 있거나 책임한계가 분명치 않을 경우는 각각 50퍼센트 씩 부담하도록 요구.

미국측 : 미국법에 의거 심의 처리하도록 요구.

(3) 비공무중의 불법행위나 차량의 불법사용으로 인한 손해

한국측 : 한국측이 심의하고 그결과를 미국측에 통고하도록 하며 미국측의 위자료에 불만이 있을 경우 청구권자가 소송을 제기할수 있도록 규제하고 있음.

미국측 : 미국측이 처리하며 경우에 따라 위자료를 지불할 것을 규제하고 있음.

(4) 불법행위 또는 부작위가 공무집행의 행위인지의 여부 혹은 차량사용의 합법성 여부 결정.

한국측 : 중재자가 결정할 것을 요구.

미국측 : 한미 양국이 각각 결정할 것을 요구.

그러나 청구권 문제에 관하여 미국측은 수차에 걸친 비공식 회담을 통하여 우리측 입장에 상당히 접근해 오고 있으며 (ㄱ) 한국의 국가배상심의제도가 시행된 기간이 짧은점에 비추어 당분간 미국법 즉 미국데외 소청법에 의거 문제를 해결할 것과 (ㄴ) 미국측이 부담할

보상액은 75퍼센트를 초과치 않을 것과 (ㄷ) 청구권자에게 보상금을 지불하기 전에 미국측의 사전 동의를 구할것을 요구하고 있다.

나. 토지시설

토지시설 조문에 있어서 보상문제를 제외한 기타 사항은 거의 완전 합의를 보았다. 보상문제에 관하여 우리측은 미국군대가 사용하였거나 사용중에 있는 토지시설 가운데 사유재산에 대한 보상과 미국군대의 사용으로 인한 막심한 파손을 입은 사유재산에 대한 원상복귀와 보상을 미국정부가 책임지도록 요구하고 있으나, 미국측은 우리측 요구에 절대 응할수 없다는 입장을 취하고 있다.

다. 형사재판관할권

한미양측은 지난 2월 14일 개최된 제 42 차 실무자 교섭회의에서 형사재판관할권에 관한 초안을 상호 수교함으로서 교섭의 최종적 단계에 들어섰다. 양측 초안을 비교 검토한 결과 문제점으로 전망되는 점을 요약해 본다면 다음과 같다.

문제점:

(1) 범죄가 공무집행중의 행위로 인한것인가의 결정:

범죄가 공무수행중에 발생한 것인지, 아닌지를 결정함에 있어서, 한국측은 관할건찰청 검사가 결정권을 가지며 이에 대하여 당해 범죄자의 지휘관이 이의가 있을 경우에는 결정의 통고를 받은 날로부터 10일 이내에 법무부 장관에게 항변을 할수 있으며 이경우에 법무부장관의 결정은 최종적인 것으로 하고 있으나 미국측은 당해 범죄인의 지휘관의 결정이 최종적인 것으로 하고 있다.

(2) 전투지역에서의 배타적 관할권 요구:

미측안은 전투지역에 있어서는 군대구성원, 군속 및 그들의 가족에 대하여 미군당국이 배타적인 관할권을 가지며 이전투지역의 범위는 추후 합동위원회에서 결정될 일이나 이는 비무장지대로 부터 미국군대 군단 및 한국군 야전군의 후방경계선 까지를 포함할것을 요구하고 있다.

(3) 전속적 관할권 행사 포기 요구에 동정적 고려 요구:

미측안은 미국당국이 취할 행정적이고 징계적인 제재를 고려하여 미군 구성원, 군속 및 그들의 가족에 대한 형사재판관할권에 대하여 대한민국이 그의 관할권을 행사할 권리를 포기하는데 동정적인 고려를 할것을 요구하고 있다.

(4) 한국군 군법회의의 관할하에 드는 성질의 범죄에 대한 관할권 요구:

미측안은 만일 그범죄가 한국군 군인이 범하였다면 군법재판에 회부할 범죄를 미군이 범하였을 경우에는 그범죄에 대한 제 1 차적인 관할권은 미국당국이 보유할것을 요구하고 있다.

(5) 피의자의 구금 및 인도:

미측안은 피의자가 한국측 수중에 있으며 대한민국이 그에 대한 관할권을 가지는 경우에도 동피의자를 즉시 미측에 인도하도록 하고 공소절차가 완료하고 한국측이 그의 구금을 요구할때 까지 미측이 구금할수 있도록 할것을 요구하고 있다.

(6) 구류선고집행에 대한 동정적 고려요구 :

미측안은 한국법정에서 구류선고를 받고 복역중인 미군대 구성원, 군속 또는 가족에 대한 구류를 미국측이 행하겠다는 미측의 요구에 대한민국이 동정적 고려를 해줄것을 요구하고 있다.

(7) 계엄령하의 본 조문 적용의 배제:

미측안은 대한민국에 의하여 계엄령이 선포되는 경우 계엄령이 선포된 지역에서는 본 협정의 규정의 적용이 즉각정지되며 미군당국이 계엄령이 끝날때까지 배타적인 관할권을 가질것을 요구하고 있다.

(8) 전투행위 발생시의 본조문 적용의 정지 :

미측안은 한미 상호 방위조약 제2조가 적용되는 전투행위가 발생하는 경우, 형사재판관할권에 관한 본 협정의 규정은 즉각 정지되고 미국당국이 군대 구성원, 군속 및 그들의 가족에 대하여 배타적인 관할권을 행사할것을 요구하고 있다.

6. 전망

한미실무교섭자들은 현재까지 상호신뢰와 존중의 정신하에 진지한 태도로서 교섭에 임하여 왔는바, 조속히 교섭을 완결하기 위하여서는 양측의 신축성 있는 교섭 태도와 상호 협력이 계속 필요하며 특히 전기한 청구권, 토지시설 및 형사재판관할권 등 3개 조문에 관하여서는 미국측의 각별한 이해가 촉구되는바이며 문제의 복잡성과 중요성에 비추어 앞으로도 상당한 교섭기간이 필요할 것이나 우리측 실무교섭자들은 오랜 현안의 교섭을 가급적 단시일 내에 완료하고 조속한 협정체결을 실현코저 모든 노력을 경주할 것이다.

7. 참고사항

미국이 타국과 협정을 체결한 교섭기간

협 정	기 간	비 고
나토협정	2개년	1951.6.19 서명
미일협정	2개년	1952.2.28 "
미일개정	1년반	1960.1.19 "
미중협정	7개년	1957년이래계속중
미비협정	10개년	1954년이래 협정 개정 교섭중

0021

AGREED MINUTES

RE Paragraph 1(a) and 2(a)

The scope of persons subject to the military laws of the United States shall be communicated, through the Joint Committee, to the Government of Japan by the Government ofthe United States.

AGREED MINUTES

The provisions of this Article shall not affect existing agreements, arrangements, or practices, relating to the exercise of jurisdiction over personnel of the United Nations forces present in Korea other than forces of the United States.

RE Paragraph 1(b)

1. The authorities of the United States shall have the right to exercise exclusive jurisdiction over members of the United States armed forces or civilian component, and their dependents, if any, in th e combat zone. The extent of the combat zone shall be defined by the Joint Committee and shall include the area from the demilitarization zone to the rear boundaries of the United States corps (group) and the Republic of Korea army-size unit deployed in that zone.

0022

2. In the event that martial law is declared by the Republic of Korea, the provisions of this Article shall be immediately suspended in the part of the Republic of Korea under martial law, and the authorities of the United States shall have the right to exercise exclusive jurisdiction over members of the United States armed forces or civilian component, and their dependents, in such part until martial law is ended.

3. The jurisdiction of the authorities of the Republic of Kore a over members of the United States armed forces or civilian component, and their dependents, shall not exten d to any offenses committed outside the Republic of Korea.

0023

RE Paragraph 2.

The Republic of Korea, recognizing the effectiveness in appropriate cases of the administrative and disciplinary sanctions which may be imposed by the United States authorities over members of the United States armed forces or civilian component, and their dependents, will give sympathetic consideration in such cases to requests in the Joint Committee for waivers of its right to exercise jurisdiction under paragraph 2.

RE Paragraph 2(c)
Both Governments shall inform each other of the details of all the security offenses mentioned in this subparagraph and the provisions governing such offenses in the existing laws of their respective countries.

RE Paragraph 2 (c)

Each Government shall inform the other of the details of all security offenses mentioned in this subparagraph and of the provisions regarding such offenses in its legislation.

0024

RE Paragraph 3

The Republic of Korea, recognizing that it is theprimary responsibility of the United States authorities to maintain good order and discipline among the members of the United States Armed Forces and civilian component, and their dependents, waives the right of the authorities of the Republic of Korea to exercise jurisdiction under paragraph 3. The United States authorities shall notify the competnet authorities of the Republic of Korea of individual cases falling under the waiver thus provided. If, by reason of special circumstances in a specific case, the authorities of the Republic of Korea consider that it is of particular importance that jurisdiction be exercised by the Republic of Korea in that case, they shall, within 15 days of receipt of the notification envisaged above, seek agreement of the Joint Committee to recall the waiver for that particular case.

Subject to the foregoing, the waiver granted by the Republic of Korea shall be unconditional and final for all purposes and shall bar both the authorities and the nationals of the Republic of Korea

0025

nationals of the Republic of Korea from instituting criminal proceedings .

To facilitate the expeditious disposal of offenses of minor importance, arrangements may be made between United States authorities and the competent authorities of the Republic of Korea to dispense with notification.

RE Paragraph 3 (a)

1. The authorities of the United States shall have the primary right to exercise juridiction over members of the United States armed forces in relation to offenses which, if committed by a member of the armed forces of the Republic of Korea, would be tried by court-martial rather than by a civilian court.

0026

RE Paragraph 3(a)(2)

Were a member of the United States armed forces or the civilian component is charged with an offense, a certificate issued by or on behalf of his commanding officer stating that the alleged offense, if committed by him, arouse out of and act or omission done in the performance of official duty, shall, in any judicial proceedings, be sufficient evidence of the fact unless the contrary is proved.

The above staement shall not be interpreted to prejudice in any way Article 318 of the Japanese Code of Criminal Procedure.

2. Where a member of the United States armed forces or civilian component is charged with an offense, a certificate issued by or on behalf of his commanding officer stating that the alleged offense, if committed by him, arose out of an act or omission done in the performance of official duty, shall be conclusive for the purpose of determining primary jurisdiction.

RE Paragraph 6

1. The authorities of the United States and the authorities of the Republic of Korea shall assist each other in obtaining the appearance of witnesses necessary for the proceedings conducted by such authorities within the Republic of Korea.

When a member of the United States armed forces in Korea is summoned to appear before a Korean court, as a witness or as a defendant, United States authorities shall, unless military exigency requires otherwise, secure his attendance provided such attendance is compulsory under Korean

0027

of the United States with respect to a case over which Japan has the primary right to exercise jurisdiction, the Japanese authorities will, unless they deem that there is adequate cause and necessity to retain such offender, release him to the custody of the United States military authorities provided that he shall, on request, be made available to the Japanese authorities, if such be the condition of his release. The United States authorities shall, on request, transfer his custody to the Japanese authorities at the time he is indicted by the latter.

2. The United States military shall promptly notify the Japanese authorities of the arrest of any member of the United States armed forces, the civilian component or a dependent in any case in which Japan has the primary right to exercise jurisdiction.

0028

RE Paragraph 3(c)

1. Mutual procedures relating to waivers of the primary right to exercise jurisdiction shall be determined by the Joint Committee.

2. Trials of cases in which the Japanese authorities have waived the primary right to exercise jruisdiction,and trials of cases involving offenses described in paragraph 3(a)(2) committed against the State or nationals of Japan shall be held promptly in Japan within a reasonable distance fromthe places where the offenses are alleged to have taken place unless other arrangements are mutually agreed upon. Representatives of the Japanese authorities may be present at such trials.

RE Paragraph 4:

Dual nationals, Japanese and United States, who are subject to the military law of the United States and are brought to Japan by the United States shall not be considered as nationals of Japan, but shall be considered as United States nationals for the purposes of this paragraph.

RE Paragraph 5

1. In case the Japanese authorities have arrested an offender who is a member of the United States armed forces, the civilian component, or a dependent subject to the military law

0029

law. If military exigency prevents such attendance, the authorities of the United States shall furnish a certificate stating the estimated duration of such disability.

Service of process upon a member of the United States armed forces or civilian component, or a dependent required as a witness or a defendant must be personal service in the English language. Where the service of process is to be effected by a Korean process server upon any person who is inside a military installation or area, the authorities of the United States shall take all measures necessary to enable the Korean process server to effect such service.

In addition, the Korean authorities shall promptly give copies of all criminal writs (including warrants, summonses, indictments, and subpoenas) to an agent designated by the United States authorities to receive them in all cases of Korean criminal proceedings involving a member of the United States armed forces or civilian component, or a dependent.

When citizens or residents of the Republic of Korea are required as witnesses or experts by the authorities of the United States, the courts and

0030

authorities of the Republic of Korea shall, in accordance with Korean law, secure the attendance of such persons. In these cases the authorities of the United States shall act through the Attorney General of the Republic of Korea, or such other agency as is designated by the authorities of the Republic of Korea.

Fees and other payments for witnesses shall be determined by the Joint Committee established under Article

2. The privileges and immunities of witnesses shall be those accorded by the law of the court, tribunal or authority before which they appear. In no event shall a witness be required to provide testimony which may tend to incriminate him.

3. If, in the course of criminal proceedings before authorities of the United States or the Republic of Korea, the disclosure of an offical secret of either of these States or the disclosure of any information which may prejudice the security of either appears necessary for the just disposition of the proceedings, the authorities concerned shall seek written permission to make such disclosure from the appropriate authority of the

0031

State concerned.

0032

RE Paragraph

RE Paragraph 9 (a)

The right to a prompt and sppedy trial by the courts of the Republic of Korea shall include public trial by an impartial tribunal composed exclusively of judges who have completed their probationary period. A member of the United States armed forces or civilian component, or a dependent, shall not be tried by a military tribunal of the Republic of Korea.

RE Paragraph 9 (b)

A member of the United States armed forces or civilian component, or a depende,t shall not be arrested or detained by the authorities of the Republic of Korea without adequate cause, and he shall be entitled to an immediate hearing at which such cause must be shown in open court in his presence and the presence of his counsel. His immediate release shall

0033

be ordered if adequate cause is not shown. Immediately upon arrest or detention he shall be informed of the charges against him in a language which he understands.

He shall also be informed a reasonable time prior to trial of the nature of the evidence that is to be used against him. Counsel for the accused shall, upon request, be afforded the opportunity before trial to examine and copy the statements of witnesses obtained by authorities of the Republic of Korea which are included in the file forwarded to the court of the Republic of Korea scheduled to try the case.

0034

RE Paragraph 9 (c) and (d)

A member of the United States armed forces or civilian component, or a dependent, who is prosecuted by the authorities of the Republic of Korea shall have the right to be present throughout the testimony of all witnesses, for and against him, in all judicial examinations, pretrial hearings, the trial itself, and subsequent proceedings, and shall be permitted full opportunity to examine the witnesses.

RE Paragraph 9 (e)

The right to legal representation shall exist from the moment of arrest or detention and shall include the right to have counsel present, and to consult confidentially with such counsel, at all preliminary investigations, examinations, pretrial hearing s, the trial itself, and subsequent

0035

proceedings, at which the accused is present.

RE Paragraph 9 (f)

The right to have the services of a competent interpreter shall exist from the moment of arrest or detention.

RE Paragraph 9 (g)

The right to communicate with a representative of the Government of the United States shall exist from the moment of arrest or detention, and no statement of the accused taken in the absence of such a representative shall be admissible as evidence in support of the quilt of the accused. Such representative shall be entitled to be-

0036

present at all preliminary investigations, examinations, pretrial hearings, the trial itself, and subsequent proceedings, at which the accused is present .

RE Paragraph 9

1. The rights enumerated in items (a) through(e) of this panagraph are guaranteed to all persons on trial in Japanese courts by the provisions of the Japanese Contitution. In addition to these rights, a member of the United States armed forces, the civilian component or a dependent who is prosecuted under the jurisdiction of Japan shall have such other rights as are guaranteed under the laws of Japan to all persons on trial in Japanese courts. Such additional rights include the following which are guaranteed under the Japanese Constitution:

RE Paragraph 9

A member of the United States armed forces or civilian component, or a dependent, tried by the authorities of the Republic of Korea shall be accorded every procedural and substantive right granted by law to the citizens of the Republic of Korea. If it should appear that an accused has been, or is likely to be, denied any procedural or substantive right granted by law to the citizens of the Republic of Korea, representatives of the two Governments shall consult in the Joint Committee on the measures necessary to prevent or cure such denial of rights.

0037

(a) He shall not be arrested or detained without being at once informed of the charge against him or without the immediate privilege of counsel; nor shall he be detained without adequate cause; and upon demand of any persons such cause must be immediately shown in open court in his presence and the presence of his counsel;
(b) He shall enjoy the right to a public trial by an impartial tribunal;
(c) He shall not be compelled to testify against himself;
(d) He shall be permitted full opportunity to examine all witnesses;
(e) No cruel punishments shall be imposed upon him.

2. The United States authorities shall have the right upon request to have access at any time to members of the United States armed forces, the civilian component, or their dependents who are confined or detained under Japanese authority.

3. Nothing in the provisions of paragraph 9(g) concerning the presence of a representative of the United States Government at the trial of a member of the United States armed forces, the civilian component or a dependent prosecuted under the jurisdiction of Japan, shall be so construed as to prejudice the provisions of the Japanese Constitution with respect to public trials.

In addtion to the rights enumerated in items (a) through (g) of paragraph 9 of this Article, a member of the United States armed forces or civilian component, or a dependent, who is prosecuted by the authorities of the Republic of Korea:

(a) shall be furnished a verbatim record of his trial in English;

(b) shall have the right to appeal a conviction or sentance; in addition, he shall be informed by the court at the time of conviction or sentencing of his right to appeal and of the time limit within which that right must be exercised;

(c) shall have credited to any sentence of confinement his period of pretrial confinement in a United States or Korean confinement facility;

(d) shall not be held guilty of a criminal offense on account of any act or ommission which did not constitute a criminal offense under the law of the Republic of Korea at the time it was committed;

(e) shall not be subject to a heavier penalty than the one that was applicable at the time the alleged criminal offense was committed or was adjudged by the court of first instance as the original sentence;

0038

(f) shall not be held guilty of an offense on the basis of rules of evidence or reguirements of proof which have been altered to his prejudice since the date of the commission of the offense.

(g) shall not be compelled to testify against or otherwise incriminate himself;

(h) shall not be subject to cruel or unusual punishment;

(i) shall not be subject to prosecution or punishment by legislative or executive act;

(j) shall not be prosecuted or punished more than once for the same offense.

(k) shall not be required to stand trial if he is physically or mentally unfit to stand trial and participate in his defense;

(l) shall not be subjected to trial except under conditions consonant with the dignity of the United State s armed forces, including appearing in appropriate military or civilian attire and unmanacled.

No confession, admission, or other statement, or real evidence, obtained by illegal or improper means will be considered by courts of the Republic of Korea in prosecutions under this

0039

Article.

In any case prosecuted by the authorities of the Republic of Korea under this Article no appeal will be taken by the prosecution from a judgment of not guilty or an acquittal nor will appeal be taken by the prosecution from any judgment which the accused does not appeal, except upon grounds of errors of law.

The authorities of the United States shall have the right to inspect any Korean confinement facility in which a member of the United States armed forces, civilian component, or dependent is confined, or in which it is proposed to confine such an individual.

In the event of hostilities, the Republic of Korea will take all possible measures to safeguard members of the United States armed forces, members of the civilian component, and their dependents who are confined in Korean confinement facilities, whether awaiting trial or serving a sentence imposed by the courts of the Republic of Korea. The Republic of Korea shall give sympathetic consideration to requests for release of these persons to the custody of responsible

0040

United States authorities. Necessary implementing provisions shall be agreed upon between the two governments through the Joint Committee.

Facilities utilized for the execution of a sentence to death or a period of confinement, imprisonment, or penal servitude, or for the detention of members of the United States armed forces or civilian component or dependents, will meet minimum standards as agreed by the Joint Committee. The United States authorities shall have the right upon request to have access at any time to members of the United States armed forces, the civilian component, or their depednents who are confined or detained by authorities of the Republic of Korea. During the visit of these persons at Korean confinement facilities, United States authorities shall be authorized to provide supplementary care and provisions for such persons, such as clothing, food, beding, and medical and dental treatment.

0041

RE Paragraph 10(a)and(b)

1. The United States military authorities will normally make all arrests within facilities and areas in use by and guarded under the authority of the United States armed forces.This shall not preclude the Japanese authobities from making arrests within facilities and areas in cases where the competent authorities of the United States armed forces have given consent, or in cases of pursuit of a flagrant offender who has committed a serious crime.

Where persons whose arrest is desired by the Japanese authorities and who are not subject to the jurisdiction of the United States armed forces are within facilities and areas in use by the United States armed forces,the United States military authorities will undertake,upon request, to arrest such personns. All persons arrested by the United States military authorities, who are not subject to the jurisdiction of the United States armed forces, shall immediately be turned over to the Japanese authorities.

The United States military authorities may,under due process of law, arrest in the vicinity of a facility or area any person in the commission or attempted commission of an offense against the security of that facility or area. Any such person not subject to the jurisdiction of the United States armed forces shall immediately be turned over to the Japanese authorities.

RE Paragraph 10 (a) and 10(b)

The United States authorities will normally make all arrests within facilities and areas in use by the United Statea armed forces. The Korean authorities will normally not exercise the right of search, seizure, or inspection with respect to any person or property within facilities and areas in use by the authorities of the United States or with respect to property of the United States wherever situated, except in cases where the competent authorities of the United States consent to such search, seizure, or inspection by the Korean authorities of such persons or property.

Where search, seizure, or inspection with respect to persons or property within facilities and areas in use by the United States or with respect to property of the United States in Korea is desired by the Korean authorities, the United States authorities will undertake, upon request, to make such search, seizure, or inspection. In the event of a judgment concerning such property, except property owned or utilized by the United States Government or its instrumentalities, the United States will in accordance with

0042

2. The Japanese authorities will normally not exercise the right of search, seizure, or inspection with respect to any persons or property within facilities and areas in use by and guarded under the authority of the United States armed forces or with respect to property property of the United States armed forces wherever situated, except in cases where the competent authorities of the United States armed forces consent to such search, seizure, or inspection by the Japanese authorities of such persons or property.

Where search, seizure, or inspection with respect to persons or property within facilities and areas in use by the United States armed forces or with respect to property of the United States armed forces in Japan is desired by the Japanese Authorities, the United States military authorities will undertake, upon request, to make such search, seizure, or inspection. In the event of a judgement concerning such property, except property owned or utilized by the United States Government or its instrumentalities, the United States will turn over such property to the Japanese authorities for disposition in accordance with the judgement.

its laws turn over such property to the Korean authorities for disposition in accordance with the judgment.

The United States authorities may arrest or detain in the vicinity of a facility or area any person in the commission or attempted commission of an offense against the security of that facility or area. Any such person who is not a member of the United States armed forces or civilian component or a dependent shall immediately be turned over to the Korean authorities.

0043

지급

총 무 처

총무의 130-520 (72-9163) 8-1842(국회의사국) 1964.2.19.

수 신 수신처 참조

제 목 국회로부터의 건의 이송

국회의장으로부터 별첨사본(국사의 제107호, 1964.2.19)과 같이 "미주둔군지위협정(한미행정협정)체결촉구에관한건의"를 보내왔으므로 이첩합니다.

유 첨. 미주둔군 지위협정(한미행정협정)체결촉구에관한건의 이송 사본 1부. 끝.

비주과	공람 '64 2월 20일	담 당	과 장	국 장	특별보좌관	차 관	장 관

copy: 內務部
國防部
法務部

장 관 이 석

수신처
가 (15.16.20.21)

0044

대 한 민 국 국 회

국사외 제 107호 1964.2.19

수 신 대통령

참 조 총무처 장관

제 목 미주둔군 지위 협정(한미행정협정)체결촉구에관한건의이송

64.2.18.제40회 국회 제13차 본회의에서 미주둔군 지위협정(한미행정협정)체결촉구에 대하여 별첨과 같이 건의하기로 의결 하였으므로 이를 이송합니다.

유 첨.. 미주둔군 지위 협정(한미행정협정)체결촉구에관한건의 2부. 끝.

原本對照畢

의 장 이 효 상

0045

미주둔군 지위협정(한미행정협정) 체결요구에관한 건의

주 문

정부는 분별없는 일부 미군병사의 잔혹한 총질을 사전에 막고 가해한 미국군인에 대하여 우리의 재판관할권으로서 응당한 형사적책임을 물을수 있도록 조속한 시일내에 미주둔군지위협정을 체결할것을 촉구한다.

0046

협 조 전	응신기일

분류기호 외구미 27 제목 국무총리 기자회견 자료제출

수 신 공보관 발신일자 1964. 5. 20. (협조제의)

귀실에서 요청한 국무총리 기자회견 자료를 별첨과 같이 제출 합니다.

유첨: 기자회견 자료 및 행정협정 체결교섭 진도표 각 1부. 끝

(발신명의) 구미국장 장 상 문

(제1의견)

미주과	양고제	5월 19일	담당	과장	국장	특별보좌관	차관	장관

(제2의견)

공통서식 1—23 (16절지)

0047

협 조 전

응신기일 1964. 5. 20. 오전 10시

분류기호 외공보 제목 국무총리 기자회견 자료제출

수신 구미국장 발신일자 공보관 (협조제의)

국무총리 정례기자회견이 5월 20일 있을 예정인바 다음과 같은 질문이 예상되오니 답변 자료를 ~~작성하여~~ 5월 20일 오전 10시까지 국·한문으로 작성제출하여 주시기 바랍니다.

(발신명의) 공보관 윤 [signature]

(제1의견)

1. 한미행정협정에 대한 전망은

(제2의견)

공통서식 1—23 (16절지)

0048

質問: 韓美行政協定에 對한 展望은?

答辯資料:

韓美實務交涉者들은 早速한 協定締結을 爲하여 最大限의 努力을 傾注하고 있어 많은 進展을 보고 있는 것이 事實이다. 1962年 9月 20日. 交涉開始된 以來 1年 8個月間 29個 主要 討議項目中 27個項目에 對하여 討議를 하여 16個項目에 完全合意를 보았으며, 11個의 未合意項目中 6個項目 (①軍票 ②外換統制 ③軍契約者 ④勞務 ⑤現地調達 ⑥美軍人, 家族 및 財産의 安全)은 앞으로 1, 2個月 內外에 完全合意에 到達할 것으로 觀測되며, 實務交涉者들은 나머지 5個項目 (①刑事裁判管轄權 ②土地 및 施設問題 ③關稅 ④P.X.問題 ⑤請求權問題)에 關하여 많은 意見差異가 있기는 하나 眞摯한 討議를 繼續하고 있는 中이다. 이러한 問題에 對하여도 멀지않아 相互間의 意見差異가 調節되어 合意點을 發見할 것으로 보는 바이며, 今年中에는 調印될 수 있도록 最善을 傾注하고 있는 中이다.

0049

분류번호 1422.

기 안 지

기 안 자	미주과 이근팔	전화번호		공 보	필요	불필요
	과장	국장	차관	장관		
협조자 서명					보존년한	
기안 년월일	1964. 5. 21.	시행 년월일		통제관 (검열 1964.5.2 통제관)	정서	기장
분류기호 문서번호	외구미 722.2 —					
경유 수신 참조	주 미 대 사	발 신	장 관			
제 목	주둔군지위협정 체결 교섭					

1964. 5. 20 일 개최된 제 52 차 주둔군지위협정 체결 교섭 실무자회의에서 우리측은 형사재판관할권에 관하여 대안을 미측에 제시함으로서 조속한 협정의 체결을 촉구하였는바 그 중 중요한 사항 만을 다음과 같이 통지하오니 ~~미국정부 관계관과 접촉할때 본 취지를 설명하여 우리측의 입장을 촉구하시고 그 결과를 보고~~ 참고하시기 바랍니다.

다 음

1. 전투지역:

미측이 "전투지역"을 설정하여 그 지역내에서 전속적 관할권을 행사하겠다고 주장한데 대하여 우리측은 경합적 관할권의 포기규정과 재판전 피의자의 신병 구금에 관한 규정에 관한 우리측의 원래의 주장을 대폭 양보함으로서

공통서식 1—1 (갑) (16절지)

0050

미국측의 요구를 실질적으로 충족시킬 수 있음을 강조하고 다음과 같은 대안을 제시하여 전투지역의 개념을 철회할 것을 요구하였음.

가. 경합적 관할권의 포기에 관한 대안 요지:

미국당국이 관할권 행사 포기에 해당하는 개별적 사건을 한국당국에 통고해오면 한국당국은 중대한 사법상의 이익을 침해치 않는 한도내에서 관할권 행사를 포기한다.

나. 재판전 피의자의 신병 구금에 관한 대안 요지:

피의자가 미군당국의 수중에 있을 때에는 국가의 안전에 관련된 범죄를 범한 피의자를 제외하고는 모든 사법절차가 끝나고 한국당국이 요청할 때 까지 미군당국이 구금한다. 단, 특정사건에 있어서 한국당국이 신병의 인도를 요청하면 미군당국은 동정적 고려를 한다.

2. 미국측은 한국당국의 관할권 행사기관을 "민사당국"(Civil Authorities)에 만 국한하며고 주장하고 있으나 이는 미국군인 및 군속을 한국의 군법회의에 회부하지 않겠다는 미측의 의도임으로 이를 전적으로 수락할 것을 확약함으로서 "민사"라는 어휘를 삭제하고 "대한민국당국"으로 하자는 우리의 주장을 수락할 것을 요구하였음.

3. 계엄령 선포 지역 내에서 계엄령이 해제될 때 까지 미군이 전속적관할권을 행사하겠다고 주장하고 있으나 그 이유도 상기 2 항에서 언급된 행사당국을 "민사당국"에 국한하자는 미측의 의도와 동일함으로 우리는 여하한 경우에도 미군 범법자를 한국의 군법회의에 회부하지 않을 것을 조건으로 미측의 "계엄령"에 관한 규정을 철회할 것을 요청하였음.

주기: 상세한 내용은 다음 파우치 편에 송부하는 제 52 차 회의록을 참조하시기 바랍니다. 끝.

0051

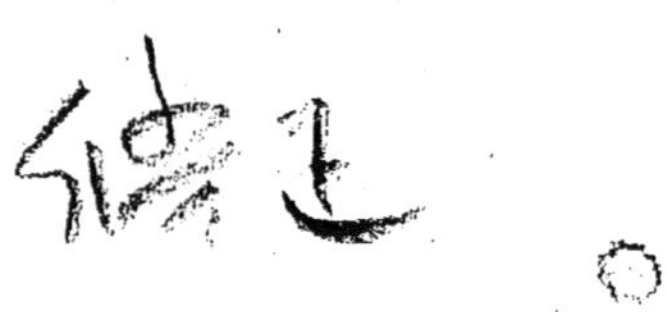

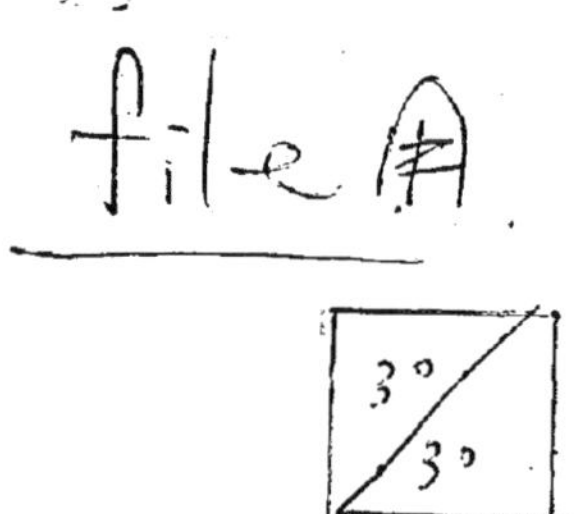

미주둔군 지위협정 체결 교섭 현황

외무부 구미국

1964. 6. 12

0052

주둔군지위협정 체결 교섭 현황

1. 교섭경위

가. 미국군대의 우리나라 주둔경위는 첫째 1950년 6월 25일 북한괴뢰군의 남침으로 인한 동란 발발시 한국방위를 위하여 국제연합안전보장 이사회의 결의에 따라 국제연합군으로서 미군이 파견되었으며 1954.11.17. 발효한 한미양국의 상호방위조약 제4조에 의거하여 미국은 한국영토 및 그부근에 미국군대를 배치할 권리를 부여받게 된것이다.

나. 그러나 동란으로 인한 긴급사태로 말미아마 1950년 7월 12일 부득이 전시하의 잠정적 협정으로 배타적 재판관할권을 미군당국에 허용하는 소위 대전협정을 체결하였다.

다. 1953년 8월 7일 당시 이승만 대통령과 "덜레스" 미국무장관은 한미상호방위조약 가조인시 주둔군 지위협정 체결을 위한 교섭을 조속 개시할것에 약속하였으며 그후 한국정부는 미국측에 포괄적협정, 사항별 개별협정 또는 참전국별 협정등 미국측의 입장과 사정을 고려하여 강력한 교섭을 꾸준히 전개하였으나 미국측은 여러가지 이유와 구실로서 우리측 제의에 응하지 않았다.

그러나, 우리정부의 적극적인 교섭결과로 미국측은 1961년 4월 17일 드디어 교섭개시에 합의하고 공동성명서를 발표하는 한편 제1차 실무자교섭 회의를 개최하게 되었다. 그러나 실무자 교섭회의는 1961년 4월 25일 제2차 실무자교섭회의를 개최한후 미국측의 요청으로 연기되어 왔으나 5.16군사혁명으로 중단되고 말었다.

라. 혁명후 우리정부는 마주사건을 위시한 불상사의 접종으로 주한미국군대 지위협정 체결을 위한 교섭재개를

십수차에 걸쳐 미국측에 강력히 요구하였으며 한미 양국은 1962년 9월 6일 고섭재개에 합의하고 공동 성명을 발표하게 이르렀다.

한미양국은 공동성명에서 (ㄱ) 9월중에 실무자 고섭회의를 재개할것과 (ㄴ) 협정체결을 민정이양을 기다려 이루어 질것이라는 점을 명백히 하였으나 이러한 양해하에 한미양국은 주한미군대 지위협정 체결을 위한 제1차 실무자 고섭회의를 1962년 9월 20일 개최하였으며 그후 1964년 6월 9일 현재 54차에 걸친 회의를 개최하였다.

2. 고섭현황

한미양측의 실무자고섭회의는 회의벽두 협정에 포함될 주요 조항으로 별첨 진도표에 표시된바와 같이 29개 항목을 채택하였으며 그중 완전합의 조항이 17개, 부분적합의 조항이 10개, 초안미교환 조항이 2개이다.

3. 주요토의 항목의 내용

가. 합의된 항목

(1) 서문:

내용: 유엔안보이사회의 결의와 한미상호방위조약에 의하여 미합중국 군대가 한국영토에 주둔케 되었는바, 한미양국은 상호 긴밀한 유대를 더욱 강화하기 위하여 시설 및 토지와 미군의 지위에 관하여 합의한다.

(2) 용어의 정의:

내용: 미군대 구성원, 군속 및 그들의 가족에 대한 정의를 정하여 협정상의 규제대상을 명확히 한것임.

(3) 항공통제 및 항해보조시설:

내용: 모든 민간 및 군사항공통제를 협정의 원활한 운영을 보장토록 상호협조하며 미군은 항해보조시설을 한국에서 시행되는

제도와 대체적으로 일치하도록 설치유지 하며 한미양국은 상호 협력한다.

(4) 합동위원회:

내용: 토지 및 시설사용문제를 위시한 협정운영에 필요한 모든 사항에 대하여 양국정부의 대표가 항상 접촉하여 협의할수 있도록 합동위원회를 구성운영한다.

(5) 출입국관리:

내용: 미군 구성원, 군속 및 가족이 입국 및 출국하는데 있어서 간편한 절차를 제공하기 위하여 구성원의 신분증 및 여행명령서의 휴대와 여권소지 및 입국사증 발급의 면제여어(단, 군속 및 그가족과 구성원의 가족은 여권과, 신분증을 소지) 구성원, 군속 및 가족들에 대한 외국인 등록 및 통제법의 불적용 및 기타 양국정부간의 협조사항을 규정함.

(6) 선박 및 항공기 기착:

내용: 공용으로 사용되는 미군의 선박 및 항공기는 한국의 모든 항구 및 비행장에 입항료를 지불하지 않고 이용할수 있으며, 한국내의 미군시설간의 교통도 자유로히 안정하는 동시 선박 또는 항공기에 적재된 본협정대상외의 물품과 인원의 한국관계법의 적용한계를 규정함.

(7) 공익물 및 용역:

내용: 미군은 한국정부가 소유하거나 통제 및 조정하고 있는 교통 및 통신시설, 전력, 개스, 수도 및 기타 공익물 용역을 사용하며, 미군작전에 지장이 없도록하여이아나 한국정부의 운영방법과 모순되어서는

않되며, 요금은 기타 사용자보다 불리하게 부과되지 않는다.

(8) 군사우편시설 및 군우행정:

내용: 미국은 그들이 사용하는 시설 및 토지내에 군사우편국을 설치운영하며, 군인, 군속 및 가족은 한국내의 각미군군사우편국 및 미국내의 우편국과의 우편연락을 위하여 사용할수 있다.

(9) 예비병의 소집 및 훈련문제:

내용: 미국은 한국내에 미국시민을 소집하여 한국내에서 예비병 훈련을 할수있다.

(10) 기상 및 기타 관련된문제:

내용: 한국정부는 양국정부의 적절한 당사자간의 협정에 의거 기상관측, 기상자료, 전기통신 업무 및 지진관측 자료등을 미국군대에게 제공한다.

(11) 차량 및 운전면허문제:

내용: 한국은 미군인, 군속 및 가족이 소지하는 미국정부가 발급한 운전면허를 별도의 시험이나 수수료 없이 인정하나, 미군 및 군속의 공용차량에는 용이하게 식별할수 있는 번호판을 부착하여야 하며, 모든사유 차량은 한국법에 의한 면허와 등록을 받아야 하며 (번호판 발급에) 필요한 실비를 지불하여야 한다.

토의시의 주요문제점: 미측은 최초 군인, 군속 및 가족의 개인소유차량에 대한 면허 및 등록을 미국당국에서 할것을 주장하였으나 한국측은 한국의 교통량등을 참작하여 한국정부가 할것을 주장 이에 합의함.

(12) 접수국법의 준수문제:

8 - 4

0056

내용 : 주한 미군, 군속 및 가족은 한국의 법을 존중하고 협정정신에 위배되는 여하한 행위도 하지 않으며 특히 한국의 모든 정치활동에 가담하지 않을 의무가 있음.

(13) 조세문제 :

내용 : 주한 미군, 군속 및 가족은 한국의 조세 대상에서 면제되나 한국내에서의 공무와 관계없는 영리행위에 의한 소득에 대하여는 면세조치되지 않는다.

(14) 현지조달문제 :

내용 : 미국은 한국내에서 모든 물자와 용역을 조달할수 있으나 한국경제에 악영향을 미칠 조달에 관하여는 한국정부와 협조하에 행한다. 동조달물품에는 면세조치가 되며, 공용이외의 목적을 위한 구매에는 면세되지 않으며 면세로 구매한 물품을 불법으로 타인에게 처리할수 없다.

토의시의 주요문제점 : 한국정부가 면세조치를 함에 있어 면세조치 요구서의 사전제출과 계약자를 통한 구매시의 최종단계의 구매에만 면세조치가 되는데 대한 명확한 한계를 규정함에 있어 한국측의 입장을 관철시킴. 또한 세무행정상 곤란한 개별적인 수송기관 등의 이용에는 면세조치를 할수없도록 토의 합의됨.

(15) 회계절차 :

내용 : 협정운영상의 금전거래에 관한 회계절차를 양국정부간에 수립할것에 합의한다.

(16) 협정의 개정 및 수정 :

내용 : 양국정부는 협정의 어느부분에 관한 수정을 언제든지 요청할수 있으며, 양국정부는 적절한 계통을 통하여 이를 고섭한다.

(17) 보건위생문제 :

내용 : 질병의 예방 및 기타의료 업무에 조정문제 등 쌍방에 공동이해가 있는 공중 보건 및 위생에 관한 사항을 양국정부는 합동위원회에서 결정 해결한다.

4月13日 Briefing 以後의 進展事項 (50차~58차회의)

4. 미합의된 항목

① 軍票所有事項는 SOFA 테두리 한에서 취급키로 合意하고 要請事項 自体에는 實質的으로 合意를 봄
(犯法者 處罰問題만 남아 있으며 이는 刑事裁判管轄權 條項이 合意됨에 따라 自動的으로 合意될 것임)

(1) 군표 :

내용 : 미군의 군표발행과 사용자의 범위, 남용에 대한 대책, 군표위조와 관련한 범법자에 대한 상호협조 및 군표이용기관의 설치 운영문제를 규제.

② 外換統制
問題点: 適用換率에 対한 意見差異
韓国側: 外換銀行에서 決定되는 率
美 側: 合法的인 最高換率

(2) 외환통제 :

내용 : 미군, 군속 및 가족은 한국의 외환통제법에 규제대상이 되나, 미군자체내의 미불화의 유통 및 본국과의 송수금 행위에는 적용되지 않으며, 미군은 이특권을 남용하지 않도록 적절한 조치를 취한다.

③ 軍契約者 (自動的 ... 合意하여) 實質的으로는 合意됨
(犯法者 處罰問題만 남아 있으며 刑事裁判管轄權 條項이 合意됨에 따라 完全合意될 것임)

(3) 군계약자 :

내용 : 미군을 위한 외국계약자의 자격, 선정, 해약요건, 특권, 출입국문제, 관세 및 조세면제문제, 군표 및 군사우편시설의 이용 및 기타 한국법의 적용한계등을 규제.

④ 労務問題
問題点: 韓国労動法의 適用問題
韓国側: 韓国労動法에 따를 것.
美 側: 大体的으로 韓国法에 따를 것이나, 파업, 해고 및 분쟁해결 방법에 있어 例外를 主張.

(4) 노무문제 :

내용 : 미군이 한국인 노무자를 고용 및 해임하는데 있어서의 제반절차와 노무자의 노동조건 제반 권리와 처우보장문제등을 한국노동법에 따를것을 규정한 것임.

(5) 미군인, 가족 및 재산의 안전보장문제 :

내용 : 주한미군, 군속 가족 및 그들의 재산에 대한 안전을 보장하기 위하여 한국정부는 미당국과 협조하며, 미국의 시설, 장비, 재산, 기록 및 문서등을 보호하기 위하여

⑤ 美人, 軍屬, 家族의 安全保障
問題点: 安全保障을 위한 立法措置
韓国側: 軍隊의 施設 및 財産, 其他公的인 것.
美 側: 人員 및 私有財産까지 立法措置를 할수있도록 主張

8 - 6

0058

적절한 조치의 입법을 한다.

(6) 토지 및 시설:

내용: 주한미군의 임무수행에 필요한 토지 및 시설 이용에 관한 사항, 사유재산에 대한 보상문제, 유지비용, 반환절차, 토지 및 시설내의 변조, 안전에 관한문제 및 기타 한미간의 협조사항을 규정함.

(7) 관세업무:

내용: 미군, 군속 및 가족에 대한 한국관세법의 적용한계, 군사화물에 대한 면세조치문제, 비세출기관의 수입문제, 개인물품수입시에 관세문제와 한국내에서 처리시의 통제, 관세면제 특권의 남용방지문제 및 기타 양국간상호협조 문제를 규제함.

(8) 비세출기관의 활동문제:

내용: 주한미군의 비세출기관 즉, P.X.코미써리, 구락부, 극장등의 설치운영과 이시설의 사용대상자의 범위 및 남용방지등을 규제함

(9) 형사재판관할권:

내용: 미군, 군속 및 가족의 모든 형사사건에 대한 재판관할권의 한계와 그 절차를 규정

(10) 청구권:

내용: 민사재판에 관한 사항으로서 미군, 군속 및 미군의 비고용자가 공무중 또는 비공무중 한국정부 및 제3자에 대한 피해보상절차를 규정하는 것임.

다. 토의되지 않는 항목

(1) 협정의 비준, 발효 및 시행사항

(2) 협정의 유효기간 및 만료사항

4. 전망

현재 미합의된 항목중, 군표, 외환관리, 군계약제, 노무문제, 미군인 가족 및 재산의 안전보장문제에

관한 항목등 4, 5개 항목은 1, 2개월내에 완전 합의에 도달하게 될것으로 관측되며 한미실무고섭자들은 현재까지 상호신뢰와 존중의 정신하에 진지한 태도로서 고섭에 임하여 왔는바, 조속히 고섭을 완결하기 위하여서는 양측의 신축성있는 고섭태도와 상호협력이 계속 필요하며 특히 토지시설 및 형사재판관할권, 청구권등에 관해서는 쌍방의 견해의 차이가 현저함으로 미국측의 각별한 이해가 촉구되는 바이며 문제의 복잡성과 중요성에 비추어 앞으로도 어느정도 시일이 필요할 것이나 우리측 실무고섭자들은 고섭을 가급적 단시일내에 완료하고 조속한 협정체결을 실현코저 모든 노력을 경주하고 있음.

5. 타국의 고섭기간의 예

미국이 타국과 협정을 체결한 고섭기간

협 정	기 간	비 고
나토 협정	2개년	1951.6.19 서명
미일 협정	2개년	1952.2.28 "
미일 개정	1년반	1960.1.19 "
미중 협정	7개년	1957년이래 계속중
미비 협정	10개년	1954년이래 협정 개정 고섭중

8 - 8

0060

별첨: 미주둔군지위협정 교섭회의 진도표 1964. 6. 12. 현재

제 목	조문교환	토의개시	부분적합의	완전합의
1. 서문				62.12.4.
2. 용어의 정의				63.3.13.
3. 토지 및 시설				
4. 항공통제 및 항해보조시설				63.10.31.
5. 합동위원회				63.2.25.
6. 출입국 관리				63.1.7.
7. 관세 업무				64.7.8.(57차) P.X조항
8. 선박 및 항공기 기착				63.1.7.
9. 공익물 및 용역				64.3.6.
10. 군표				
11. 군사우편시설 및 군우행정				64.1.24.
12. 예비병의 소집 및 훈련				63.2.25.
13. 미군인, 가족 및 재산의 안전보장				64.6.19(56차) CJ조항
14. 기상 및 기타 관련된 문제				63.4.24.
15. 차량 및 운전면허				63.8.22.
16. 외환 통제				
17. 비세출기관의 활동문제				
18. 접수국법의 준수문제				63.6.12.
19. 형사재판 관할권				
20. 청구권				
21. 조세 문제				63.10.1[illegible].
22. 현지조달 문제				64.5.28.
23. 회계절차				64.3.13.
24. 군 계약자 문제				64.7.8.(57차) C.J조항
25. 노무 문제				
26. 협정의 비준, 발효 및 시행사항				
27. 협정의 개정 및 수정				63.12.5.
28. 협정의 유효기간 및 만료사항				
29. 보건 위생 문제				63.5.25.

0061

기 안 용 지

자체 통제		기안처	미주과 이근팔	전화번호	근거서류접수일자
	과장	국장	차관	장관	
관계관 서명					
기안 년월일	1964. 6. 17.	시행 년월일		보존 년한	정서기장
분류 기호	외구미 722.2—	전체 통제	종결		
경유 수신 참조	국회사무처총장 참조: 의사국장			발신	장관
제목	주둔군지위협정 체결 교섭				

1. 1964. 2. 19. 국사의 제 107 호로 송부하신 제 40회국회 제 13 차 본회의에서 의결된 주둔군지위협정의 조속한 체결을 촉구하는 건의안에 대한 회보입니다.

2. 당부에서는 1962 년 9 월 20 일 제 1 차 주둔군지위협정 체결 교섭 한.미 간 실무자회의를 개최한 이래 동 협정의 조속한 체결을 위하여 예의 노력하여 왔읍니다.

3. 특히 1964 년 2 월 14 일에 개최된 제 42 차 실무자회의에서 한.미 양국이 현안이던 형사재판관할권에 관한 초안을 교환 후 1964 년 6 월 9 일자 제 54 차회의 개최에 이르기 7가지 국회로부터의 건의를 지침으로 동 협정을 조속히 체결코저 최선을 다하고 있는 중 입니다.

4. 한편 1964년 3월 6일 한.미 합동군사시설보안위원회가 설치되어 한국측으로서는 국방부 내무부를 비롯하여 관계부처 실무자들이 미측대표와

승인서식 1—1—3 (11 00900—03) (195mm×265mm16절지)

0062

정기적으로 회합함으로서 미군관계 각종 사고를 미연에 방지코저 예의 노력하고 있음을 아울러 첨언하는 바 입니다. 끝.

승인양식 1-1-2 (1112-040-016-017) (190mm×260mm 16절지)

0063

사본

번호 : VNW - 0985

일시 : 151530

수 신 : 외무부 장관

발 신 : 주월대사

1. 월남 외무성에서는 한미간의 주둔군지위 협정안의 텍스트를 구득하여줄것을 당관에 의뢰하여 왔음.

2. 동 협정은 현재 양국간에 교섭이 진행되고 있을뿐 상금 체결된 것이 아니므로 협정안이라고 할만한 형식을 가춘것이 없을 것이며 비록 있다 하드라도 양국간에 협정으로 확정되기전에는 동문서를 외부에 낼수 없을 것이라고 말하였드니 동 협정의 아이디아만이라도 좋으니 알려줄 것을 당부 하였음을 참고로 첨언함.

3. 월남정부도 아국과 같은 주둔군 지위 협정의 체결을 구상하고 있는 것으로 추측됨. (외아남, 외방교)

0064

협 조 전

응신기일

분류기호 외아북 138　　제목 한미 행정협정 추진내용에 관한 월남 정부의 협조 요청

수신 구미국 미주과장　　발신일자 1964. 9. 16　　(협조제의)

주월 대사관의 보고에 의하면 월남정부는 우리의 미국과의 주둔군 지위협정 추진에 있어서의 우리측 초안 내용을 알려달라는 요청이 있다고 하는바 구체적인 내용은 알릴수 없겠지만 가능한 한도 내에서 대강이라도 알려주면 우호적 제스츄어로서 유리할것 같사오니 제공할수 있는 내용을 통지해 주시기 바랍니다. (전문 사본 별첨)

(발신명의)
동남아주과장

(제1의견)

(제2의견)

공통서식 1—23　　(16절지)

0065

협 조 전	응 신 기 일

문서번호 외구미 722.2 830 제 목 한·미행정협정 추진내용에 관한 월남정부의 협조요청

수 신 : 동남아주과장 발 신 미주과장 년 월 일 64. 9. 17. 제 1의견

1964. 9. 16일자 외아남 138호로 문의하신데 대하여 다음과 같이 회보합니다.

1. 한·미간 주둔군지위협정 체결을 위한 양국실무자간의 교섭은 1963년 9월 25일 제1차 실무자회의를 개최한 이래 상금 진행되고 있으며 양국 초안을 포함한 일체교섭내용은 양국간의 양해사항으로 협정이 체결될 때까지는 비밀에 부치게 되어 있읍니다.

2. 따라서 구체적인 고섭내용은 알릴수 없으며 다만 우리측은 NATO 협정, 미·일간 주둔군지위협정 및 미국이 기타 국가들과 체결한 협정의 내용을 참고로 하고 있으며 또한 우리나라의 현실정을 고려하여 고섭을 진행하고 있음을 월남정부에 알리는 것은 무방하리라고 사료합니다. 끝

구미국 미주과장 구 충 회

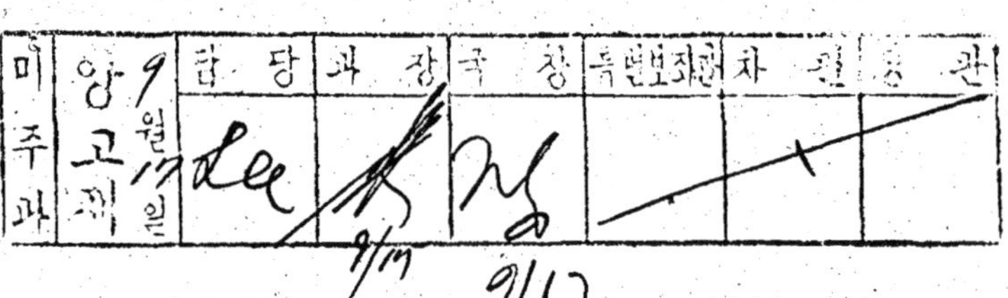

승인서식 1—34 (11—13330 -01) (195mm×265mm16절지)

0066

ART. 2. Persons subject to the code.

The following persons are subject to this code:

(10) In time of war, all persons serving with or accompanying an armed force in the field;

Note. -- The words "in the field" imply military operations with a view to an enemy (14 Ops. of Atty. Gen'l. p. 22 (1872)), and it has been said that in view of the technical and common acceptation of the term, the question of whether an armed force is "in the field" is not to be determined by the locality in which it may be found, but rather by the activity in which it may be engaged at any particular time (Hines v. Mikell, 259 F. 28, at 34). Thus forces assembled in temporary cantonments in the United States for the purpose of training preparatory for service in the actual theater of war were held to be "in the field" (Hines v. Mikell, supra) and a merchant ship and crew engaged in transporting troops and supplies to a battle zone were held to constitute a military expedition "in the field" (McCune v. Kilpatrick, 53 F. Supp. 80; In re Berue, 54 F. Supp. 252). See also Ex parte Gerlach, 247 F. 616; Hearings before a Subcommittee of the Committee on Armed Services, House of Representatives, Eighty-first Congress, First Session, H. R. 2498, 7-31 March, 1, 2, and 4 April 1949, pp. 872, 873.

One may be considered to be "accompanying" an armed force although he is not directly employed by such force or by the Government but works for a contractor engaged on a military project or serves on a merchant ship carrying war supplies or troops (Perlstein v. U.S., 151 F. 2d 167, Cert. Dism., 328 U.S. 822; In re DiBartolo, 50 F. Supp. 929; In re Berue, supra; McCune v. Kilpatrick, supra). In those cases, however, in which a civilian has been held to have been "accompanying" an armed force, it has appeared that he has either moved with a military

0067

operation or that his presence within a military installation or theater was not merely incidental but was connected with or dependent upon the activities of the armed force or its personnel. He must, in order to come within this class of persons subject to military law, "accompany" the armed force in fact. Although a person "accompanying" an armed force may be "serving with" it as well, the distinction is an important one, for even though a civilian's contract with the Government may have come to an end before he has committed an offense, so that it may be said he is no longer "serving with" an armed force, jurisdiction may remain on the ground that he is accompanying an armed force because of his continued connection with a military community (Perlstein v. U.S., supra; Grewe v. France, 75 F. Supp. 433). CM 329933, Miquiabas, 7 Bull. JAG (Army) 125 at 126.

(11) Subject to the provisions of any treaty or agreement to which the United States is or may be a party or to any accepted rule of international law, all persons serving with, employed by, or accompanying the armed forces without the continental limits of the United States and without the following territories: That part of Alaska east of longitude one hundred and seventy-two degrees west, the Canal Zone, the main group of the Hawaiian Islands, Puerto Rico, and the Virgin Islands;

0068

PART X -- PUNITIVE ARTICLES

ART. 134. General article.

Though not specifically mentioned in this code, all disorders and neglects to the prejudice of good order and discipline in the armed forces, all conduct of a nature to bring discredit upon the armed forces, and crimes and offenses not capital, of which persons subject to this code may be guilty, shall be taken cognizance of by a general or special or summary court-martial, according to the nature and degree of the offense, and punished at the discretion of such court.

JURISDICTION AS TO PERSONS

PERSON SERVING WITH, EMPLOYED BY, OR ACCOMPANYING THE ARMED FORCES WITHOUT THE CONTINENTAL LIMITS OF THE UNITED STATES. -- Accused, a civilian employee of the Army, had been employed for a considerable time as production superintendent of a tire plant operated for the Army under contract by a Japanese corporation under the supervision of occupational personnel, both military and civilian. The products of the plant were used by the armed forces in both Japan and Korea. HELD, accused was "accompanying or serving with the armies of the United States", under AW 2(d), and a GCM had jurisdiction over accused to try him for violations of the AW's, UNITED STATES v. MARKER (No. 281), 1 USCMA 393, 3 CMR 127.

Two Polish nationals who were employed by the Army in France were convicted by a GCM of offenses in violation of the UCMJ.

0069

Accused were members of a Labor Service Company recruited in Germany and brought to France for service with forces of the U.S. located in that country. The offense was committed while they were working for the armed forces of the U.S. in France. On appeal, they asserted the GCM lacked jurisdiction over them. HELD, under Art. 2(11), accused were "persons serving with, employed by, or accompanying the armed forces without the continental limits of the United States"; consequently, they were subject to the UCMJ and to trial by CM. Neither of the express exceptions provided by Art. 2(11) is applicable. UNITED STATES V. WEIMAN et al (No. 1403), 3 USCMA 216, 11 CMR 216.

Accused, while in Japan as the wife of an Army officer, killed her husband. Upon trial by Army CM, accused asserted the CM had no jurisdiction over her because, upon the death of her husband, she ceased to be a person "accompanying" the armed forces outside the U.S. within the purview of Art. 2(11). HELD, accused's "status as a spouse or dependent ceased to exist upon her husband's death; but *** she remained a person 'accompanying' the armed forces of the United States within the meaning of the Code and subject to the jurisdiction thereof ***". CM 360857, SMITH, 10 CMR 350; jurisdiction confirmed in United States v. Smith (No. 3370), 5 USCMA 314, 17 CMR 314.

Accused, a civilian, was employed as the manager of a concession of a PX located on the military (Army) reservation at Rycom, Okinawa. The concession was operated under a contract between W, the owner of the concession, and the central exchange, an Army activity. The contract provided, among other things, that all articles would be sold at approved prices, that the PX was to receive a percentage of the proceeds of sales of the concession, and that allied personnel of the concessionaire

0070

should be considered persons accompanying the armies of the U.S. without the territorial limits of the U.S. and, as such, subject to trial by military court. Accused committed a larceny of property belonging to the concession while serving as manager thereof. Upon trial by an AF CM, he attacked the jurisdiction of the CM. HELD, accused was a person accompanying the armed forces without the continental limits of the U.S.; thus, he was subject to the UCMJ and to trial by CM. The "offense occurred while the accused was engaged in employment closely connedted with and directly dependent upon the activities of the Armed Forces ***." Further, there is no requirement that accused be tried by an Army CM, as the provisions of par. 13 limiting the exercise of jurisdiction by one armed force over personnel of another apply only to military personnel. ACM 6341, BIAGINI et al, 10 CMR 682.

A merchant seaman whose employment as a messman on a ship carrying military supplies from Japan to Korea was terminated prior to departure of the ship, and who thereafter had the status of an American citizen residing in Japan without any substantial affiliation or connection with the military community, may not be tried by an Army GCM for offenses of larceny, robbery, and assault committed by him after termination of his employment (distinguishing Perlstein v. United States, 151 F.2d 167 (3d Cir., 1945), Mil. Jur. 723, in that here accused was not awaiting transportation to the U.S. under terms of any contract entered into or agreed upon either by the U.S. or on its behalf). CM 357066, GUIDRY, 7 CMR 305. See also United States v. Garcia (No. 3086), 5 USCMA 88, 17 CMR 88.

Accused, a civilian crew member of a ship which had been allocated to the MSTS, was convicted by GCM of the unpremeditated

0071

murder of a fellow seaman in Yokohama, Japan, where their vessel was docked. HELD, accused was subject to CM jurisdiction as a person "accompanying" the armed forces. Although the Administrative Agreement between the U.S. and Japan provides that U.S. service courts shall have the right to exercise exclusive jurisdiction over offenses committed in Japan by the "civilian component" of the U.S. Armed Forces and although the Joint Committee established to implement the compact had determined that persons in the accused's category were not part of the "civilian component," the USCMA found a basis for concurrent jurisdiction, saying: "*** /S/ave as to persons who may have enjoyed some special bond with Japan, that nation would have no interest whatever in limiting the jurisdiction which might otherwise be possessed by American courts ***. Thus, no reason would exist for the Administrative Agreement to contemplate that American courts *** would be bound to accept for jurisdictional purposes the determinations of the Joint Committee ***. Therefore, *** /the Administrative Agreement/ did not remove the present accused from *** military jurisdiction at the moment he stepped ashore from the /vessel/ and by reason of the fact that he had done so." United States v. Robertson (No. 5441), 5 USCMA 806, 19 CMR 102. See also CM 366499, Patterson, 16 CMR 295.

Article 2(11) declared constitutional. -- Accused was tried in Japan by a GCM pursuant to Art. 2(11) and convicted of the premeditated murder of her husband, an Army officer. After her conviction was affirmed on appellate review (CM 360857, Smith, 10 CMR 350; dec. on recon. 13 CMR 307; aff'd, United States v. Smith (No. 3370), 5 USCMA 314, 17 CMR 314), a petition

0072

for writ of habeas corpus was filed on her behalf. The petition alleged that the CM had no jurisdiction to try accused because Art. 2(11) of the Code violates both Article III and the Sixth Amendment to the Constitution, which guarantee the right to trial by jury to civilians. HELD, Art. 2(11) of the Code, which purports to confer CM jurisdiction over persons "serving with, employed by, or accompanying the armed forces without the continental limits of the United States," does not violate the Fed. Constitution. As CM's are not required to provide all the protections of constitutional courts, i.e., courts established under the provisions of Article III of the Constitution, it is a violation of the Constitution to try by CM a civilian who is entitled to trial by an Article III court (United States ex rel. Toth v. Quarles, 350 U.S. 11). However, it has been established that the jury provisions of Article III and the Sixth and Seventh Amendments do not apply to legislative courts established by Congress in territory belonging to the U.S. which has not been incorporated into the Union. Similarly, these constitutional guarantees do not apply to consular courts established by Congress to try American citizens for crimes committed in foreign countries. Prior decisions of this Court "establish beyond question that the Constitution does not require trial before an Article III court in foreign country for offenses committed there by an American citizen and that Congress may establish legislative courts for this purpose." KINSELLA V. KRUEGER, 351 U.S. 470 (1956).

0073

CONSTITUTIONAL COURT. A court named or described and expressely protected by Constitution, or recognized by name or definite description in Constitution but given no express protection thereby. Gorham v. Robinson, 57 R.I. 1, 186 A. 832.

LEGISLATIVE COURTS. Courts created by Legislature not named or described by Constitution. Gorham v. Robinson, 57 R.I. 1, 186 A. 832.

Courts exercising judicial power created by Congress under constitutional authority to provide for government and administration of territories and tribunals created by Congress under general legislative power to perform administrative, or quasi judicial, functions. Gorham v. Robinson, 57 R.I. 1, 186 A. 832, 849, 850.

Court of Claims, Manion v. State, 303 Mich. 1, 5 N.W. 2d 527, 529; United States v. Sherwood, 61 S.Ct. 767, 770, 312 U.S. 584, 85 L.Ed. 1058; Court of Customs and Patent Appeals, Bland v. Commissioner of Internal Revenue, C.C. A.7, 102 F.2d 157, 159; Territorial courts; State ex rel. Ralston v. Turner, 141 Neb. 556, 4 N.W. 2d 302, 306. O'Donoghue v. U.S., Ct. Cl., 53 S. Ct. 740, 289 U.S. 516, 77 L.Ed. 1356; United States Court for China, Casement v. Squier, D.C. Wash., 46 F. Supp. 296, 297.

0074

중앙공무원교육원 (자료 강의용) 64. 8. 24

미주둔군지위협정 (한미행정협정)

1. 행정협정의 개념

가. 개념

행정협정이란 본래 영어의 Executive Agreement 또는 Administrative Agreement 의 역어로서 주로 미국에서 발전해온바 국회(입법부)의 비준동의 없이 행정부가 타국의 정부를 상대로 하여 어떠한 형태의 협정을 체결하여 실무상의 편의를 메꾸던 행정부간의 Arrangements 를 뜻하는 것이다.

그러나 제2차 대전이후 세계는 서로 정치이념을 달리하는 동서양진영으로 분극화 현상을 나타냈으며 미국을 중심으로한 민주주의 서방제국과 사회주의 체제를 택하고 있는 공산제국은 서로 대치하여 이른바 냉전을 지속하고 있는 것이다.

여사한 국제 긴장속에서 자유민주 제국의 영도적 지위에 있는 미국은 그의 우방과 협력하여 자유세계를 수호하기 위하여 그의 군대를 세계각 우방국가에 파견하게 되었는바 이러한 미국군대가 우방제국에 주둔하게 될때 미군이 사용한 시설이나 또는 그의 신분에 관한 규제를 하게된것이 우리가 흔히 행정협정이라고 불르는 주둔군지위협정(Status of Forces Agreement)인 것이다.

나. 의의

전술한 주둔군지위협정은 통상 주둔군대 구성원, 군속 및 그들의 가족들의 신분과 법적 지위를 규률하에 아울러 접수국 법률의 적용범위를

0075

규제하고 있는바 동협정에서 규제할 대상에는 복잡한 많은 문제가 포함되며 그중 형사재판 관할권, 토지시설, 관세업무, 출입국관리, 조세문제등은 특히 중요한 규제대상이라 하겠다.

다. 국제법상의 의의

기술한바와 여히 본래의 행정협정은 점차 짙은 군사적 의의를 갖게되었으며 주로 외국군대가 타국 영토에 주둔하는데 관련된 국가간의 완전한 의사합의로 변질하게 되었다. (1951.6.19의 NATO 주둔군지위협정은 "런던"에서 서명되고 미국상원의 비준을 받은 조약인 것이다.) 국제법은 아직도 성립 과정에 있어서 유치한 단계에 있으며 주둔군지위에 관한 문제에 관해서는 더욱 그러하다고 할수있다. 외국군대가 타국영토에 주둔하는 경우는 전시에 일방 교전국의 군대가 적국 영토를 점령하여 주둔하는 것으로서 이것은 전시점령으로서 전시국제법의 규제 대상일뿐인 것이다. 따라서 이와같은 전시점령하에서는 외국군대가 타국영토에 주둔하는 사실이 있다 하더라도 이는 행정협정의 대상외인 것이다. 2차 대전 종료직후 "맥아더" 사령부의 일본점령 또는 8.15해방후 민국수립시까지의 미군의 남한 주둔등이 이에 속한다. 이와는 달리 평시 또는 전시에 당사국간의 합의에 의하여 일방 당사국의 군대가 타방 당사국내에 주둔하는 이른바 우방적 주둔의 경우를 들수있다.

이와같이 대등한 국가간에 있어서 어느한나라의 군대가 다른나라에 주둔함에 있어서는 어떠한 명시적 합의 (상호 방위협정, 집단안전체제등) 에

0076

의거하는 것이 통예인바 이와같은 경우 주둔군대의 지위 및 그의 관련된 제반 문제 처리에 관하여 정부간에 맺어지는 명시적 합의내용이 우리가 여기서 말하는 행정협정인 것이다.

이와같은 행정협정은 제1차 및 2차대전중 연합국등 사이에 많이 볼수 있었으니 특히 제2차 대전후 자유 및 공산진영간 이념적 정치적 및 군사적 대립의 격화로 인하여 공동방위체졔 수립 하지 않을수 없게 되었으며 여기 상호 방위조약, 상호원조조약, 상호 안전보장 조약으로 군사동맹 조약을 맺게되고 그에 따라서 어느 일방국가의 군대가 타방 당사국의 영토에 장기 또는 무기한 주둔하는 현상이 생기게 되었으며 그중 대표적 예가 1949년의 서구 자유진영의 북대서양 조약과 1955년의 동구공산진영의 "와르샤와"협정인 것이다.

이와 같이 평시에 있어서의 우호적 주둔에 관한 문제는 새로운 국제정치적 현상이라 하겠으며 따라서 국제법상 새로운 연구 과제로 대두되고 있으며 우호적인 접수국의 주권을 최대한의로 인정하면서 동시에 파견국의 군대가 방위임무대행에 지장이 없도록 최대한의 차외법권을 향유한다는 상호 경합하는 점이 생기게 되어 이에 수반하여 허다한 문제가 제기되게 되는 것이다. 이에 관련하여 제2차대전후 미국과 타국과의 주둔군 지위에 관한 협정 체결을 위하여 소요된 교섭 기간이 평균2년이상이었으며 어떤 경우에 있어서는 7년내지 10년간이나 교섭을 진행하여 오면서도 상금 합의에 도달하지 못하고 있다는 사실은 전기 행정협정 체결 교섭이 얼마나 복잡하고 인내를 요하는 것인가를 단적으로 말해주고 있는 것으로서 주목할만한 사실이라 하겠다.

0077

2. 교섭경위

가. 미국군대의 우리나라 주둔경위는 첫째 1950년 6월 25일 북한괴뢰군의 남침으로 인한 동란발발시 한국방위를 위하여 국제연합 안전보장 이사회의 결의에 따라 국제연합군으로서 미군이 파견되었으며 1954.11.17. 발효한 한미양국의 상호방위조약 제4조에 의거하여 미국은 한국영토 및 그부근에 미국군대를 배치할 권리를 부여받게 된것이다.

나. 그러나 동란으로 인한 긴급사태로 말미아마 1950년 7월 12일 부득이 전시하의 잠정적 협정으로 배타적 재판관할권을 미군당국에 허용하는 소위 대전협정을 체결하였다.

다. 1953년 8월 7일 당시 이승만 대통령과 "덜레스" 미국무장관은 한미상호방위조약 가조인시 주둔군지위협정 체결을 위한 교섭을 조속 개시할것에 약속하였으며, 그후 한국정부는 미국측에 포괄적 협정, 사항별 개별협정 또는 참전국별 협정등 미국측의 입장과 사정을 고려하여 강력한 교섭을 꾸준히 전개하였으나 미국측은 여러가지 이유와 구실로서 우리측 제의에 응하지 않았다.

1961년 4월 17일 드디어 교섭개시에 합의하고 공동성명서를 발표하는 한편 제1차 실무자 교섭회의를 개최하게 되었다. 그러나 실무자 교섭회의는 1961년 4월 25일 제2차 실무자 교섭회의를 개최한후 미국측의 요청으로 연기되어 왔으나 5.16군사혁명으로 중단되고 말었다.

라. 혁명후 우리정부는 파주사건을 위시한 불상사의 접종으로 주한미국군대 지위협정 체결을 위한 교섭재개를 십수차에 걸쳐 미국측에 강력히 요구하였으며 한미양국은 1961년 9월 6일 교섭재개에 합의하고 공동성명을 발표하게 이르렀다.

0078

한미양국은 공동성명에서 (ㄱ) 9월중에 실무자 교섭회의를 재개할것과 (ㄴ) 협정 체결을 만정이양을 기다려 이루어 질것이라는 점을 명백히 하였으나 이러한 양해하에 한미양국은 주한미군대 지위협정 체결을 위한 제1차 실무자 교섭회의를 1961년 9월 20일 개최하였으며 그후 1964년 8월 14일 현재 61차에 걸친 회의를 개최하였다.

3. 교섭현황

가. 한미양측의 실무자 교섭회의는 회의벽두 협정에 포함될 주요 조항으로 다음과 같은 29개 항목을 채택하였다.

그중 현재까지 27개 항목을 토의하여 20개 항목에 완전합의 하였으며 7개항목에 대하여 토의를 계속중에 있다. (별첨 · 진도표 참조)

4. 전망

한미 실무교섭자들은 현재까지 상호신뢰와 존중의 정신하에 진지한 태도로서 교섭에 임하여 왔으며, 문제의 복잡성과 중요성에 비추어 앞으로도 어느 정도의 교섭기간이 필요할 것으로 여기하고 있으나 우리측 실무교섭자들은 오랜 현안의 교섭을 가급적 단시일내에 완료하고 조속한 협정체결을 실현코저 모든 노력을 경주하고 있는 중이다.

0079

국정감사자료

1964. 9. 3.

한.미간 주둔군지위협정 체결 교섭

1962년 9월 20일 한.미간의 제1차 교섭회의를 개최한 이래 1964년 8월 28일 개최된 제62차 교섭회의에 이르기까지 미측과 교섭을 진행하여 온 결과 현재 29개 조항중 ~~17~~ 20개 조항에 완전 합의를 보았으며 합의를 보지 못한 ~~12~~ 9개 조항중에서도 형사재판관할권, 민사청구권, 노무조달, 토지 및 시설에 관한 조항등을 제외한 기타 조항에 관하여서는 불원간 합의를 볼 수 있는 단계에 도달하고 있음.

그러나 현재 토의중에 있는 형사재판관할권 및 민사청구권에 관한 조항은 한.미간의 견해차이가 현저하여 쌍방의 주장을 조정 조정하기 위하여서는 상당한 시일을 요할 것이나 우리측은 ~~조속한 시일내에~~ 타결코저 예의 노력중임.

~~가능한 한~~ 년내에 가급적

0080

미 주둔군 지위 협정 체결 교섭

1. 방침

미 주둔군 지위협정 체결교섭은 주한미국군대의 법적지위와 아울러 주둔군에 관한 복잡한 제반 행정상의 문제를 협정으로 규제하여 한미 양국간의 유대강화와 우호관계의 증진을 기할 것을 목적으로 하고있다. 특히 교섭에 있어서 우리측 실무교섭자들은 접수국의 이익을 최대한도로 보장하기 위하여 미국이 선진제국과 체결한 NATO 협정 및 미일협정의 형태를 기준으로 하고 우리나라의 현실적인 특수사정을 반영하여 한미양국에 상호 만족스러운 주둔군지위협정을 체결할 방침하에 가능한 노력을 경주하고 있다.

2. 현황

한미양국은 1962. 9. 6. 미주둔군지위 협정체결을 위한 실무자 교섭 재개에 합의하는 공동성명서를 발표하고 1962.9. 20 제 1 차 실무자 교섭회의를 개최하여 1963. 9. 30 현재 31차에 걸친 회의를 개최하였다. 양국 교섭실무자는 협정에 포함된 주요제목으로서 29개 항목 (1개 항목은 추가됨)에 달하는 토의 제목에 합의하여 교섭을 추진하여 왔는바 교섭 현황은 다음과 같다.

가. 완전 합의 조항

현재까지 양국 실무자 교섭회의에서 완전 합의에 도달한 조항은 다음 10개 조항이다.

서문

용어의 정의

합동위원회

1966.12.31, 에 예고문에 의거 일반문서로 재분류됨

0081

출입국 관리

선박 및 항공기의 기착

예비병의 소집 및 훈련

기상 업무

차량 및 운전면허

접수국의 법규존중

위생 및 보건조치

나. 토의중이거나 부분적인 합의를 본 조항

현재까지 토의 중이거나 혹은 부분적이 합의를 본 조항은 다음 13개 조항이다.

토지시설

항공통제 및 항해보조시설

관세 업무

공익물 및 용역

노무

군사우편

미군인 가족 및 재산의 안전

외환통제

비세출기관

청구권

조세

현지조달

군계약자

0082

다. 토의예정 조항

앞으로 토의예정 조항은 다음 6개 조항이다.

형사 재판 관할권

계약상의 분쟁

노무

협정의 비준, 발효 및 시행사항

협정의 개정

협정의 유효기간 및 만료사항

3. 전망 (별첨 일람표 참조)

현재까지 양국 실무교섭자들은 상호 신뢰와 존중의 정신하에 진지한 교섭을 계속하여 왔으며 미국측도 상당한 성실성을 표시하여 왔었다. 현재까지의 교섭경위로 보아 부분적 합의를 본 대부분의 조항은 지엽적인 기술적 사항을 조정하면 완전 합의될 가망이 많으며 아직 토의에 들어가지 않은 나머지 6개 조항을 포함하여 토의 제목 전반에 걸친 교섭과 대체적인 합의를 년내에 이룩할수 있을 것이라 전망하나 특히 토지시설, 군표, 청구권 및 형사재판 관할권 문제는 난제로서 합의에 이루기 까지에는 한미 양국의 신축성있는 협조적인 태도가 요청되는바임.

4. 애로

교섭상 애로로서 전기한 4개조항을 들수 있는바 현재까지 양국간의 입장에는 상당한 거리가 있으며 실무자 교섭에서 해결하기 어려운 문제이므로 협정 체결교섭의 최종단계에 가서 양국정부 고위층에 의한 타개책이 필요하다고 사료됨. 이들 문제에 관한 양국 입장의 차이는

0083

대략 아래와 같음 (형사 재판관할권은 미토의).

가. 토지시설 문제

우리측은 미국군대가 사용중인 토지 시설중 사유재산에 대한 보상을 미국정부가 책임지도록 요구하고 있으나 미국측은 토지 시설에 대한 보상에 절대 응할수 없다는 입장을 취하고 있음. 우리측은 국가재정 실정상 부득이 보상 요구를 한것이며 사실상 미국과 행정협정을 맺인 각국의 예에서도 보기드문 것으로 그실현 가능성이 희박함.

나. 군표 문제

우리측은 과거 우리국민이 물품 혹은 용역제공의 대사로서 미군인들로 부터 받은 군표를 미불과 교환하여 선의의 피해자에 대한 손실을 보상하여야 한다는 입장을 취하고 있는바 미국측은 군표가 화폐가 아니며 그러한 거래가 불법적인 것임으로 우리측 요구에 응할수 없으며 한국정부에서 보관중인 군표를 전부 미국정부에 반환하다는 입장을 취하고 있음.

다. 청구권

우리측은 미국군인들의 공무집행중의 작위 및 불작위와 비공무 집행중의 불법행위로 인한 제3자에 대한 손해를 대한민국 법률에 의하여 보상토록 주장하고 있으며 미국측은 자기들의 대외 소청법에 따라 보상한다는 입장을 취하고 있음.

보통문서로 재분류(1966. 12. 31

1966.1.4.7.에 예고문에 의거 일반문서로 재분류됨

0084

미주둔군지위협정 체결 교섭현황

1964. 9.5. 현재

주한미군에 대한 군대지위협정 체결교섭은 1961년 9월20일 실무자교섭회의를 재개한 이래 지금까지 62차에 걸친 회의를 개최하기에 이르렀으며,

그간 협정에 포함될 내용으로 쌍방에서 합의한 29개 주요항목중 27개항목에 대한 쌍방의 초안을 교환토의하여 그중 17개항목에 완전합의를 보았으며 3개항목에 대하여는 형사재판관할권 조항과 비세출기관 활동에 관한 조항에 합의하므로서 자동적으로 합의케 되어 사실상 현재 20개 항목에 합의를 하였읍니다.

합의되지 않은 7개항목은,

(1) 토지시설, (2) 미군의 안전보장, (3) 외환통제, (4) 비세출기관, (5) 형사재판관할권, (6) 청구권, (7) 노무문제 등으로서, 현재 실무자회의에서는 이들 미합의 조항에 대한 전반적인 토의와 병행하여 가장 중요하며 여러가지 복잡한 문제가 많이 내포되어 있는 형사재판관할권 조항을 중점적으로 토의하고 있는 중이며, 한미간에 개재하는 차이점을 축소시키려고 노력하고 있으며, 한미간의 의견차이는 아직도 상당히 많으나 가급적 년내에 타결코저 모든 노력을 경주하고 있읍니다.

0085

각과장 ● 하 과별 해당 ● 처 10/24 까지 제출하시압 (국장)

협 조 전

분류기호 · 외기획 140   제목 · 1964 년도 일반국정감사결과
(외무부 소관) 통고

수신 · 각실국 (과) 장

외무공무원 교육원장 발신일자 · 1964. 10. 20

1. 별첨과 같이 1964. 10. 16 국회외무위원회에서 의결된 국정감사보고서중 총평 및 시정사항에 관한 부분을 발체 통보하오니 참고하시기 바라며,

2. 시정 및 건의사항중 해당사항에 관하여는 필요한 조치를 취하기 바랍니다. 끝

기획관리실장   문 철 순

0086

1964년도 외무부소관 일반국정감사보고서

(발췌내용 . 1964.10.16 제 5 차외무위원회의결)

4. 본론

가. 감사결과총평

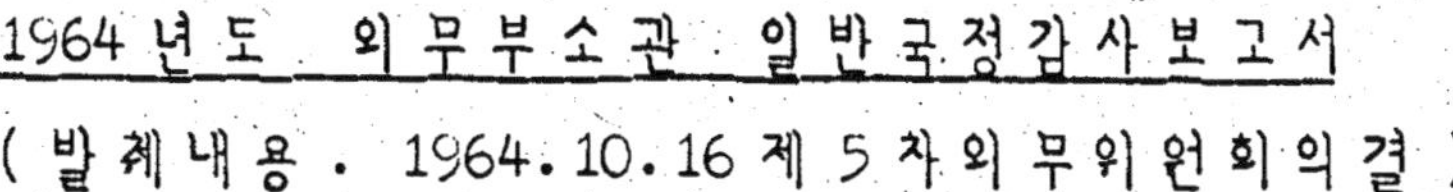

1) 미주둔군지위협정 체결 촉구에 관한 건의

(1964.2.18 의결)

(4) 미주둔군지위협정 체결교섭 관계

(가) 고섭현황

1962년 9월 20일 한 . 미양측의 실무자회의를 개최하고 29개주요항목에 대하여 토의할것에 합의를 본 이래 1964.9.9현재 만 2년간에 걸쳐 62차 예의 실무자 회의를 통한 합의항목은 20개 항목에 이르렀다. 그러나 협정상의 가장 중요사항인 토지 및 시설, 형사재만관할권문제 및 청구권문제에 대하여는 한미양국간에 상당한 의견차이가 있어 외무당국이 국회에서 년내에 동협정이 체결될 것이라고 증언한 닥관적인 전망과는 그사정이 판이하였다.

(나) 체결지연요인과 촉구책

그 주원인을 살펴보면 외무당국은 현재휴전상태하에 있다는 한국의 특수한 사정과 현행법령 및 제도의 빈번한 개정으로 말미암아 고섭상 우리측의

0087

입장을 약화케 한다고 진술하고 있으나 적어도 접수국의 이익을 최대한보장하기 위하여 미국이 선진제국과 체결한 "나토"및 미일행정협정 등의 내용을 기준으로 하고 또한 우리나라의 현실적인 특수성을 안하여 대국적인 견지에서 상호만족할만한 협정을 조속히 체결한다는 미측의 적극적인 성의표시가 부족한 점도 발견하였으나 우리측에 있어서도 전술한 수개 중요항목만이 미합의로 있는 현계단에서 이조속한 체결고섭을 위하여는 보다 더 책임있는 고위회담에서 이를 논의해결지울 태세를 갖추지 못하고 있기 때문이다.

특히 금춘 국회에서 이협정의 조속한 체결을 촉구하는 대정부건의를 존중할 정부의 성의가 부족하다고 지적하지 않을수 없는 점은 국민의 여론에 비추어서도 정부고위층에서 이를 적극적으로 추진하기 위하여 긴밀히 협조하여 조속한 체결을 위한 계획과 신념을 갖고 책임있는 한미쌍방의 고위회담을 주기적 또는 수시로 개최하므로서 실무자회의를 촉진토록 구체적이고 확고한 교섭태도를 갖추지 못하고 있다는 점이다.

0088

5. 시정 및 건의사항

(1) 정부는 국회가 정부에 건의한 사항을 진집하게 효과적으로 신속한 처리를 기할것.

(2) 외교정책수립 및 유효적절한 외교활동을 뒷받침할수 있도록 연구체계를 확립할것.

(3) 한일회담이 체결될 경우와 불성공의 경우에 대비하는 대미외교 및 국내외정책에 대한 연구를 하여 만전의 대책을 수립하고 관계부처장의 긴밀한 협조를 기할것.

(4) 평화선침범의 외국어선에 대하여는 적절한 조치를 취할것.

(5) 유동적인 국제정세를 수시 분석 검토하여 국토통일문제에 대한 연구에 노력할것.

(6) 미주둔군지위협정의 조속한 체결을 위하여 확고한 계획과 신념을 가지고 책임있게 회담을 추진할것.

(7) 경제외교의 이완성제도를 내포하고 있는 관계법령을 일원화방향으로 정비할것.

(8) 대외고화선전활동의 책임소재를 명백히 하고 이의 일원화를 위한 제도를 확립할것.

(9) 전해외교모에 대한 보호지도를 위한 구체적 방안을 수립하고 외무부내의 고민업무담당기구를 강화하여 통일성있는 고민 및 이민업무담당기구로의 발전방향을 검토 시행할것.

0089

(10) 무원칙적인 인사운용을 지양하고 외무공무원의 효율적 인사관리운용제도를 확립하기 위한 외무 공무원법을 제정할것.

(11) 여권발급간소화 방안을 계속 연구실시하고 재일교포의 호적업무 및 국민등록을 정리함과 동시에 본국왕래에 관한 사증발급권을 현지 대사에게 대폭 위입할것.

(12) 재외공관 건물 구입방안을 수립 실시할것.

0090

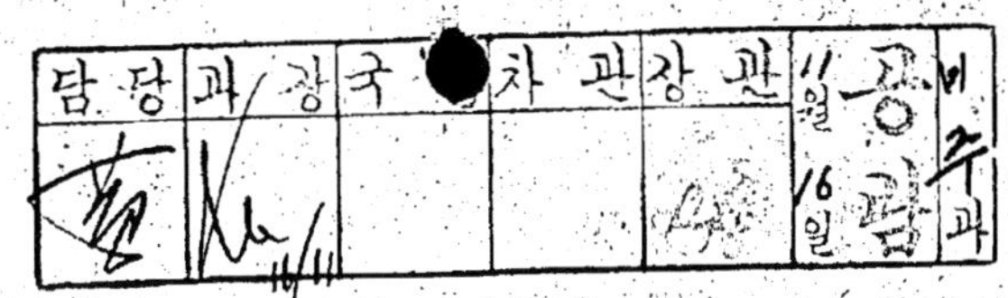

주둔군지위협정 체결 필요성에 대한

PR 계획

(1964 년 7 월 공보부에서 실시한 유엔군주둔 지역 주민에 대한 여론 및 실태조사 결과를 자료로 함)

1. 목적

현재 당국에서 최선을 다하여 진행중인 미주둔군 지위협정 체결 교섭에 부응하여 동협정체결의 필요성을 미측에 강력히 촉구하는 국민여론을 조성시키므로서 우리측에게 보다 유리한 국내분위기를 마련하여 조속한 시일내에 주둔군지위협정을 체결할수 있도록 하는 동시에, 군대지위협정의 성격과 그일반적인 윤곽을 국민에게 간접적으로 이해시킬수 있는 기회를 갖도록 한다.

2. PR 내용

1964 년 7 월 공보부에서 실시한 유엔군주둔지역 주민에 대한 여론 및 실태조사 결과를 기본자료로하여 특히 주둔군지위협정체결의 필요성을 강조하며 이를 미측에 촉구하는 내용을 위주로 하되 (별첨참조) 지금까지 발표된 모든 관계자료를 최대한으로 이용토록한다.

3. 방법

주요국내일간신문의 사설 혹은 론평으로 협정체결의 필요성을 역설토록 하고 국내의 관영 라디오, 티.비 방송과 민간 각방송에서 시사해설, 좌담회 혹은 " Interview " 형식으로 보도토록 한다.

4. 세부계획

가. PR 계기의 마련 :

상기 3항의 신문 및 방송을 통한 PR 를 할수 있는 계기를 포착하거나 혹은 장관의 기자회견등에서 주둔군지위협정에 관한 기사가 대대적으로 보도되도록 하여 계기를 의식적으로 마련한다.

0091

나. 일간신문을 통한 PR :

제3항의 일간신문을 통한 PR 를 하기위하여 공보관 혹은 공보부의 협조를 얻어 구미국장 또는 필요시에는 차관 혹은 장관이 상기 "가"항의 PR 의 계기가 마련되는 즉시 국내일간신문의 (서울, 한국, 조선, 동아, 경향, 대한, KR 및 KT) 편집국장과 외교담당 론설위원들과 개별적으로 혹은 일괄하여 전체적으로 접촉하여 관계자료와 PR 의 요망방향을 제시해 주므로서 소기의 목적을 달섬토록 한다.

다. 라디오 및 티.비 를 통한 PR :

상기 "나"항에 의한 신문의 사설 및 론평이 계재되는 즉시 국내의 각방송국이 이를 취재 보도할수 있도록하기 위하여,

(1) KBS Radio 및 TV 에서 "오늘의 화제" 혹은 기타 적합한 Program 를 이용하여 해설, 좌담회 혹은 Interview 를 하도록 공보부에 협조의뢰한다.

(2) 기타 국내 민간방송(RSB , MBC 및 DBS) 에서도 주둔군지위협정 체결의 필요성에 관한 좌담회, 해설 혹은 Interview 를 할수있도록 공보관 혹은 공보부의 협조를 얻는다.

(3) 상기 (1) 및 (2)항의 좌담회, 해설 혹은 Interview 에 참석할 인사는 관계 방송국에서 자주적으로 선택하도록 하여 자연발생적인 Program 이라는 인식을 주도록 한다.

5. 예산

본 세부계획을 실시하기 위하여 신문 혹은 방송관계 인사와 접촉하는데 있어 "디너" 혹은 기타 분위기의 조성을 위하여 예산을 필요로 할때에는 구미국해당 판공비에서 사용하는 것을 원칙으로 하되 부족시에는 기타 재원에서 염출할수 있도록 한다. 끝

0092

0003

외 무 부 문 서 보 존 실

기, 93-230

1964년 7월 실시

유엔군 주둔지역 주민에 대한

여론 및 실태조사 결과

- 공보부 조사국 -

0034

1964年 7月 實施

유엔軍駐屯地域住民에對한

輿論 및 實態調查結果

公報部調查局

一九六四年 七月 實施 유엔軍駐屯地域住民에對한 輿論 및 實態調查結果 公報部調查局

0095

凡　　例

△ （ ）內 數字는 百分率을 表示함

△ 一는 該當無

△ 原調査票의 表現과 本輯表現의 差가 있음은 簡略히 表現하기 爲한 것임。

△ 既發刊된 中間報告書와 數字上의 差가 있을 時는 本報告書가 正確한것임。

0096

目　次

0097

0098

0099

第一部 調査實施의 概要

0100

調査實施의 槪要

一. 調査目的 : 駐韓유엔軍 駐屯地域의 住民에 對한 輿論 및 實態를 把握하여 韓美間의 紐帶强化를 爲한 施策樹立의 資料로 함。

二. 調査期日 : 1964年 7月 16日 ~ 7月 25日 (10日間)

三. 調査地域및 調査對象 : 坡州, 東豆川, 烏山地域 住民中 1,000標本

四. 調査方法 :

가. 標本抽出方法은 職業別層化調査를 擇하였으며 本地域의 特殊事情으로 유엔軍과의 接觸을 考慮하여 慰安婦, 美軍部隊從業員, 써비스業, 商業과 其他職業으로 層化하였다。

나. 이와같이 層化된 集團에는 標本의 크기를 같은 比重으로서 주어 20調査地點에서 1個地點當 各10標本씩 抽出하였다。

다. 標本選定은 各層別로 比率에 따라 系統的 標本抽出方法을 使用하였다。 그러나 但 其他職業만은 調査員의 作爲에 依하였음을 밝혀둔다。

라. 이와같이 選定된 標本에 對하여 調査員으로 하여금 直接 面接調査를 原則으로 調査토록 하였다。

마. 調査員은 當部에서 選拔한 調査員으로 構成하였다。

0101

五. 標本의 狀態

總標本數는 1,000 인바 그中 回收된 標本數는 959 로서 回收率은 95.9 % 에 該當되며 그 標本의 狀態는 다음과 같다.

1. 性 別

總 數	男	女	未 詳
959 (100.0)	619 (64.5)	338 (35.2)	2 (0.3)

2. 年令別

總 數	20~29	30~39	40~49	50~59	60歲以上	未 詳
959 (100.0)	381 (39.7)	339 (35.3)	171 (17.8)	56 (5.8)	11 (1.2)	1 (0.2)

3. 學歷別

總 數	無 學 (文盲)	한글 解得	國民 學校	中學校	高等 學校	專門및 大學以上	未 詳
959 (100.0)	26 (2.7)	87 (9.1)	248 (25.9)	220 (22.9)	236 (24.6)	136 (14.2)	6 (0.6)

4. 職業別

總 數	農 業	商 業	써비스業	美軍部隊 從業員	慰安婦	公務員및 會社員	其 他
959 (100.0)	55 (5.7)	212 (22.1)	189 (19.7)	168 (17.5)	198 (20.6)	67 (7.0)	70 (7.3)

5. 出身道別

總數	서울	釜山	京畿	江原	忠北	忠南	全北	全南	慶北	慶南	濟州	平北	平南	咸北	咸南	黃海	無応答
959 (100.0)	107 (11.2)	12 (1.3)	351 (36.6)	25 (2.6)	24 (2.5)	58 (6.0)	37 (3.9)	39 (4.1)	80 (8.3)	56 (5.8)	3 (0.3)	30 (3.1)	42 (4.4)	8 (0.8)	20 (2.1)	59 (6.2)	8 (0.8)

第二部 調査結果

0103

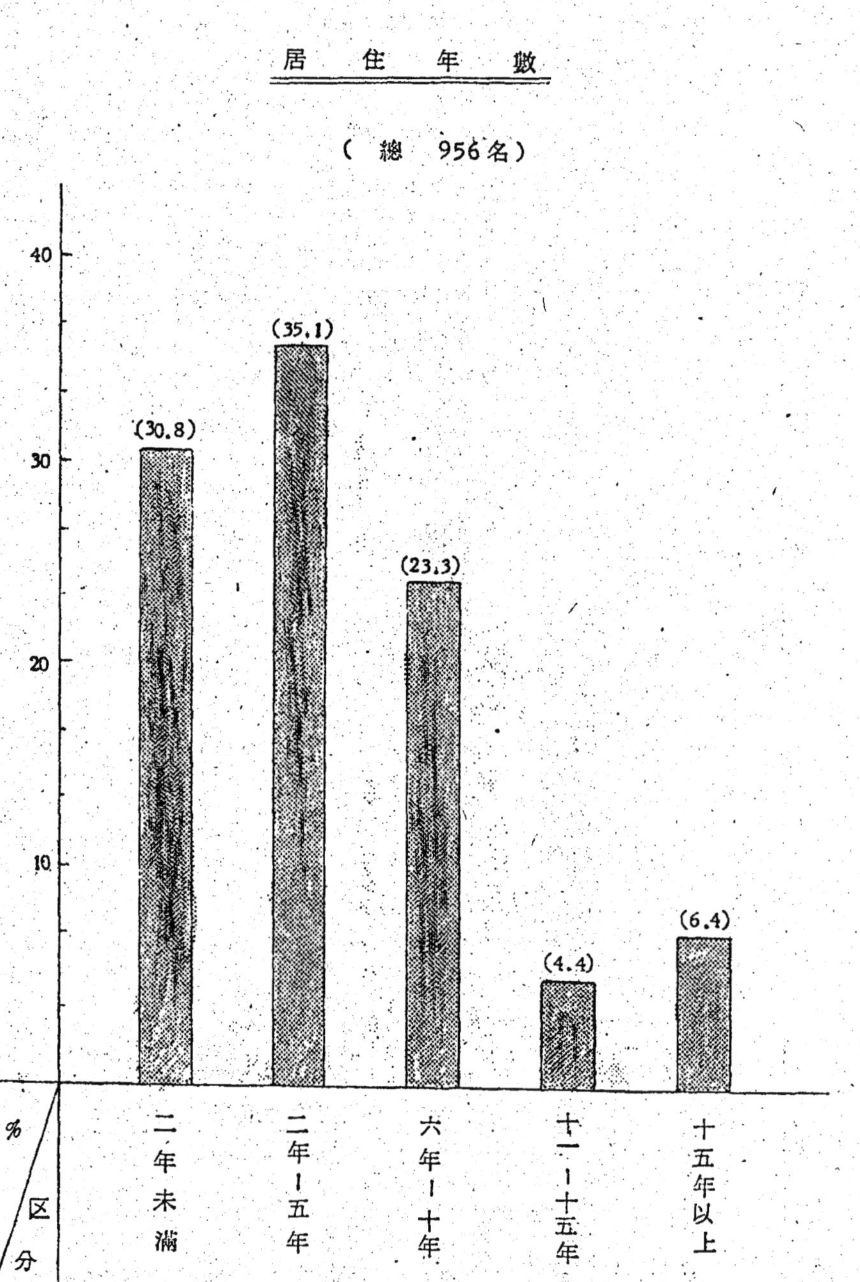

居 住 年 數
(總 956名)
40
30
20
10
(30.8)
(35.1)
(23.3)
(4.4)
(6.4)
%
区分
二年未滿
二年-五年
六年-十年
十一-十五年
十五年以上

0104

移徙오게된 動機

(總 856 點)

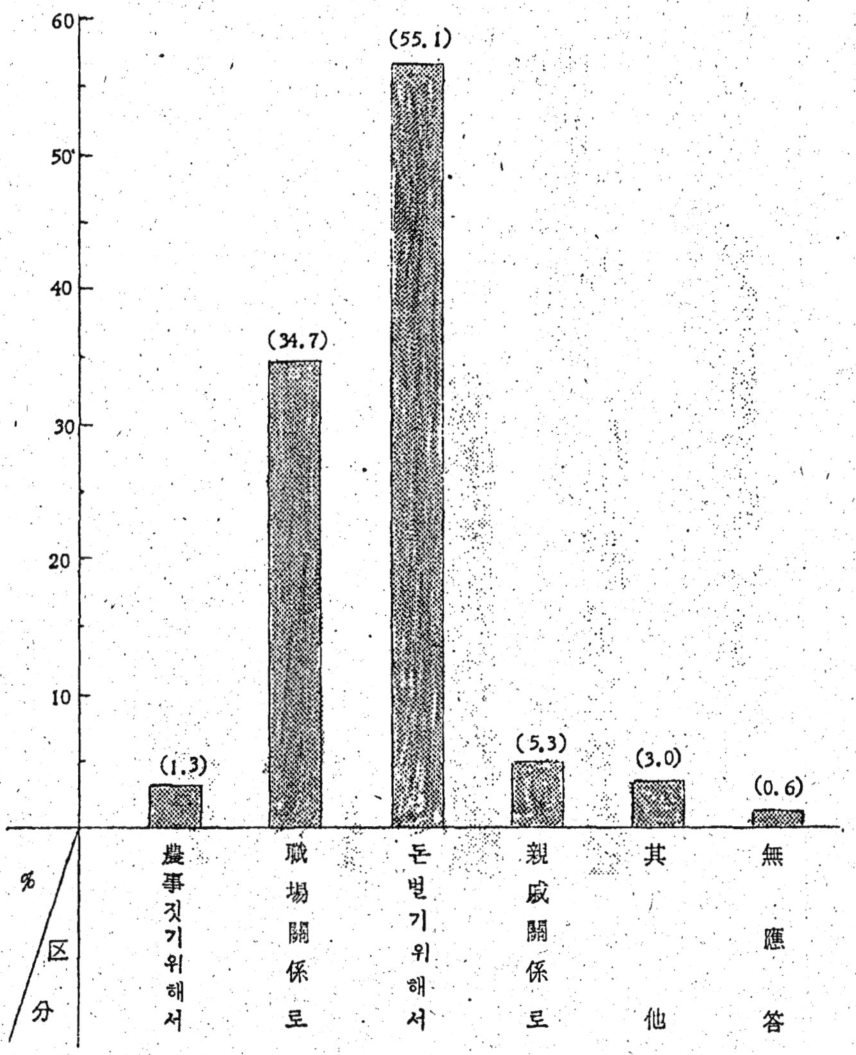

0105

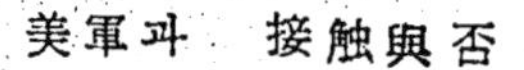

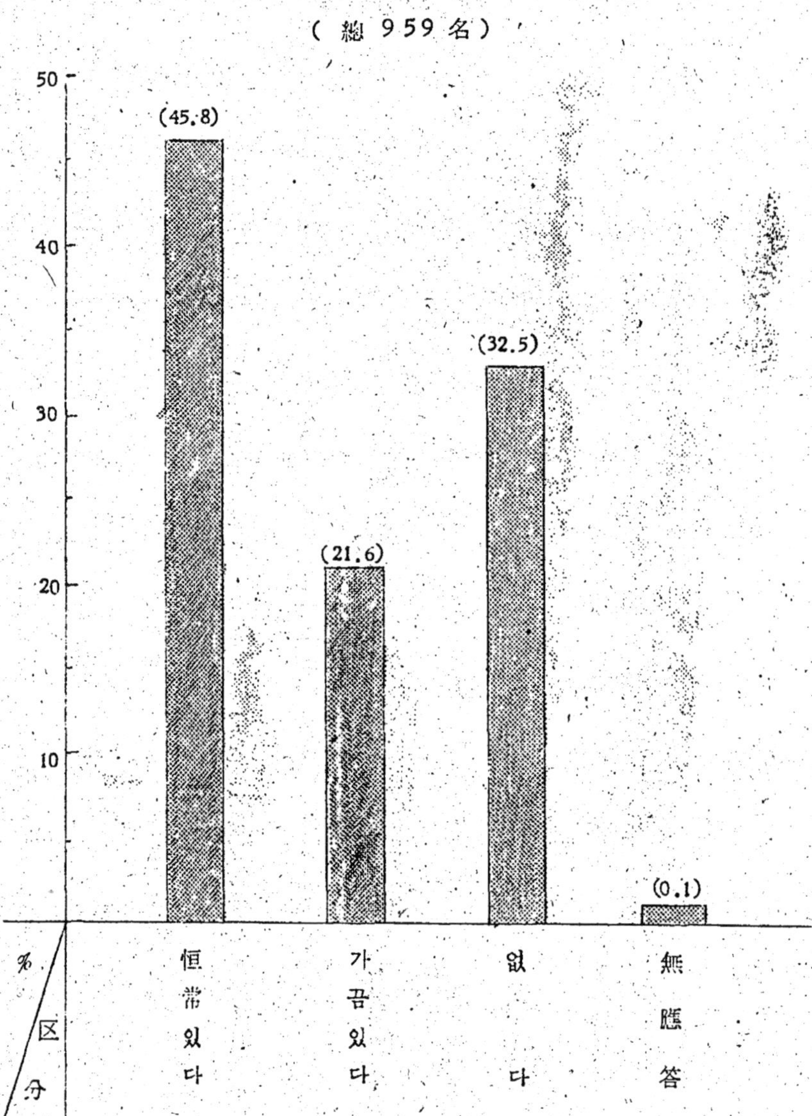

0106

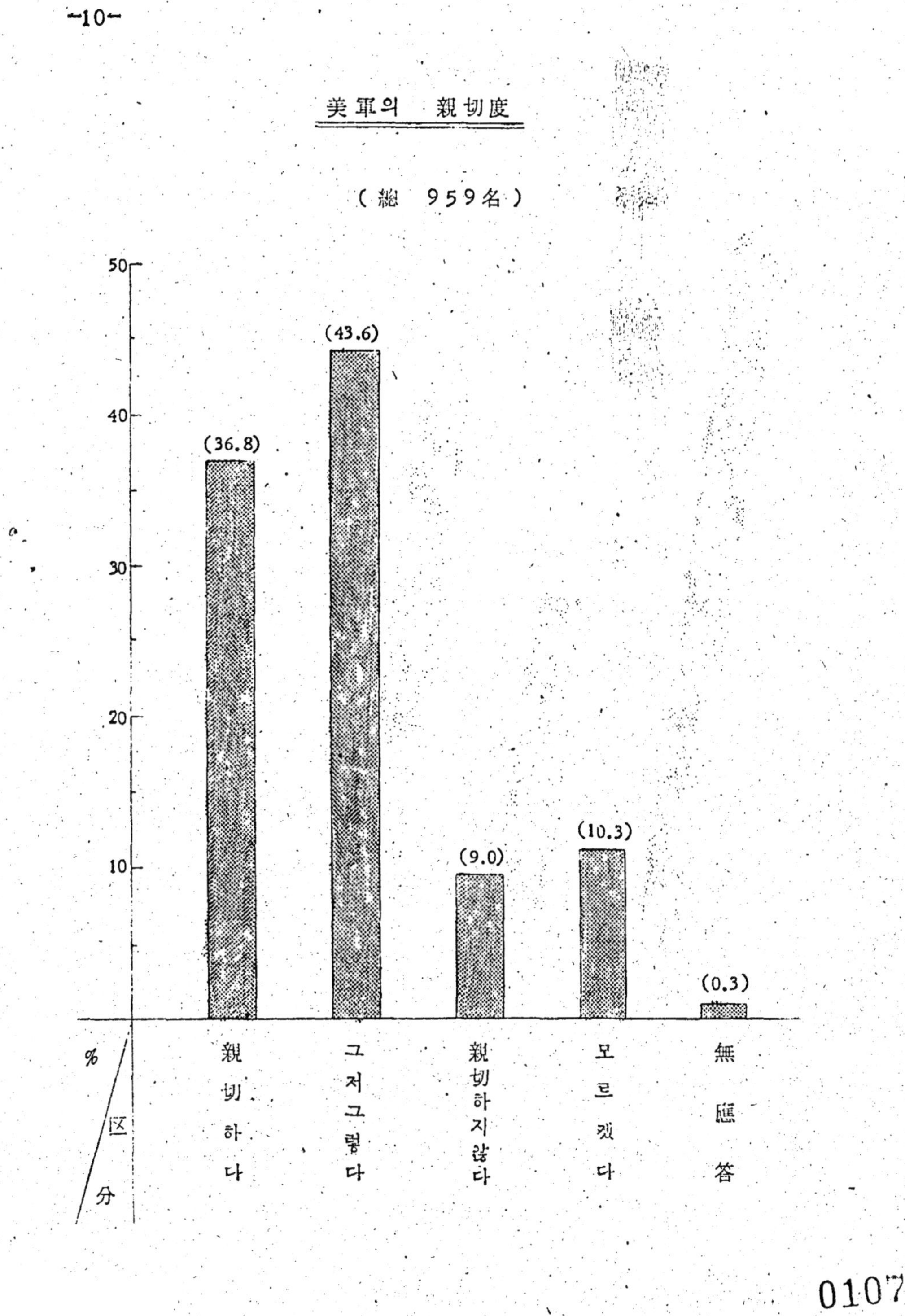
美軍의 親切度
(總 959名)
50
40
30
20
10
(36.8)
(43.6)
(9.0)
(10.3)
(0.3)
%
区分
親切하다
그저그렇다
親切하지않다
모르겠다
無應答

美軍駐屯으로因한日常生活에利害點

(總　959 名)

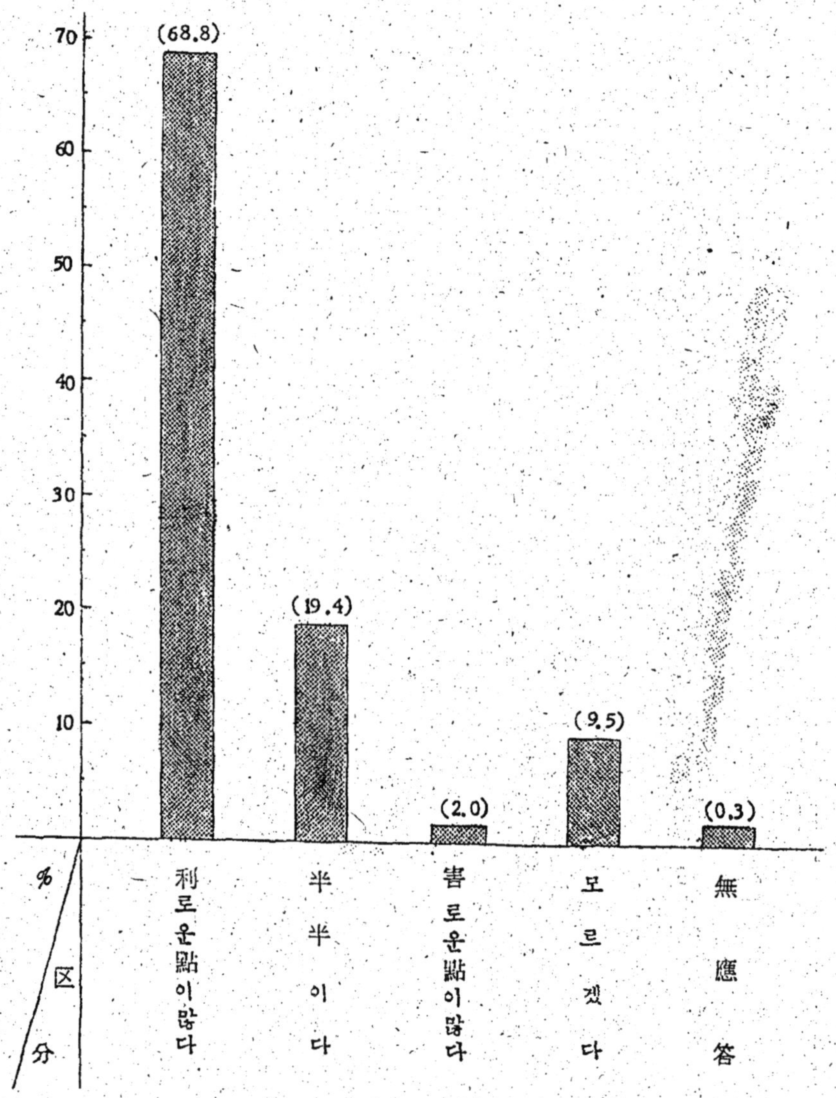

0108

美軍駐屯으로 利로운面

(総 660 名)

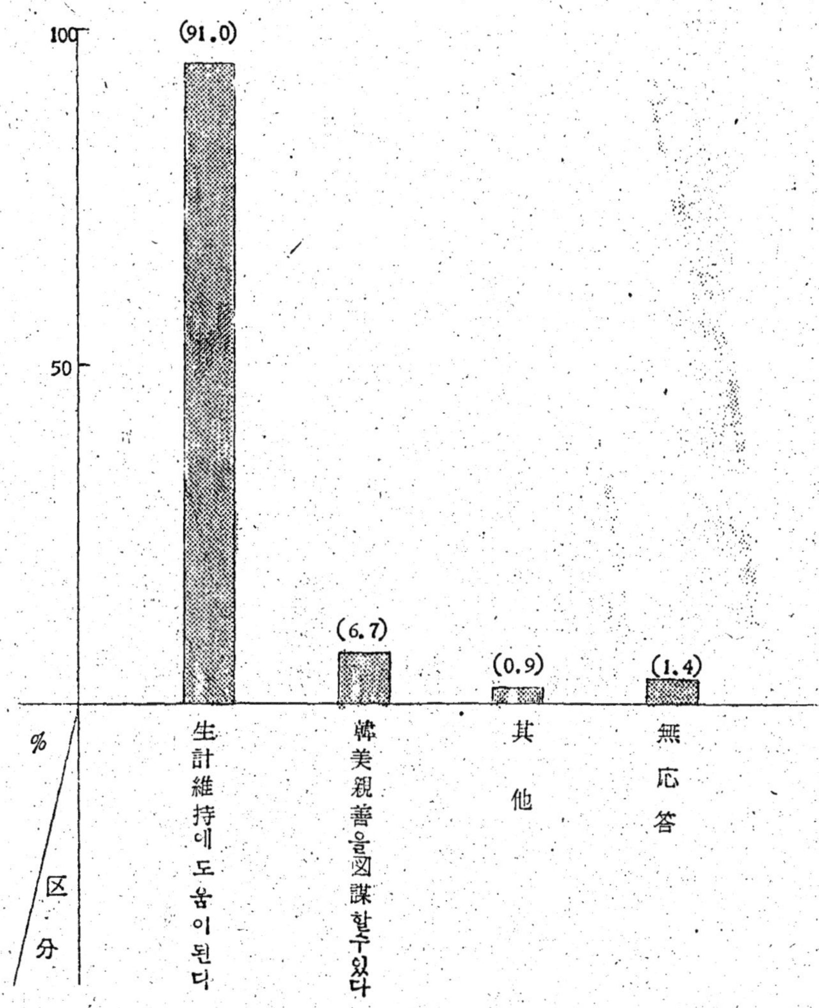

0109

美軍駐屯으로 因한 害로운面

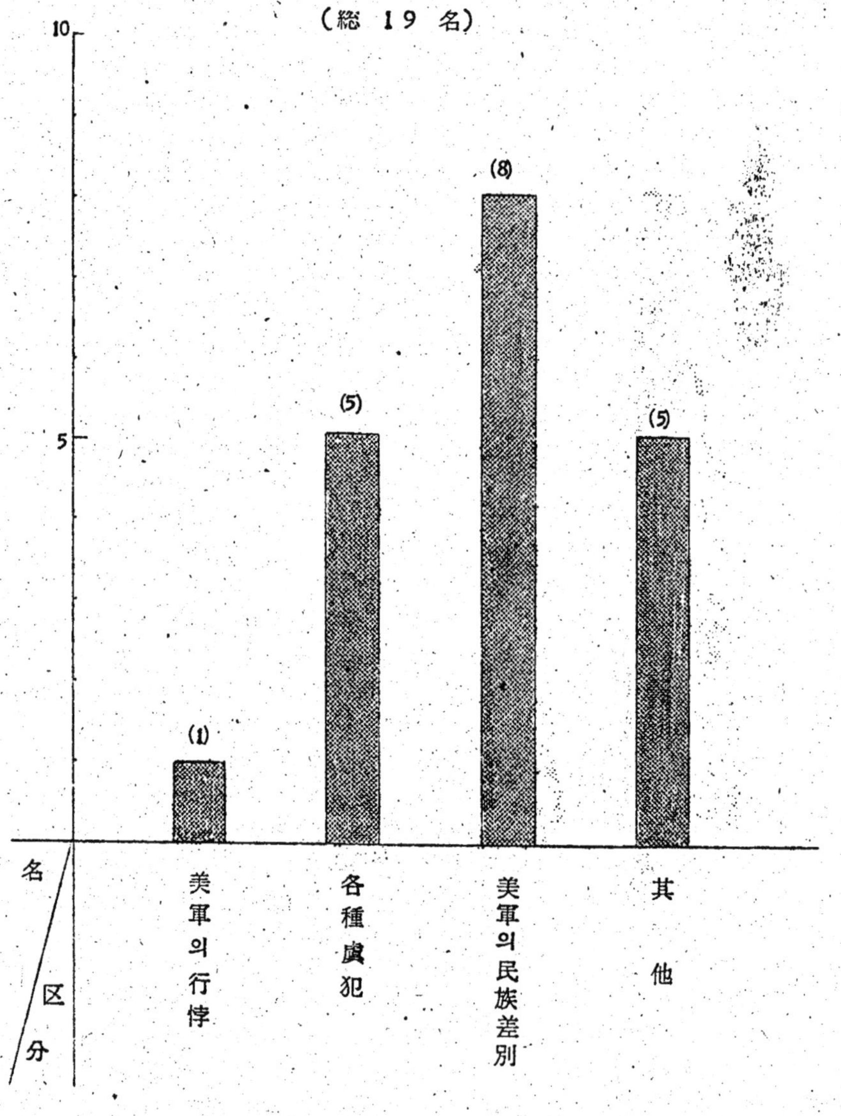

0110

韓国人과 美軍사이에 가끔일어나는 不祥事를 아는가?

(総 959 名)

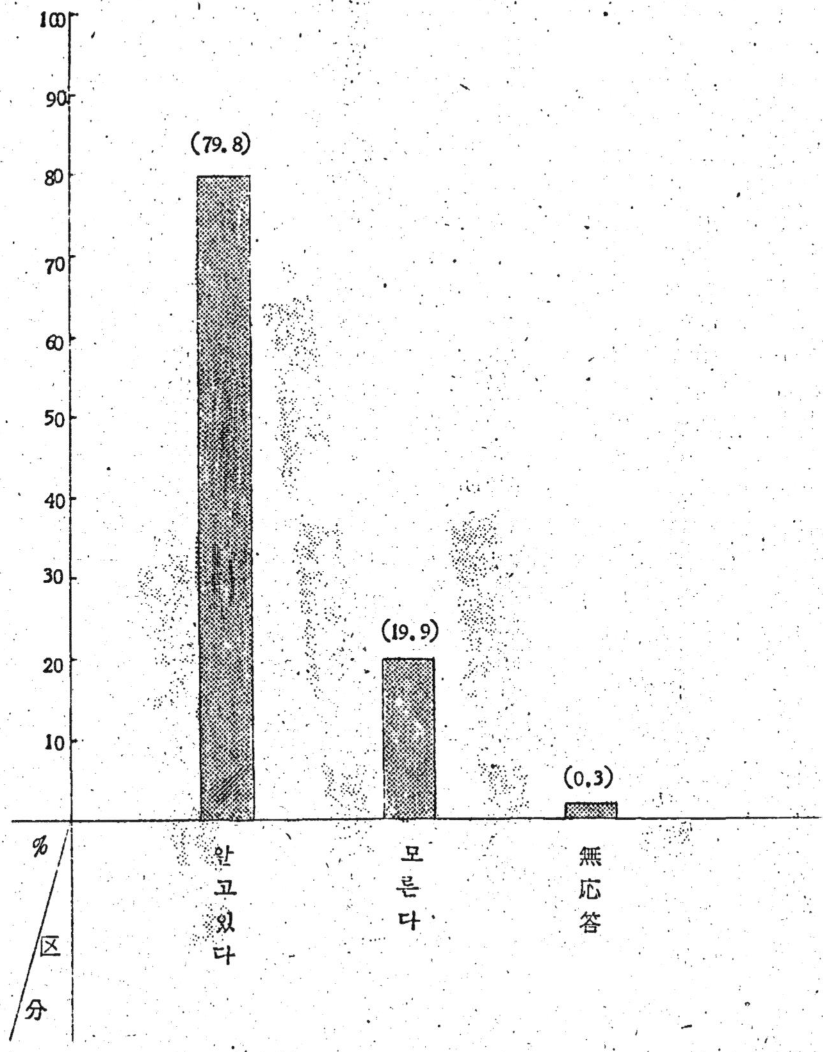

0111

不祥事가 일어난 事實은 무엇을 通해서 아는가?

(總765名)

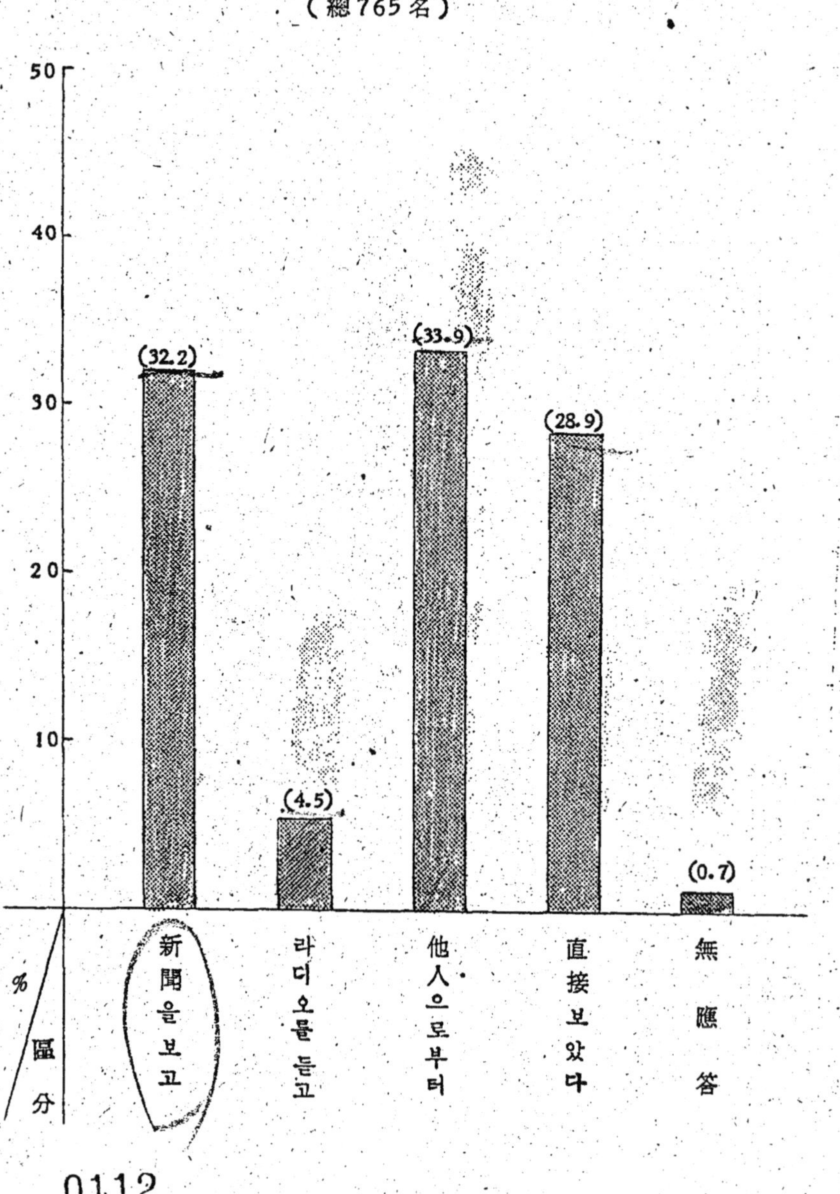

0112

不祥事가 생기는 責任은 어느側이 더 많다고 보는가?

(總765名)

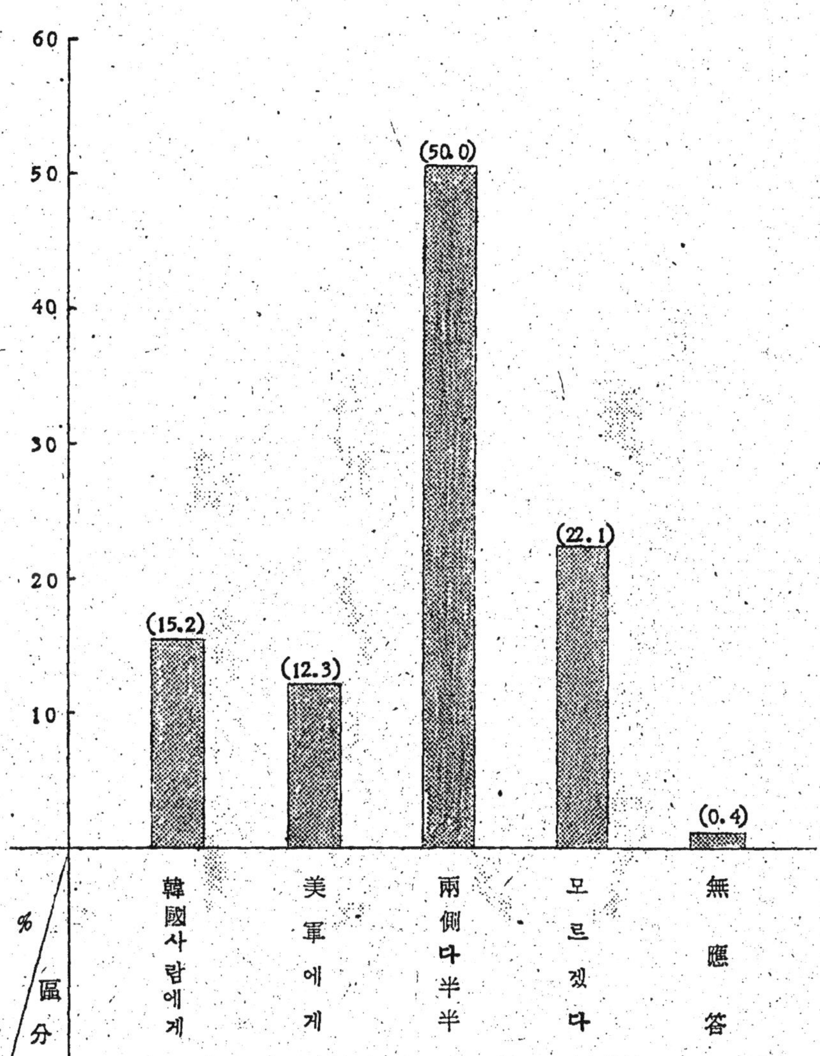

0113

各種不祥事의 責任이 韓國사람에게 더 많다는 原因

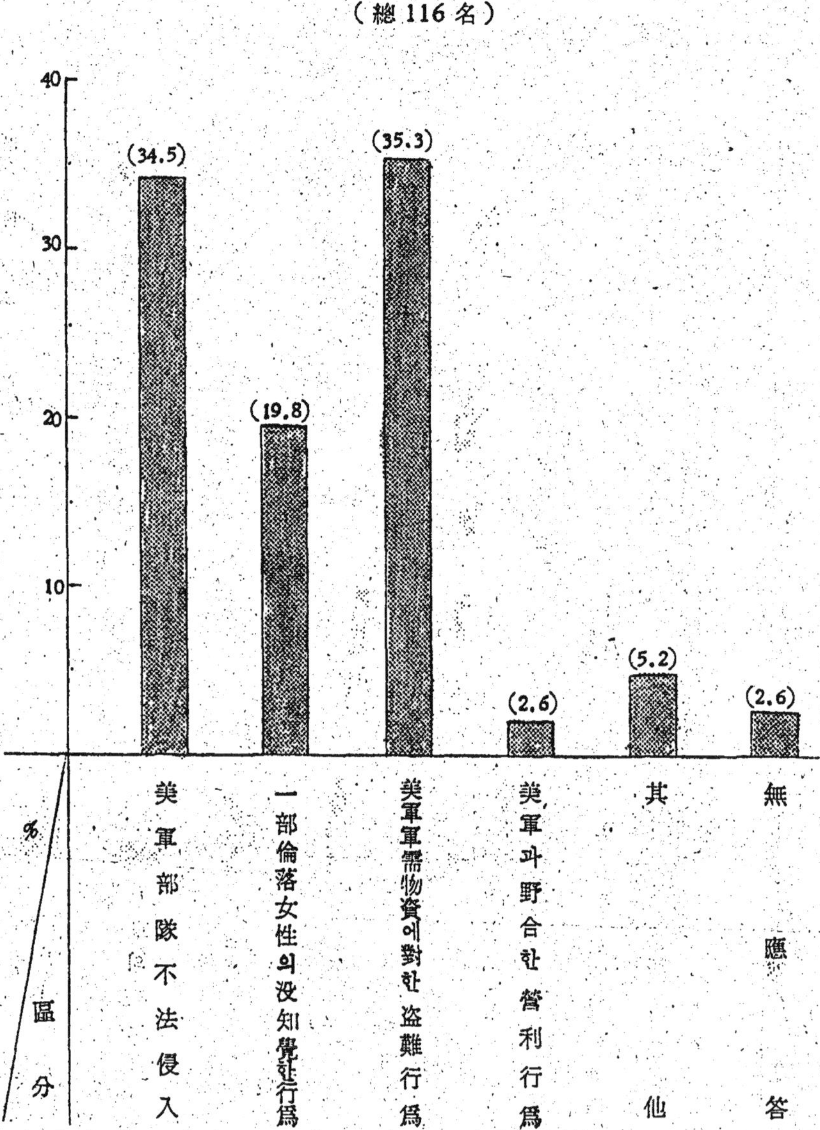

0114

각종불상사의 책임이 미군측에 더 많은 원인

各種不祥事의 責任이 美軍側에 더 많은 原因

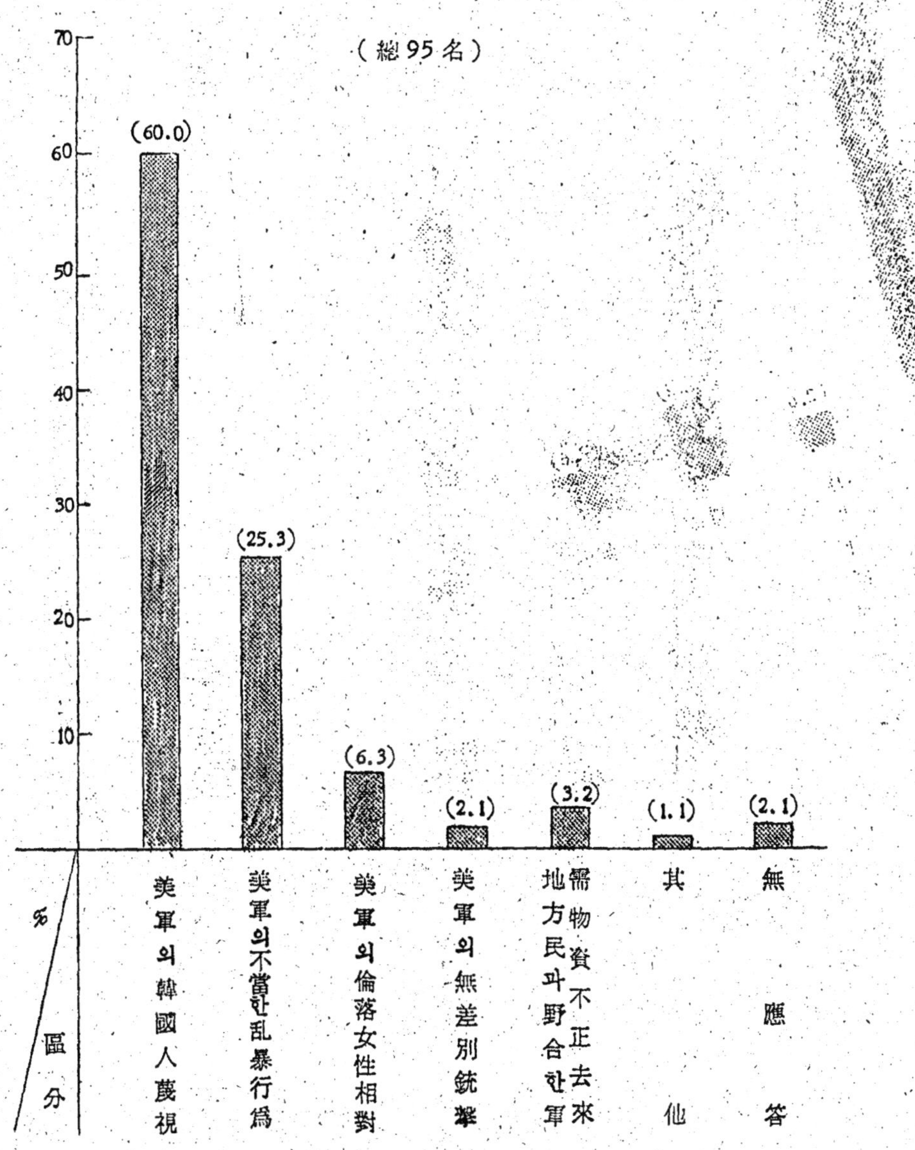

0115

美軍의 住民에 對한 不快한 行爲 有無

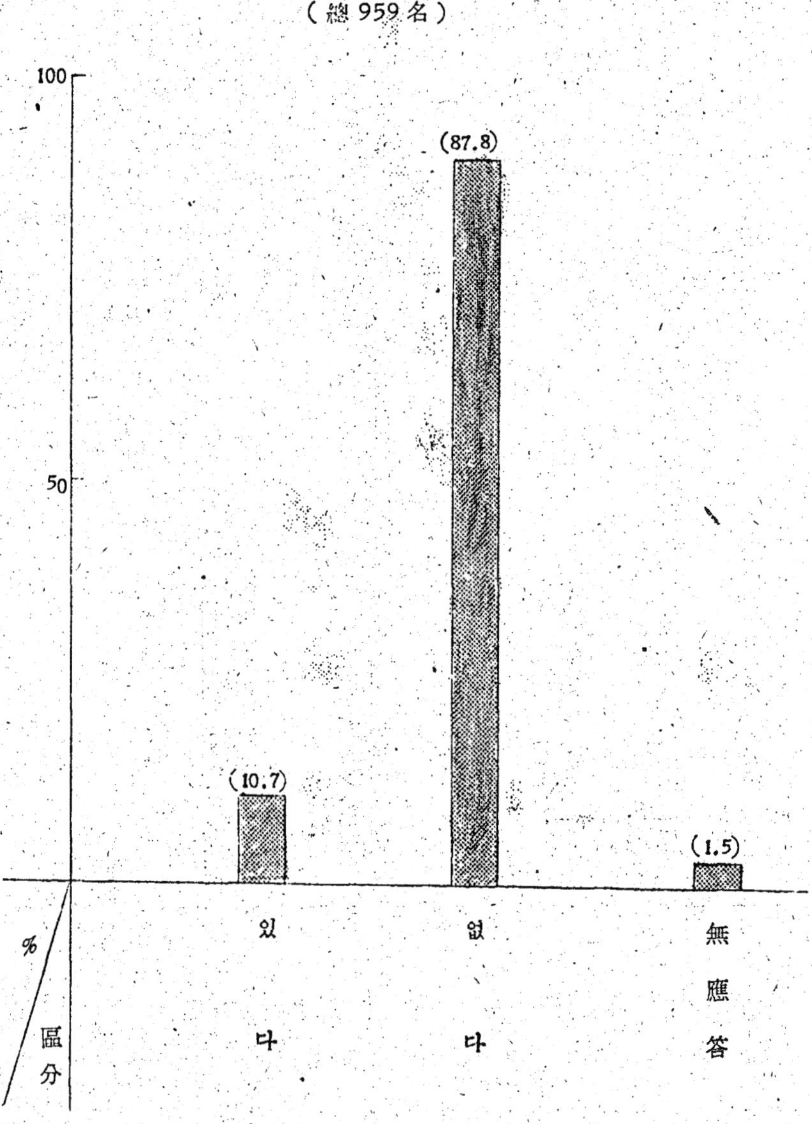

0116

억울한 일에 對하여 補償을 받었는가?

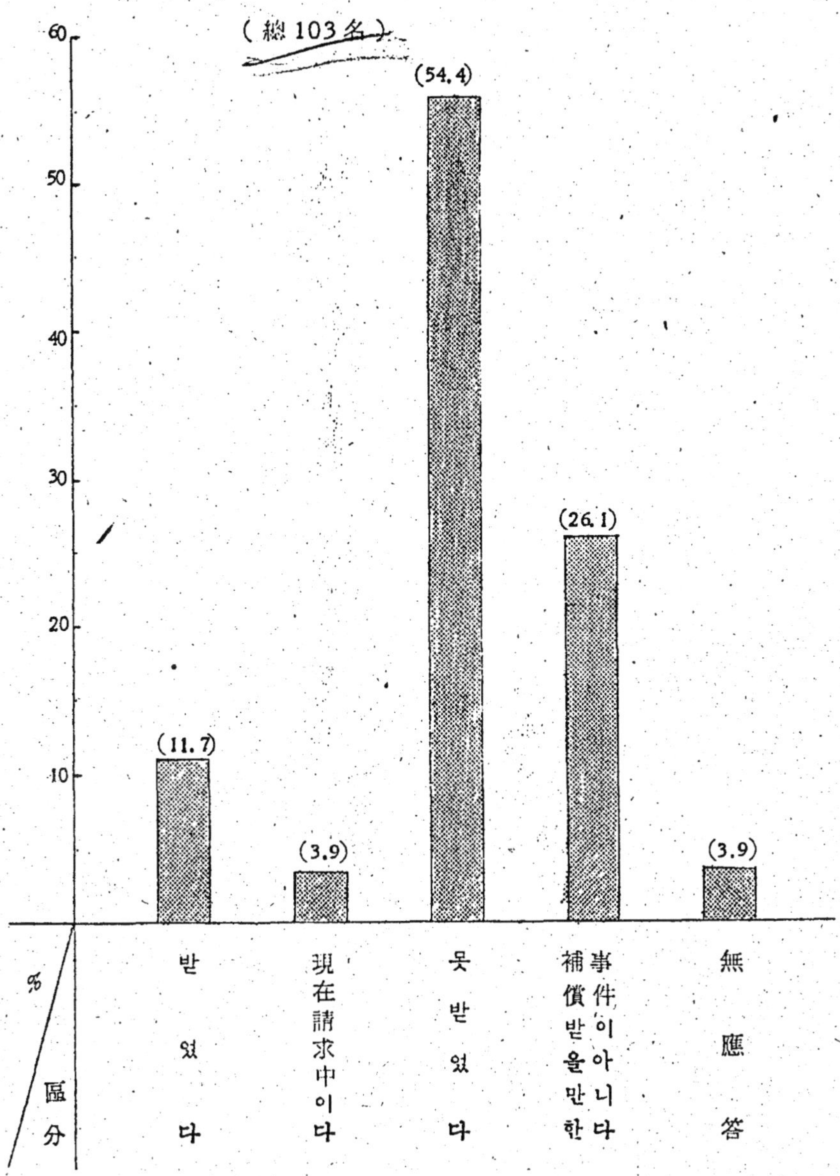

0117

美軍軍事施設保安및韓美間의親善을
図謀하는 政府의 P・R 知悉與否

(總 959名)

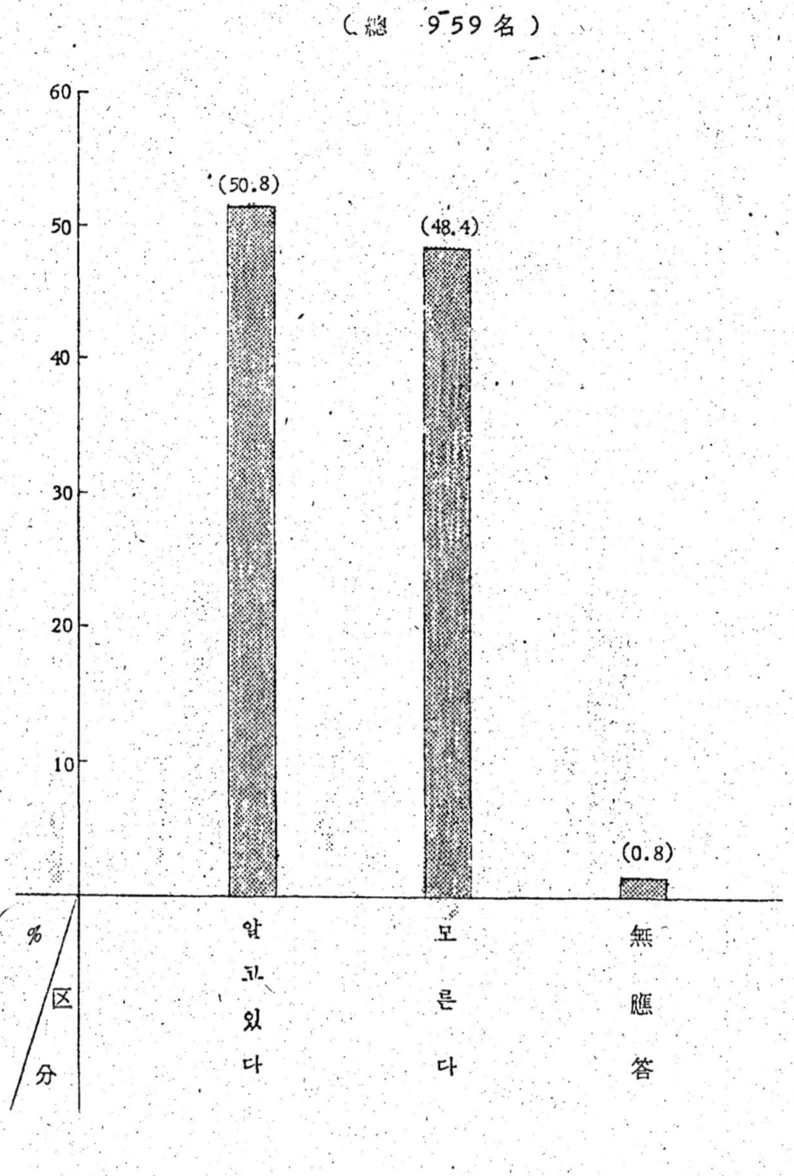

0118

美軍事施設保安과韓美間의親善을
図謀하는 政府P•R活動의効果與否

(總 959名)

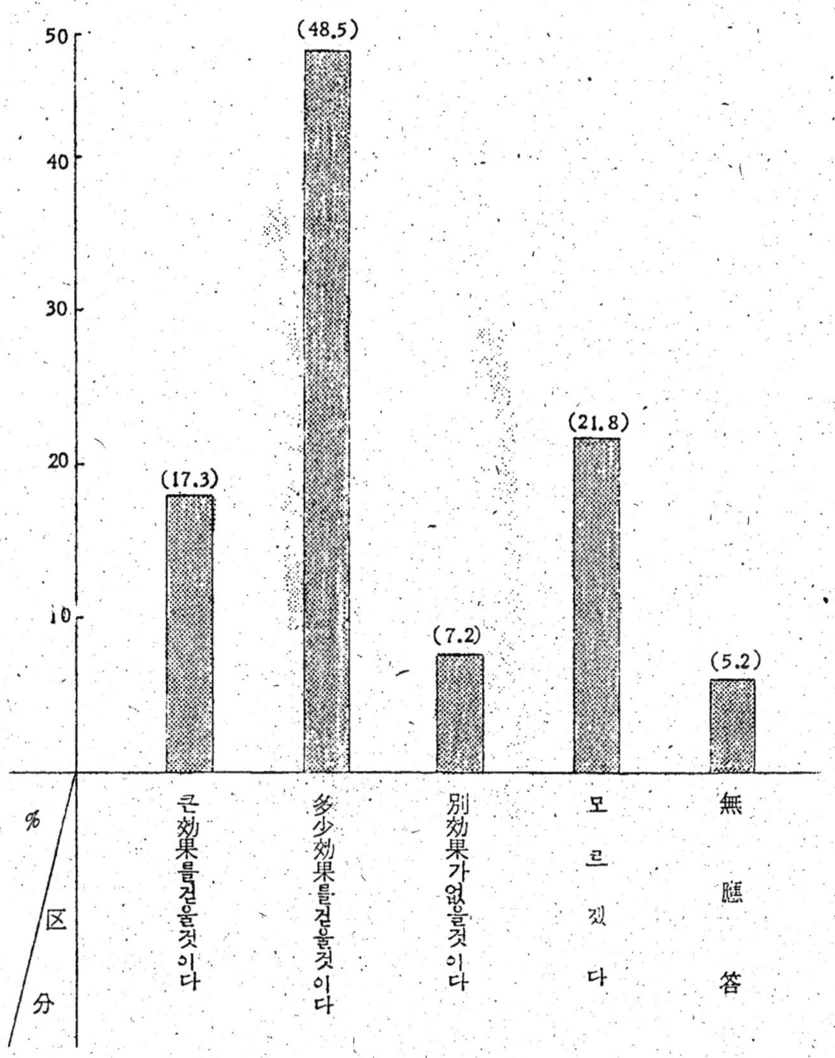

0119

美軍部隊出入禁止区域知悉與否

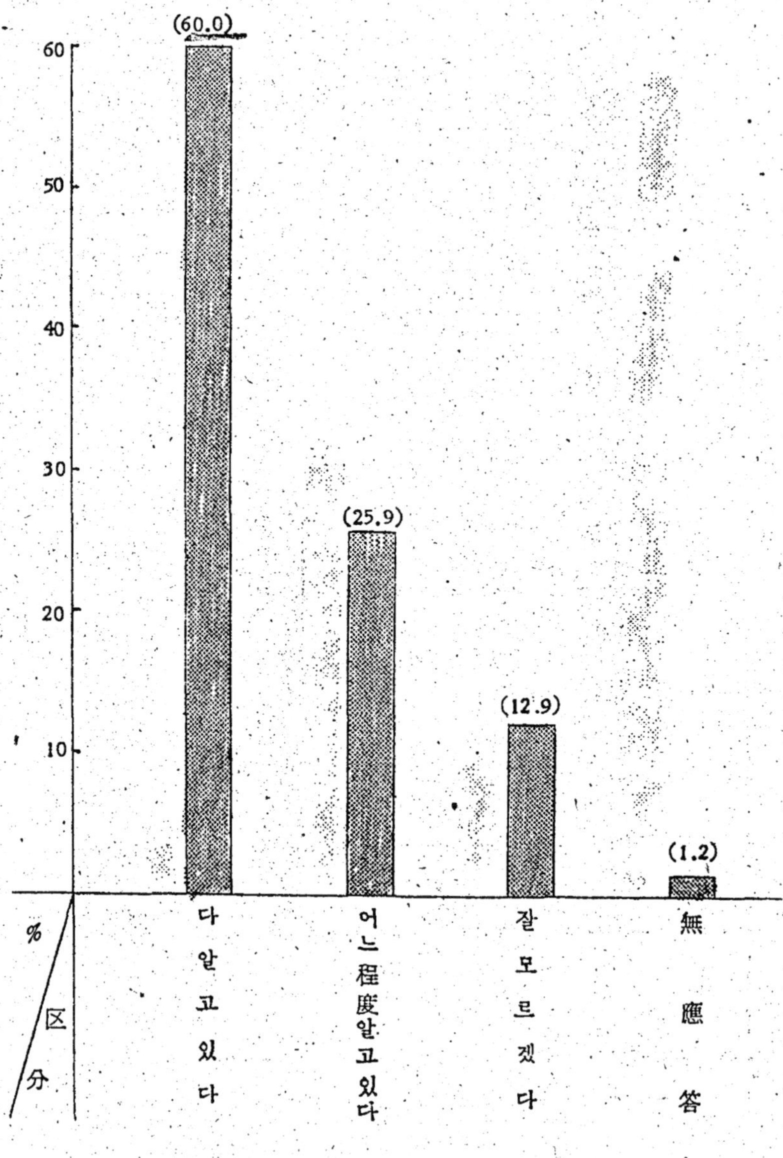

0120

駐屯地區美軍의 援護 및 慈善事業實施與否

(總959名)

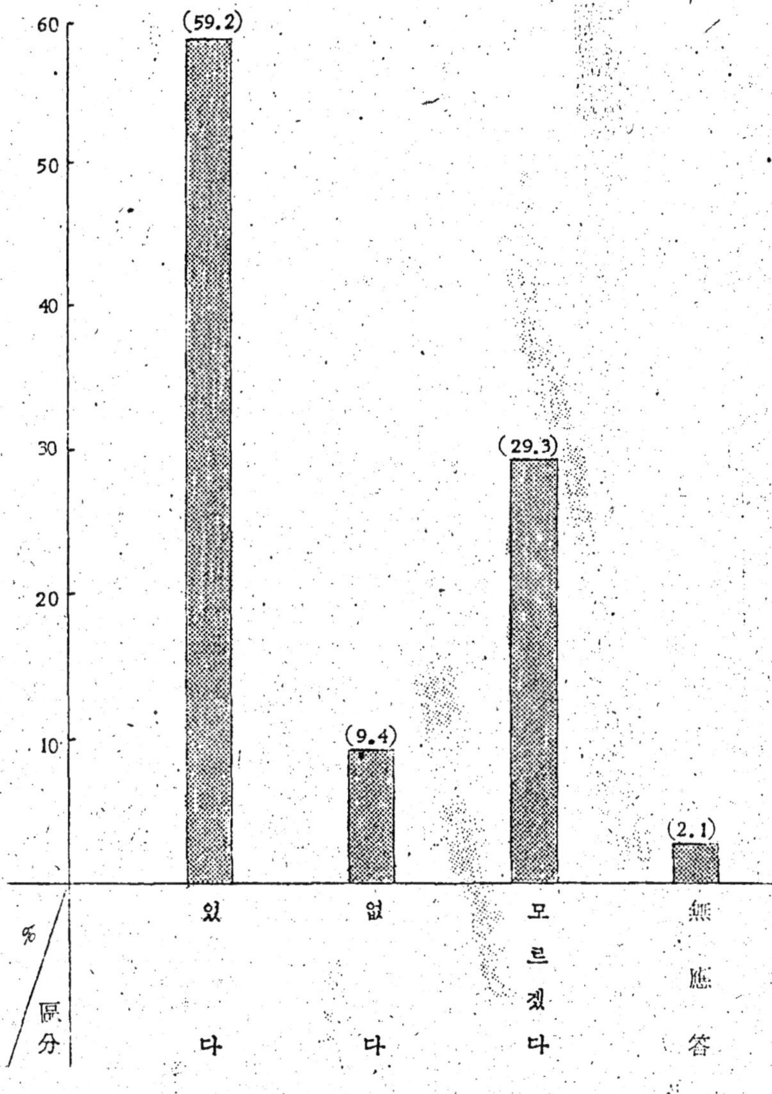

0121

美軍들의 地方民을 위한 援護및 慈善事業

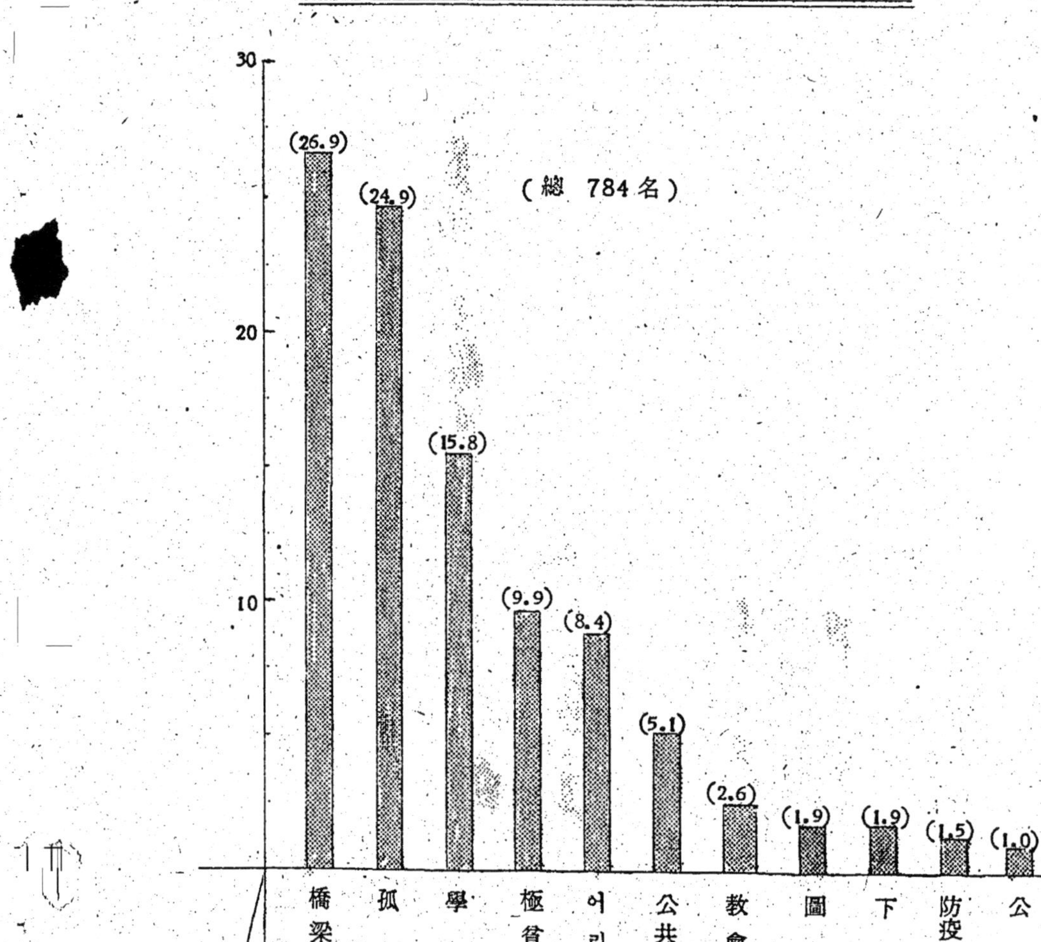

0122

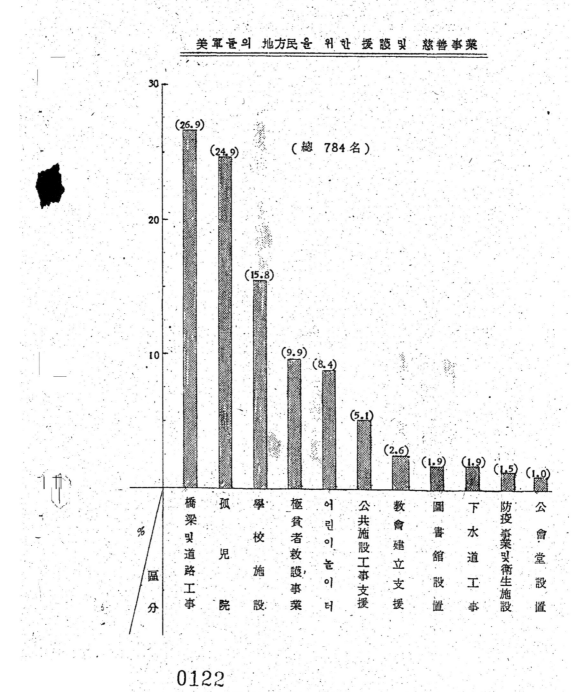

美軍의 어떤 救護事業을 願하는가?

(總 959名)

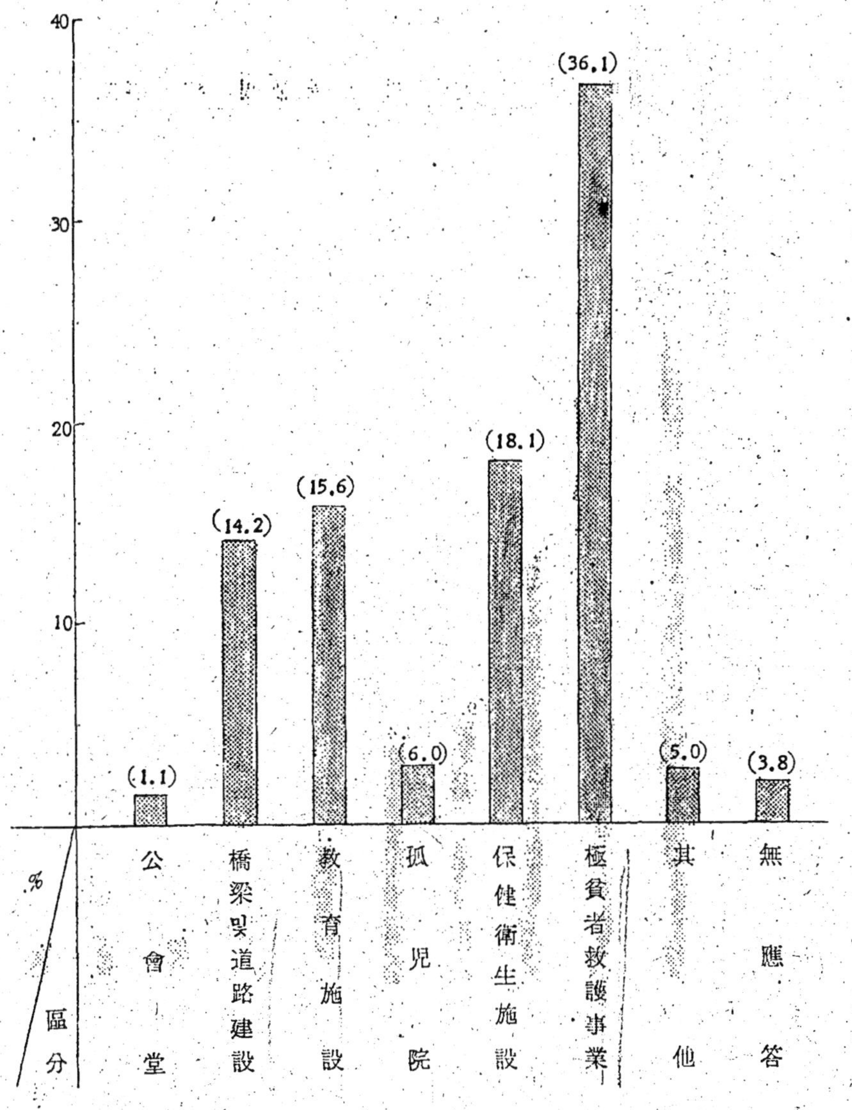

0123

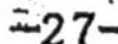

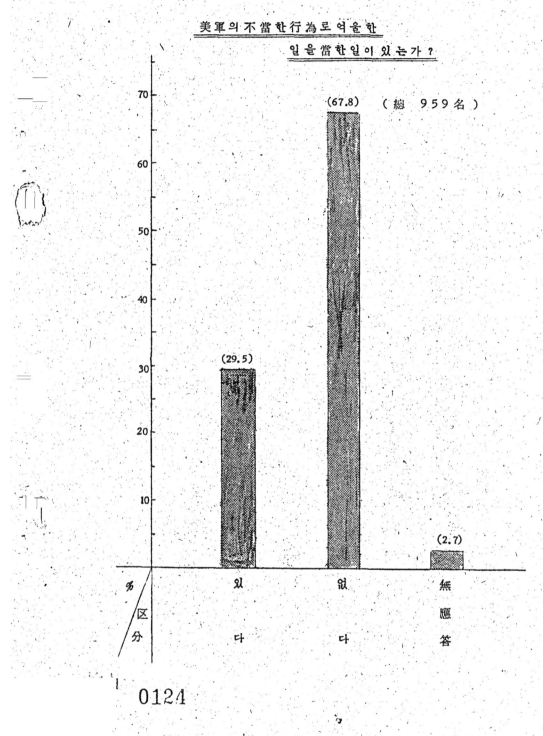

美軍의 不當한行為로 억울한 일을 當한일이 있는가 ?

(總 959名)

区分	있다	없다	無應答
%	(29.5)	(67.8)	(2.7)

0124

住民에 對한 美軍의 不快한 行爲

(總 235名)

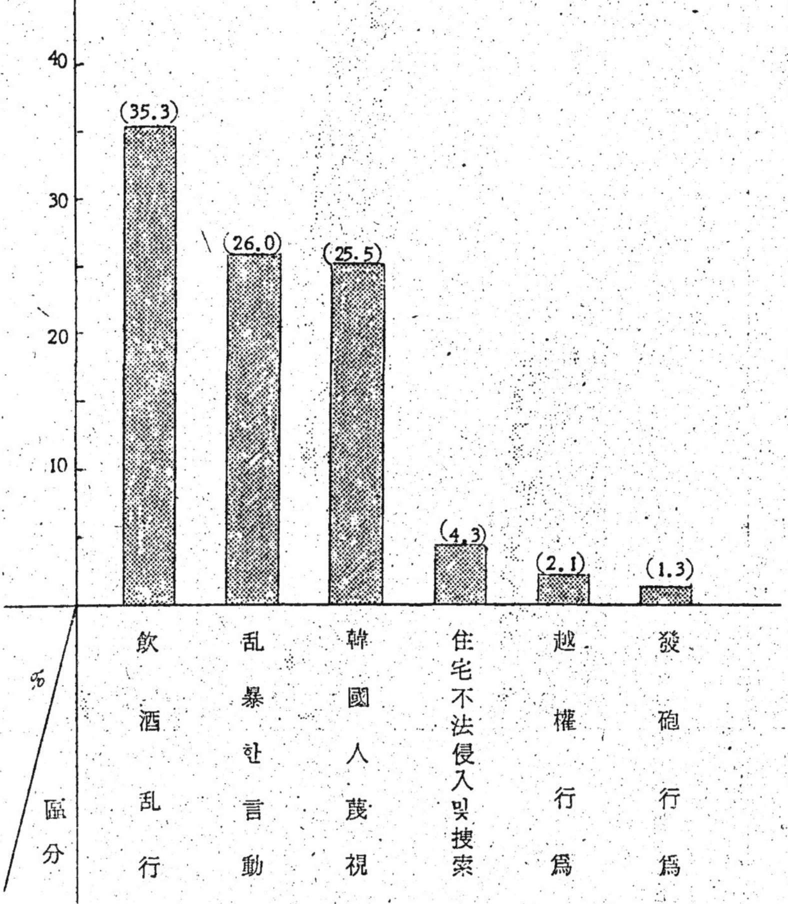

0125

駐韓美軍에게 우리의 認識을 좋게하고 그들이 外出하여 愉快한 時間을 보내게 하자면

(總 1,411件)

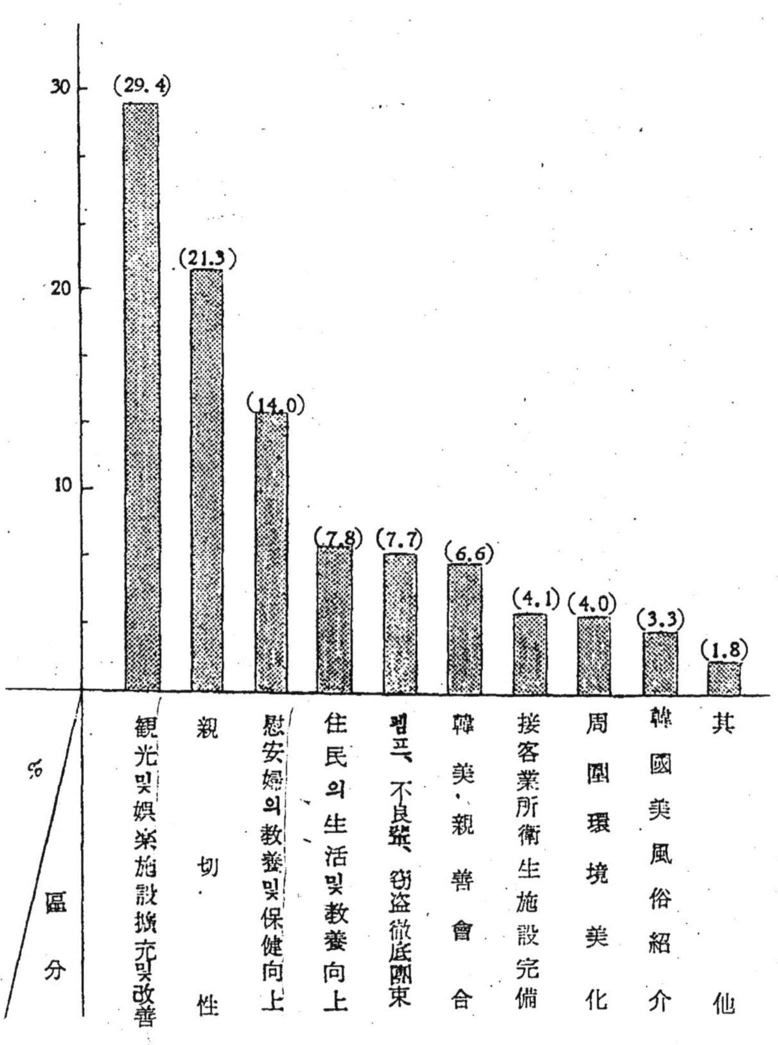

0126

美國政府 및 美軍當局에 對한 要望事項

(總 791件)

区分	%
民族差別意識根絶	(28.6)
韓美行協早速締結	(11.9)
從業員의 処遇改善	(9.2)
暴力및不法行為根絶	(7.1)
對韓經濟援助增大	(6.7)
極貧者救護事業	(6.1)
韓美間友好增大	(4.5)
美軍禁足令解除	(4.0)
徵發財産에 對한 補償	(3.8)
從業員의 一方的減員止揚	(2.5)
美軍의 敎養向上	(2.5)
韓國에 對한 正確한 知識習得	(2.1)
美軍撤收反對	(1.5)
韓國統一成就	(0.9)
混血兒美國入籍	(0.9)
麻藥團束	(0.9)
保健衛生事業援助	(0.6)
不法的家宅搜索止揚	(0.6)
無差別銃擊禁止	(0.4)
其他	(5.2)

0127

-33-

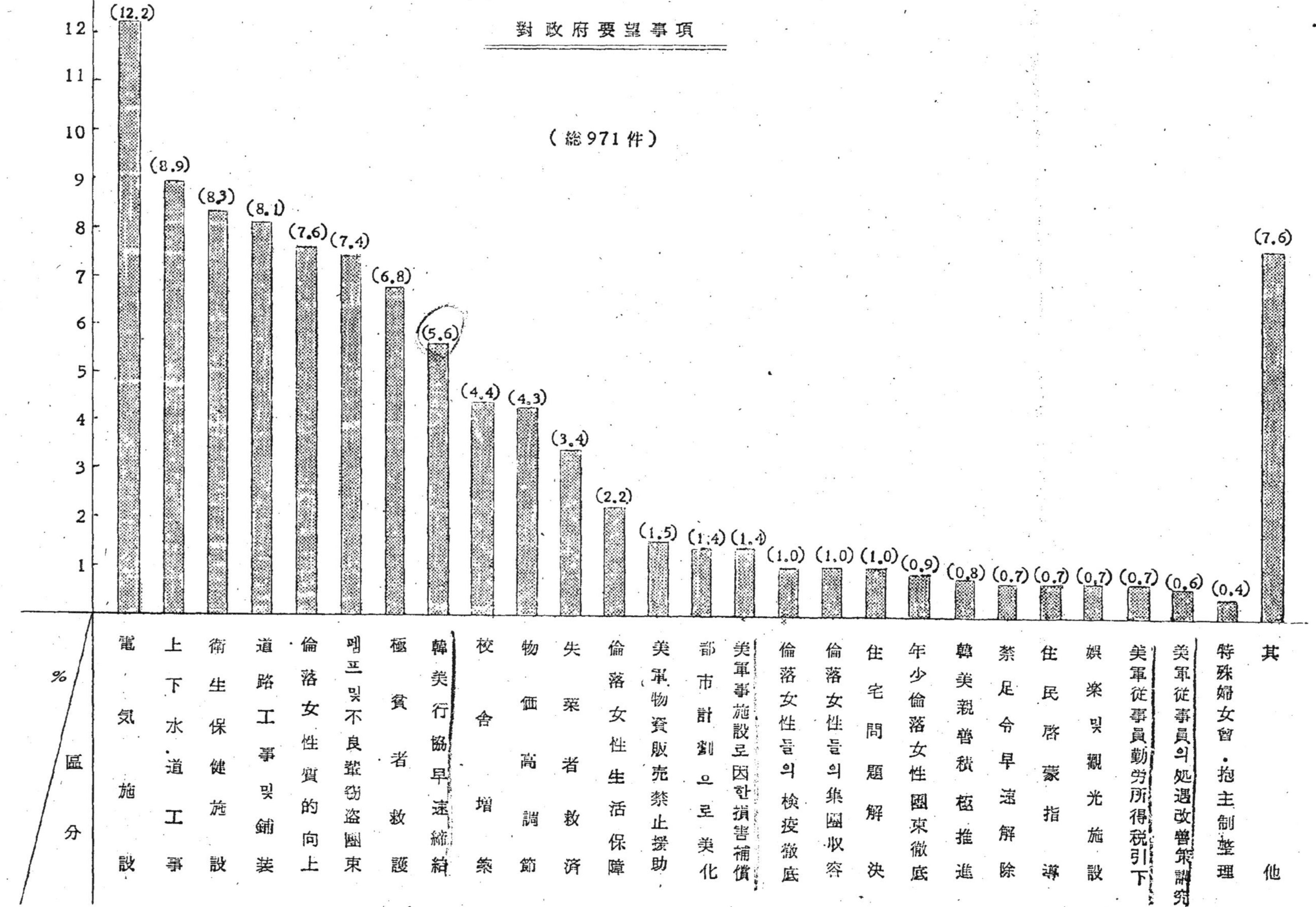

對政府要望事項
(總971件)
%
區分
電氣施設 (12.2)
上下水道工事 (8.9)
衛生保健施設 (8.3)
道路工事및鋪装 (8.1)
倫落女性質的向上 (7.6)
펨프및不良輩窃盜團束 (7.4)
極貧者救護 (6.8)
韓美行協早速締結 (5.6)
校舍增築 (4.4)
物価高調節 (4.3)
失業者救済 (3.4)
倫落女性生活保障 (2.2)
美軍物資販売禁止援助 (1.5)
都市計劃으로美化 (1.4)
美軍事施設로因한損害補償 (1.4)
倫落女性들의検疫徹底 (1.0)
倫落女性들의集團収容 (1.0)
住宅問題解決 (1.0)
年少倫落女性團束徹底 (0.9)
韓美親善積極推進 (0.8)
禁足令早速解除 (0.7)
住民啓蒙指導 (0.7)
娯楽및觀光施設 (0.7)
美軍従事員勤労所得税引下 (0.7)
美軍従事員의処遇改善策講究 (0.6)
特殊婦女會・抱主制整理 (0.4)
其他 (7.6)
1
2
3
4
5
6
7
8
9
10
11
12

0123

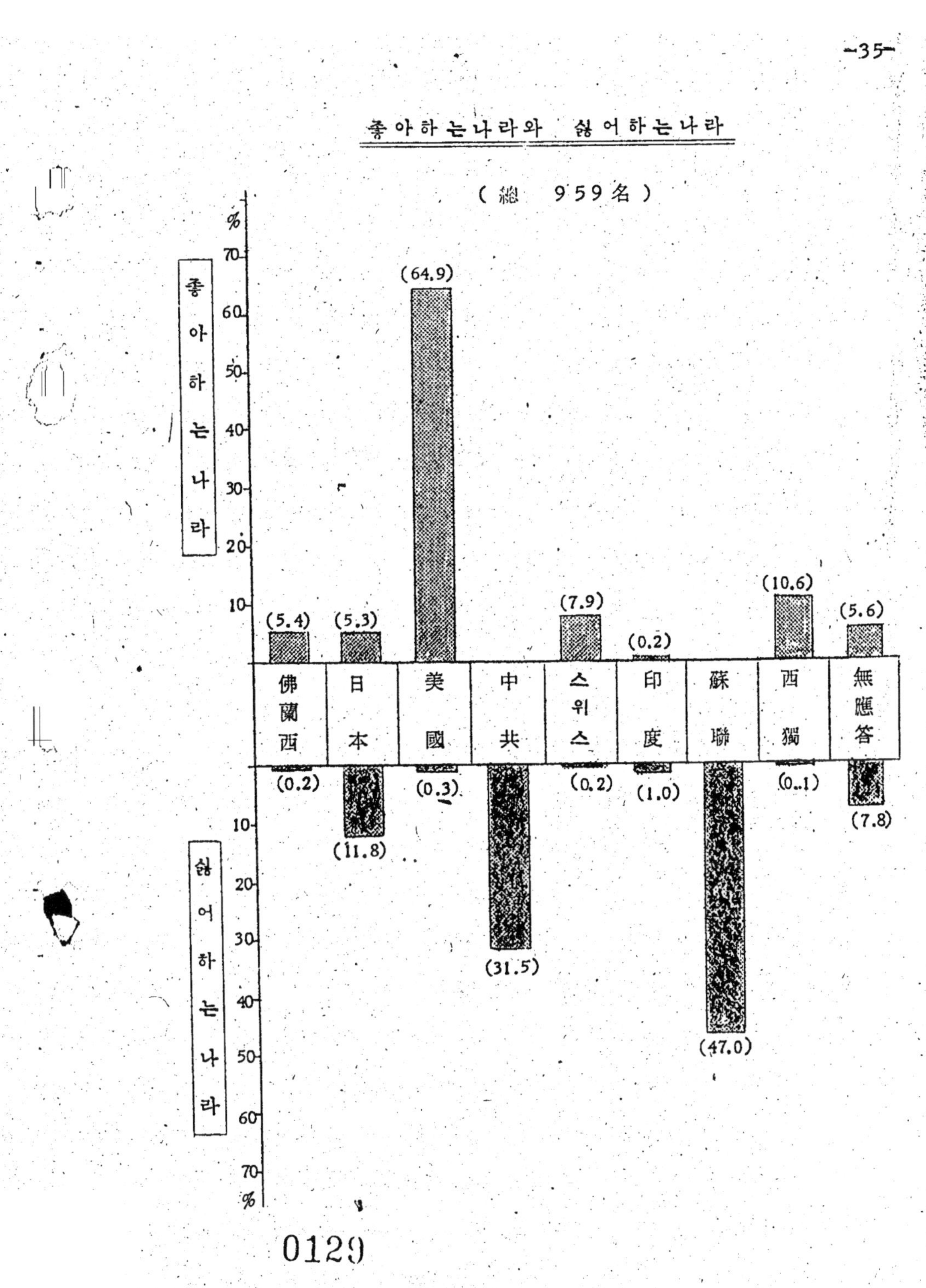
좋아하는나라와 싫어하는나라
(總 959名)
%
좋아하는나라
싫어하는나라
(64.9)
(5.4)
(5.3)
(7.9)
(0.2)
(10.6)
(5.6)
佛蘭西
日本
美國
中共
스위스
印度
蘇聯
西獨
無應答
(0.2)
(11.8)
(0.3)
(31.5)
(0.2)
(1.0)
(47.0)
(0..1)
(7.8)
%

0129

一. 居 住 年 數

유엔軍 駐屯地域에서 居住하고 있는 住民의 構成要素를 보기 為하여 住民의 居住年数를 把握한바에 依하면 「2年~5年」層이 35.1%로서 가장 많은 部分을 차지하고 있으며 다음은 「2年未満」이 30.8%,「6年~10年」이 23.3%, 「15年以上」이 6.4%, 「11年~15年」이 4.4%順으로 나타나고 있다。

따라서 住民의 居住年限은 10年까지가 大部分을 차지하고 있으며, 10年以上의 居住者는 10.8%에 不過하다。

이러한 結果로 미루어 보아 유엔軍駐屯地区에 居住하고 있는 住民들의 大部分은, 유엔軍이 駐屯한 以後, 他地域으로 부터 移住하여온 異質的人間에 依하여 構成하곳 있음을 意味하고 있다。

이와같은 傾向은 各地域마다 나타나고 있는 共通된 特性인데, 特히 坡州地区와 烏山地区는 「2年~5年」의 居住年数를 가진 住民이, 東豆川地区는 「2年未満」의 住民이 가장 많은 部分을 차지하고 있다。

이를 職業別로 考察하면 「農業」層은 過半数以上이 15年以上의 居住年数를 가지므로서 農業層은 大体로 原住民이 많음을 알 수 있으나, 其外 다른 職業層들은 大部分 居住年限이 10年以内인 것으로 보아, 他地域에서 移住하여온 사람들임을 알 수 있는데, 特히 慰安婦層에 있어서는 「11年以上」의 居住者는 한사람도 나

0130

타나고 있지 않는 反面, 「2年未満」이 過半数 以上을 차지하고 있음은 注目되는 現象이라 하겠다。 여기에서 居住年数를 各 職業別로 順位를 보면 다음과 같다。

△ 農 業 : 「15年以上」「6～10年」順
△ 商 業 : 「2年～5年」「6～10」順
△ 써비스業 : 「2年～5年」「2年未満」順
△ 美軍部隊従業員 : 「6年～10年」「2年～5年」順
△ 慰安婦 : 「2年未満」「2年～5年」順
△ 公務員및会社員 : 「2年～5年」「2年未満」順

居 住 年 数

(地域別)

	総 数	2年未満	2～5年	6～10年	11～15年	15年以上
総 数	959 (100.0)	296 (30.8)	337 (35.1)	223 (23.3)	42 (4.4)	61 (6.4)
坡州地区	502 (100.0)	139 (27.7)	187 (37.4)	114 (22.7)	17 (3.3)	45 (8.9)
東豆川地区	285 (100.0)	110 (38.6)	91 (31.9)	62 (21.8)	15 (5.3)	7 (2.5)
烏山地区	172 (100.0)	47 (27.3)	59 (34.3)	47 (27.3)	10 (5.8)	9 (5.3)

0131

居 住 年 数

(職業別)

	総 数	2年未満	2～5年	6～10年	11～15年	15年以上
総 数	959 (100.0)	296 (30.8)	337 (35.1)	223 (23.3)	42 (4.4)	61 (6.4)
農 業	55 (100.0)	1 (1.8)	5 (9.1)	15 (27.2)	5 (9.1)	29 (52.7)
商 業	212 (100.0)	48 (22.6)	74 (34.9)	67 (31.6)	17 (8.0)	6 (2.8)
써비스業	189 (100.0)	69 (36.5)	76 (40.2)	33 (17.5)	5 (2.6)	6 (3.2)
美軍部隊従業員	168 (100.0)	26 (15.5)	62 (36.9)	66 (39.3)	9 (5.4)	5 (3.0)
慰安婦	198 (100.0)	115 (58.1)	72 (36.4)	11 (5.6)	—	—
公務員및会社員	67 (100.0)	21 (31.4)	22 (32.8)	12 (17.9)	2 (3.0)	10 (14.9)
其 他	70 (100.0)	16 (22.9)	26 (37.1)	19 (27.1)	4 (5.7)	5 (7.1)

0132

二. 이곳으로 移徙온 動機

유엔軍 駐屯地域 居住民의 大部分이 他地域에서 移住하여온 사람들임을 前項에서 보았거니와, 이들이 이 地域으로 移住오게된 動機를 보면 「돈벌기 為해서」와 「職場関係」라는 意見이 거이 大部分을 차지하고 있다。

即 「돈벌기 為해서」라는 意見은 55.1%라는 圧倒的인 比率을 차지하고 있으며 「職場関係」라는 意見은 34.7%를 차지하고 있다。

한편 「親戚関係로」라는 意見이 5.3%, 「農事짓기 為하여」가 1.3%의 매우 낮은 比率을 나타내고 있다。

이와같은 傾向은 各 地域別에서 共通된 現象으로 나타나고 있다。

한편 職業別에 있어서는 그 様相이 多少 変異되고 있으나, 「商業」, 「써비스業」, 「慰安婦」層은 「돈벌기 為해서」라는 意見이 圧倒的으로 많이 나타나고 있는데, 特히 「慰安婦」層에 있어서는 96.5%에 達하고 있다。

이에 反하여, 「美軍部隊従業員」과 「公務員및会社員」層은 「職場関係」라는 意見이 圧倒的인데, 特히 「公務員및会社員」層은 92.7%에 達하고 있다。

0133

이곳으로 移徙온 動機

(地域別)

	総 数	農事짓기為하여	職 場 関係로	돈벌기為해서	親戚関係로	其 他	無応答
総 数	856 (100.0)	11 (1.3)	297 (34.7)	472 (55.1)	45 (5.3)	26 (3.0)	5 (0.6)
坡 州 地 区	441 (100.0)	8 (1.8)	152 (34.5)	243 (55.0)	20 (4.5)	15 (3.4)	3 (0.7)
東豆川地区	262 (100.0)	3 (1.1)	93 (35.5)	149 (56.9)	10 (3.8)	6 (2.3)	1 (0.4)
烏 山 地 区	153 (100.0)	—	52 (34.0)	80 (52.3)	15 (9.8)	5 (3.3)	1 (0.6)

이곳으로 移徙온 動機

(職業別)

	総 数	農事짓기為하여	職 場 関係로	돈벌기為해서	親 戚 関係로	其 他	無応答
総 数	856 (100.0)	11 (1.3)	297 (34.7)	472 (55.1)	45 (5.3)	26 (3.0)	5 (0.6)
農 業	21	7	8	2	2	2	—
商 業	189 (100.0)	1 (0.5)	42 (22.2)	126 (66.7)	12 (6.3)	7 (3.7)	1 (0.5)
써 비 스 業	178 (100.0)	—	61 (34.3)	97 (54.5)	13 (7.3)	6 (3.4)	1 (0.6)
美軍部隊従業員	154 (100.0)	2 (1.3)	110 (71.4)	32 (20.8)	6 (3.9)	2 (1.3)	2 (1.3)
慰 安 婦	198 (100.0)	—	3 (1.5)	191 (96.5)	2 (1.0)	1 (0.5)	1 (0.5)
公務員및会社員	55 (100.0)	—	51 (92.7)	—	4 (7.3)	—	—
其 他	61 (100.0)	1 (1.6)	22 (36.1)	24 (39.3)	6 (9.8)	8 (13.1)	—

0134

三. 美軍과의 接觸與否

유엔軍駐屯地域 住民들은 大部分 他地域으로부터 移住하여온 사람들로 構成되고 있으며, 이들은 大部分이 直接的으로나 間接的으로 駐屯유엔軍, 特히 美軍과 諸般面에서 接觸關係를 維持하며 生을 營為하고 있으므로, 萬一 美軍이 이 地域에서 撤収할 境遇 農業層을 除外한 其他 住民들은 그들의 生活手段을 잃어버릴 可能性이 있는 特殊事情下에 놓여있다 해도 過言이 아니다。

이러한 意味에서 이곳 住民들이 어느程度 美軍과 關係를 맺고 있는가를 把握하고저 美軍과의 接觸度를 調査한바에 依하면 「恒常있다」가 45.8%를 차지하고 있으며, 「가끔있다」가 22.4%를 차지하고 있는데, 이로서 美軍과 多少라도 直接的인 接觸關係를 갖고 있는 比率은 総 68.2%라는 많은 比率을 차지하고 있다。

이와같이 住民의 絶対多数는 美軍과 密接한 聯関関係를 維持하고 있으며, 接触이 없다는 意見은 32.5%에 지나지 않는다。

그러나, 接触이 없다는 意見 亦是, 生活経済面에 있어서, 美軍과의 関聯性이 없는 農民層을 除外한다면, 大部分 間接的이나마 美軍과의 関係를 갖고 있는 것이라 看做할 수 있다。

이와같은 調査結果는 各 地域마다 大体로 共通되고 있는 現象이며, 性別에 있어서는, 美軍과의 接触率은 男性보다 女性들이 많이 나타나고 있는데 이는, 今般調査

0135

에서 女性의 過半数以上이 慰安婦이었기 때문이다。

年齡別로 보면, 年齡이 낮은 層은 많은 層에 比하여 美軍과의 接触率이 많이 나타나고 있는데, 特히 20代層의 境遇 76.7%가 接触関係를 가지고 있으며, 이에 比하여 「50代」와 「60代」以上層은 接触이 없다는 意見이 오히려 많이 나타나고 있는 現象이다。 学歷別에 있어서는 学歷水準이 높을 수록 美軍과의 接触率이 많이 나타나고 있는데 이를 보면 「專門및 大学以上」層은 約 80%가 이에 該当되고 있는데 比하여, 「한글解得」層의 境遇는 50%를 多少上廻하고 있다。

한편 職業別에 있어서는 美軍과 密接한 関係를 가지고 있는 慰安婦, 美軍部隊従業員을 除外하면 「農業」層은 美軍과 接触이 가장 낮은 層으로 나타나고 있는데 農業層은 78.2%가 美軍과 直接的인 接触이 없는것으로 나타나고 있으며, 「商業」과 「公務員및会社員」層은 이보다 顕著하게 낮은 約 52%를 各各 나타내고 있다。

그러나 「써비스業」은, 接触이 있다는 意見이 多少 많이 나타나고 있다。

美軍과 接触与否

(地域別)

	総 数	항상있다	가끔있다	없 다	無応答
総 数	959 (100.0)	439 (45.8)	207 (21.6)	312 (32.5)	1 (0.1)
坡州地区	502 (100.0)	242 (48.2)	101 (20.1)	158 (31.5)	1 (0.2)
東豆川地区	285 (100.0)	128 (44.9)	65 (22.8)	92 (32.3)	—
烏山地区	172 (100.0)	69 (40.1)	41 (23.8)	62 (36.1)	—

0136

美軍과 接触与否

(性別)

	総 数	항상있다	가끔있다	없 다	無応答
総 数	959 (100.0)	439 (45.8)	207 (21.6)	312 (32.5)	1 (0.1)
男	619 (100.0)	217 (35.1)	178 (28.8)	223 (36.0)	1 (0.2)
女	338 (100.0)	220 (65.1)	29 (8.6)	89 (26.3)	–
未 詳	2	2	–	–	–

美軍과 接触与否

(年齢別)

	総 数	항상있다	가끔있다	없 다	無応答
総 数	959 (100.0)	439 (45.8)	207 (21.6)	312 (32.5)	1 (0.1)
20 ~ 29	381 (100.0)	243 (63.8)	49 (12.9)	89 (23.3)	–
30 ~ 39	339 (100.0)	143 (42.2)	93 (27.4)	102 (30.1)	1 (0.3)
40 ~ 49	171 (100.0)	41 (24.0)	48 (28.0)	82 (48.0)	–
50 ~ 59	56 (100.0)	10 (17.9)	14 (25.0)	32 (57.1)	–
60歳以上	11	1	3	7	–
未 詳	1	1	–	–	–

0137

美軍과 接触与否

(学歷別)

	総 数	항상있다	가끔있다	없 다	無応答
総 数	959 (100.0)	439 (45.8)	207 (21.6)	312 (32.5)	1 (0.1)
無 学	26	14	2	10	—
한글解得	87 (100.0)	36 (41.4)	12 (13.8)	39 (44.8)	—
国民学校	248 (100.0)	119 (48.0)	43 (17.3)	86 (34.7)	—
中 学 校	220 (100.0)	113 (51.4)	45 (20.4)	62 (28.2)	—
高等学校	236 (100.0)	91 (38.6)	58 (24.6)	87 (36.9)	—
專門및大学以上	136 (100.0)	62 (45.6)	45 (33.1)	28 (20.6)	1 (0.7)
未 詳	6	4	2	—	—

美軍과 接触与否

(職業別)

	総 数	항상있다	가끔있다	없 다	無応答
総 数	959 (100.0)	439 (45.8)	215 (22.4)	304 (31.7)	1 (0.1)
農 業	55 (100.0)	4 (7.3)	8 (14.5)	43 (78.2)	—
商 業	212 (100.0)	31 (14.6)	70 (33.0)	111 (52.4)	—
써비스業	189 (100.0)	45 (23.8)	65 (34.4)	79 (41.8)	—
美軍部隊従業員	168 (100.0)	148 (88.1)	19 (11.3)	—	1 (0.6)
慰安婦	198 (100.0)	191 (96.5)	7 (3.5)	—	—
公務員및会社員	67 (100.0)	6 (9.0)	26 (38.8)	35 (52.2)	—
其 他	70 (100.0)	14 (20.0)	20 (28.6)	36 (51.4)	—

0138

四. 美軍의 親切度

美軍은 居住民에 對하여 親切한가? 或은 不親切한가? 하는 韓國人에 對한 美軍人의 態度如何는 곧 美軍人에 對한 居住民의 意識構造 形成에 影響을 미칠 수 있는 問題이므로 重要視할 必要가 있다.

이러한 意味에서, 駐屯地域居住民에 對한 美軍의 親切度를 調査 把握한 바에 依하면 「그저그렇다」는 意見이 43.6%로서 가장 많이 나타나고 있으며, 다음은 「親切하다」는 意見이 36.8%, 「모르겠다」가 10.3%, 「親切하지 않다」가 9.0%順으로 나타나고 있다.

여기에서 「그저그렇다」는 意見이 가장 많이 나타나고 있으나, 大体로 住民들은 美軍들이 親切하다고 생각한 것으로 看做할 수 있다. 이는 「親切하다」는 意見이 「親切하지 않다」는 意見의 約 4倍에 達하고 있는 것으로 알수 있다.

이와같은 傾向은 各地域마다 비슷하게 나타나고 있는 現象인데 烏山地域은 坡州나 東豆川地域에 比하여 더욱 顯著하게 나타나고 있다.

이를 性別과 關聯시켜 보면 女性은 男性에 比하여 「親切하다」는 意見이 顯著하게 많이 나타나고 있는데, 男性의 境遇는 「그저그렇다」는 意見이 「親切하다」는 意見보다 많이 나타나고 있다.

年齡別에 있어서는, 20代層은, 다른 層에 比하여 「親切하다」는 意見이 가장 많이 나타나고 있을뿐

0139

아니라, 「그저그렇다」는 意見과 「親切하지 않다」는 意見보다 많이 나타나고 있다。 한편 다른 年齡層에 있어서는 「그저그렇다」는 意見이 가장 많이 나타나고 있다。

學歷別에 있어서도 大体로 各層마다 「그저그렇다」는 意見이 가장 많이 나타나고 있으나, 「無學」層과 「國民學校」層에 있어서는, 「親切하다」는 意見이 가장 많이 나타나고 있다。 여기에서 한가지 注目되는 것은 學歷水準이 가장 높은 「專門 및 大學以上」層에서 「親切하지 않다」는 意見이 比較的 많이 나타나고 있는 點이라 하겠다。

職業別로 보면,

「써ー비스業」과 「慰安婦」層은 다른 意見에 比하여 「親切하다」는 意見이 가장 많이 나타나고 있으며 그外, 農業, 商業, 美軍部隊從業員, 「公務員 및 會社員」層은 「그저그렇다」는 意見이 많이 나타나고 있다。

한편 「親切하지 않다」는 意見에 있어서는 「美軍部隊從業員」層에서 가장 많이 나타나고 있으며 다음은 「慰安婦」層인데, 여기에서 美軍과 接触이 가장 많은 두 職業層이 接触이 많지못한 다른 職業層에 比하여 「親切하지 않다」는 意見을 多少라도 많이 나타내고 있음은 注目되는 現象이라 하겠다。

0140

美軍의 親切度

(地域別)

	總數	親切하다	그저 그렇다	親切하지 않다	모르겠다	無應答
總數	959 (100.0)	353 (36.8)	418 (43.6)	86 (9.0)	99 (10.3)	3 (0.3)
坡州地區	502 (100.0)	175 (34.9)	218 (43.4)	54 (10.8)	53 (10.5)	2 (0.4)
東豆川地區	285 (100.0)	92 (32.3)	139 (48.8)	23 (8.1)	30 (10.5)	1 (0.4)
烏山地區	172 (100.0)	86 (50.0)	61 (35.5)	9 (5.2)	16 (9.3)	—

美軍의 親切度

(性別)

	總數	親切하다	그저 그렇다	親切하지 않다	모르겠다	無應答
總數	959 (100.0)	353 (36.8)	418 (43.6)	86 (9.0)	99 (10.3)	3 (0.3)
男	619 (100.0)	207 (33.4)	287 (46.4)	62 (10.0)	62 (10.0)	1 (0.2)
女	338 (100.0)	146 (43.2)	129 (38.2)	24 (7.1)	37 (10.9)	2 (0.6)
未詳	2	—	—	—	—	—

0141

美軍의 親切度

(年齡別)

	總數	親切하다	그저 그렇다	親切하지 않다	모르겠다	無應答
總數	959 (100.0)	353 (36.8)	418 (43.6)	86 (9.0)	99 (10.3)	3 (0.3)
20~29	381 (100.0)	163 (42.8)	153 (40.2)	35 (9.2)	29 (7.6)	1 (0.3)
30~39	339 (100.0)	105 (31.0)	167 (49.3)	30 (8.8)	35 (10.3)	2 (0.5)
40~49	171 (100.0)	63 (36.8)	67 (39.2)	17 (9.9)	24 (14.0)	—
50~59	56 (100.0)	17 (30.4)	27 (48.2)	3 (5.4)	9 (16.1)	—
60歲以上	11	5	3	1	2	—
未詳	1	—	1	—	—	—

美軍의 親切度

(學歷別)

	總數	親切하다	그저 그렇다	親切하지 않다	모르겠다	無應答
總數	959 (100.0)	353 (36.8)	418 (43.6)	86 (9.0)	99 (10.3)	3 (0.3)
無學	26	12	7	3	4	—
한글解得	87 (100.0)	25 (28.7)	36 (41.4)	6 (6.9)	20 (23.0)	—
國民學校	248 (100.0)	108 (43.5)	100 (40.3)	18 (7.3)	22 (8.9)	—
中學校	220 (100.0)	80 (36.4)	97 (44.1)	21 (9.5)	21 (9.5)	1 (0.5)
高等學校	236 (100.0)	78 (33.1)	118 (50.0)	17 (7.2)	22 (9.3)	1 (0.4)
專門 및 大學以上	136 (100.0)	46 (33.8)	58 (42.6)	21 (15.4)	10 (7.4)	1 (0.9)
未詳	6	4	2	—	—	—

0142

美軍의 親切度

(職業別)

	總 數	親切하다	그 저 그렇다	親切하지 않 다	모르겠다	無應答
總 數	959 (100.0)	353 (36.8)	418 (43.6)	86 (9.0)	99 (10.3)	3 (0.3)
農 業	55 (100.0)	18 (32.7)	20 (36.4)	1 (1.8)	16 (29.1)	—
商 業	212 (100.0)	77 (36.3)	88 (41.5)	17 (8.0)	30 (14.2)	—
써비스業	189 (100.0)	83 (43.9)	65 (34.4)	14 (7.4)	26 (13.8)	1 (0.5)
美軍部隊 從業員	168 (100.0)	43 (25.6)	95 (56.5)	24 (14.3)	5 (3.0)	1 (0.6)
慰安婦	198 (100.0)	97 (49.0)	82 (41.4)	18 (9.1)	—	1 (0.5)
公務員및 會社員	67 (100.0)	18 (26.9)	34 (50.7)	4 (6.0)	11 (16.4)	—
其 他	70 (100.0)	17 (24.3)	34 (48.6)	8 (11.4)	11 (15.7)	—

0143

五. 美軍駐屯으로 因한 日常生活에 利害點

美軍駐屯地域에서 居住하고 있는 住民들은 直接的으로나, 間接的으로, 美軍과의 聯關性을 갖이고 있으므로, 美軍과의 聯關性을 떠나서, 이곳 住民들의 生活問題를 생각할 수 없을 程度이다. 이러한 問題와 關聯하여 駐屯美軍들로 因하여 美軍駐屯地域居住民들은 日常生活에 어떠한 影響을 받고 있느냐, 即 利로운 點이 많은가, 혹은 害로운 點이 많다고 생각하는가를 把握하고저 하였다.

調査結果에 依하면,

「利點이 많다」는 意見이 68.8%로서 压倒的으로 많이 나타나고 있으며, 다음은 「半半이다」가 19.4%, 「美軍과 아무런 關係가 없다」가 9.5%, 「害點이 많다」가 2.0%順으로 나타나고 있다.

따라서 美軍의 駐屯으로 말미아마, 住民의 日常生活에 害點은 거의 없는 形便이고 大体로 利點이 많이 나타나고 있다. 이와같은 傾向은 各地域마다 거의 비슷하게 나타나고 있는 現象인데, 烏山地區는 坡州및 東豆川地區에 比하여 多少 많이 나타나고 있다.

이를 性別과 關聯시켜 보면,

男女 다 같이 「利點이 많다」는 意見을 压倒的으로 많이 나타내고 있는데, 여기에서 女性은 男性에 比하여 더욱 많이 나타나고 있다.

年齡別에 있어서도, 各層마다 「利點이 많다」는 意

0144

見이 많이 나타나고 있는데, 그中 「20代」와 「40代」는 다른 層에 比하여 顯著하게 많이 나타내고 있으며 이에 反해서 「30代」와 「50代」에 있어서는 「半半이다」는 意見이 많이 나타나고 있다。

한편 「害點이 많다」는 意見에 있어서는 各層마다 매우 低調한 比率을 나타내고 있다。

學歷別에 있어서도 全体的인 傾向과 비슷하게 나타나고 있는데 「利點이 많다」는 意見에 있어서는 「國民學校」, 「中學校」, 「專門및 大學以上」層에서 特히 많이 나타내고 있으며, 「半半이다」는 意見에 있어서는 「高等學校」와 「專門및 大學以上」層에서 많이 나타나고 있다。

한편 「害點이 많다」는 意見은 各層마다 低調하게 나타나고 있다。

職業別로 보면

「農業」層에 있어서는 「美軍과 아무런 關聯이 없다」는 意見이 40.0%를 차지하므로서, 「利點이 많다」는 意見에 있어서는 다른層보다 顯著하게 낮은 意見을 나타내고 있다。

그러나 다른 職業層에 있어서는 「利點이 많다」는 意見이 다른 意見에 比하여 越等하게 많이 나타나고 있는데 特히 「써비스業」은 82%, 「商業」이 75.9%, 「慰安婦」가 75.3%의 높은 比率을 나타내고 있으나, 美軍과 接觸이 가장 많은 「美軍部隊從業員」層은 이보다 顯著하게 낮은 比率을 나타내고 있음이 特異

0145

하다。

또한 「公務員」 및 會社員」層의 意見은 「農業」層을 除外하고 「利點이 많다」는 意見이 가장 낮은 比率을 나타내고 있을뿐 아니라 「害點이 많다」는 意見에 있어서도 가장 많이 나타나고 있음은 注目되는 點이라 하겠다。

한편 「半半이다」는 意見에 있어서는 「農業」層에서 가장 많이 나타내고 있으며, 다음은 「美軍部隊從業員」「慰安婦」 「公務員및 會社員」順으로 많이 나타나고 있으나, 「商業」과 「써비스業」層은 比較的 낮은 意見을 나타내고 있는데 「害點이 많다」는 意見에 있어서도 「써비스業」에서는 全然 나타나지 않고 있으며, 「商業」層 亦是 다른層보다 적은 意見이 나타나고 있다。

끝으로 居住年數別로 보면,

各層마다 「利點이 많다」는 意見이 가장 많이 나타나고 있으나, 居住年限이 짧은 層에서 이 意見이 顯著하게 많이 나타나고 있다。 이를 보면 「2年~5年」層은 76.0%로 나타나고 있으며 이에 比하여 「15年以上」層에 있어서는 36.0%라는 低調한 比率을 나타내고 있는데, 居住年限인 짧은 層과 많은 層과는 意見의 差異가 顯隔하게 나타나고 있음이 注目된다。

0146

美軍駐屯으로 因한 日常生活에 利害點

(地域別)

	總 數	利點이많다	半半이다	害點이많다	美軍과아무런關係없다	無應答
總 數	959 (100.0)	660 (68.8)	186 (19.4)	19 (2.0)	91 (9.5)	3 (0.3)
坡州地區	502 (100.0)	340 (67.7)	101 (20.1)	10 (2.0)	49 (9.8)	2 (0.4)
東豆川地區	285 (100.0)	197 (69.1)	54 (18.9)	7 (2.5)	26 (9.1)	1 (0.4)
烏山地區	172 (100.0)	123 (71.5)	31 (18.0)	2 (1.2)	16 (9.3)	—

美軍駐屯으로 因한 日常生活에 利害點

(性別)

	總 數	利點이 많다	半半이다	害點이 많다	美軍과아무런關係없다	無應答
總 數	959 (100.0)	660 (68.8)	186 (19.4)	19 (2.0)	91 (9.5)	3 (0.3)
男	619 (100.0)	391 (63.2)	133 (21.5)	14 (2.3)	79 (12.8)	2 (0.3)
女	338 (100.0)	267 (79.0)	53 (15.7)	5 (1.5)	12 (3.6)	1 (0.3)
未 詳	2	2	—	—	—	—

0147

美軍駐屯으로 因한 日常生活에 利害點
(年齡別)

	總 數	利點이 많다	半半이다	害點이 많다	美軍과아무런關係없다	無應答
總 數	959 (100.0)	660 (68.8)	186 (19.4)	19 (2.0)	91 (9.5)	3 (0.3)
20 ~ 29	381 (100.0)	277 (72.7)	69 (18.1)	7 (1.8)	26 (6.8)	2 (0.5)
30 ~ 39	339 (100.0)	224 (66.0)	79 (23.3)	8 (2.4)	27 (8.0)	1 (0.3)
40 ~ 49	171 (100.0)	124 (72.5)	26 (15.2)	3 (1.8)	18 (10.5)	—
50 ~ 59	56 (100.0)	28 (50.0)	12 (21.4)	1 (1.8)	15 (26.8)	—
60歲以上	11	6	—	—	5	—
未 詳	1	1	—	—	—	—

美軍駐屯으로 因한 日常生活에 利害點
(學歷別)

	總 數	利點이 많다	半半이다	害點이 많다	美軍과아무런關係없다	無應答
總 數	959 (100.0)	660 (68.8)	186 (19.4)	19 (2.0)	91 (9.5)	3 (0.3)
無 學	26	16	6	—	4	—
한글解得	87 (100.0)	47 (54.0)	15 (17.3)	2 (2.3)	23 (26.4)	—
國民學校	248 (100.0)	180 (72.6)	42 (16.9)	3 (1.2)	22 (8.9)	1 (0.4)
中學校	220 (100.0)	159 (72.2)	38 (17.3)	5 (2.3)	16 (7.3)	2 (0.9)
高等學校	236 (100.0)	153 (64.8)	54 (22.9)	6 (2.5)	23 (9.7)	—
專門 및 大學以上	136 (100.0)	99 (72.8)	31 (22.8)	3 (2.2)	3 (2.2)	—
未 詳	6	6	—	—	—	—

0148

美軍駐屯으로 因한 日常生活에 利害點

(職業別)

	總 數	利點이 많다	半半이다	害點이 많다	美軍과아무런關係없다	無應答
總 數	959 (100.0)	660 (68.8)	186 (19.4)	19 (2.0)	91 (9.5)	3 (0.3)
農 業	55 (100.0)	13 (23.6)	17 (30.9)	3 (5.5)	22 (40.0)	—
商 業	212 (100.0)	161 (75.9)	28 (13.2)	4 (1.9)	18 (8.5)	1 (0.5)
써비스業	189 (100.0)	155 (82.0)	22 (11.7)	—	12 (6.3)	—
美軍部隊從業員	168 (100.0)	110 (65.5)	49 (29.2)	4 (2.4)	4 (2.4)	1 (0.6)
慰安婦	198 (100.0)	149 (75.3)	44 (22.2)	4 (2.0)	—	1 (0.5)
公務員및會社員	67 (100.0)	29 (43.3)	14 (20.9)	4 (6.0)	20 (29.9)	—
其 他	70 (100.0)	43 (61.4)	12 (17.1)	—	15 (21.5)	—

美軍駐屯으로 因한 日常生活에 利害點

(居住年數別)

	總 數	利點이 많다	半半이다	害點이 많다	美軍과아무런關係없다	無應答
總 數	959 (100.0)	660 (68.8)	186 (19.4)	19 (2.0)	91 (9.5)	3 (0.3)
2年未滿	296 (100.0)	215 (72.6)	54 (18.2)	4 (1.4)	22 (7.4)	1 (0.4)
2～5年	337 (100.0)	256 (76.0)	54 (16.0)	6 (1.8)	21 (6.2)	—
6～10年	223 (100.0)	141 (63.2)	59 (26.5)	3 (1.3)	19 (8.5)	1 (0.4)
11～15年	42	26	7	2	6	1
15年以上	61 (100.0)	22 (36.0)	12 (19.7)	4 (6.6)	23 (37.7)	—

0149

六. 美軍駐屯으로 因한 利로운面

前項에서 美軍駐屯地域 住民들은 美軍駐屯으로 因해서 日常生活에 利點이 많다는 意見을 많이 나타내고 있음을 보았거니와, 여기에서, 「利點이 많다」고 應答한 660名을 對象으로 어떤 面에서 利點이 많은가를 調査把握한 바에 依하면 應答者의 大部分인 91.0%가 「生計維持에 도움이 된다」는 意見에 同意하고 있으며 또한 極히 낮은 比率이지만 「韓美親善図謀」라는 意見이 6.7%로 나타내고 있다。

이와 같은 傾向은 各地域別에 있어서나, 居住年數別에 있어서 共通되고 있는 現象이며, 職業別에 있어서도 各層마다 全体的인 傾向과 같이 나타나고 있다。 다만 「公務員및 會社員」層에 있어서는 「生計維持에 도움이 된다」는 意見과 「韓美親善」이라는 意見이 同一하게 나타나고 있음은 特異한 點이라 하겠다。

美軍駐屯으로因한利로운面

(地域別)

	總數	生計維持에도움	韓美親善図謀	其他	無應答
總數	660 (100.0)	601 (91.0)	44 (6.7)	6 (0.9)	9 (1.4)
坡州地区	340 (100.0)	316 (92.9)	21 (6.2)	1 (0.3)	2 (0.6)
東豆川地区	197 (100.0)	173 (87.8)	14 (7.1)	3 (1.6)	7 (3.5)
烏山地区	123 (100.0)	112 (91.1)	9 (7.3)	2 (1.6)	—

0150

美軍駐屯으로因한利로운面

(居住年數別)

	總 數	生計維持에도움	韓美親善図謀	其 他	無應答
總 數	660 (100.0)	601 (91.0)	44 (6.7)	6 (0.9)	9 (1.4)
2年未滿	215 (100.0)	200 (93.0)	13 (6.0)	—	2 (1.0)
2－5年	256 (100.0)	235 (91.8)	16 (6.2)	2 (0.8)	3 (1.2)
6－10年	141 (100.0)	124 (87.9)	10 (7.1)	3 (2.2)	4 (2.8)
11－15年	26	26	—	—	—
15年以上	22	16	5	1	—

美軍駐屯으로因한利로운面

(職業別)

	總 數	生計維持에도움	韓美親善図謀	其 他	無應答
總 數	660 (100.0)	601 (91.0)	44 (6.7)	6 (0.9)	9 (1.4)
農 業	13	11	1	1	—
商 業	161 (100.0)	154 (95.7)	5 (3.1)	—	2 (1.2)
서비스業	155 (100.0)	147 (94.8)	5 (3.3)	1 (0.6)	2 (1.3)
美軍部隊從業員	110 (100.0)	100 (90.9)	7 (6.4)	1 (0.9)	2 (1.8)
慰 安 婦	149 (100.0)	141 (94.6)	5 (3.4)	—	3 (2.0)
公務員및會社員	29	13	13	3	—
其 他	43	35	8	—	—

0151

七. 美軍駐屯으로 因한 害로운面

美軍駐屯으로 因하여 日常生活에 害로운 點이 많다고 應答한 사람은 19名에 不過한데 이들을 對象으로, 어떤 面에서, 害로운 點이 많은가를 調査把握한 바에 依하면, 「美軍의 民族差別」이라는 意見이 8名으로서, 으뜸을 차지하고 있으며, 다음은 「各種虞犯」이 5名, 「美軍의 行悖」가 1名이며 其他가 5名으로 나타나고 있다。

이와 같이 「害로운 點」에 對한 意見은 매우 적은 數가 나타나고 있는데, 그中 「美軍의 民族差別」이라는 意見이 으뜸을 차지하고 있음은 注目되는 點이라 하겠다。

美軍駐屯으로 因한 害로운面

(地域別)

	總 數	美軍의行悖	各種虞犯	美軍의民族差別	其 他
總 數	19	1	5	8	5
坡州地区	10	1	2	3	4
東豆川地区	7	—	2	4	1
烏山地区	2	—	1	1	—

0152

八. 韓國人과 美軍間의 不祥事知悉與否

駐韓美軍과 美軍部隊周辺의 居住民 사이에는 每年 數件씩의 大小不祥事가 일어나고 있는데, 今年에 들어서도 東豆川事件을 비롯하여, 雲川少年被殺事件, 坡州「드럼」통 窃盜犯被殺事件, 東豆川射擊場銃擊事件 等의 여러가지 事件이 惹起된바 있다。 이러한 美軍과 韓國人과의 不祥事가 發生할때마다 우리社會에 크나큰 衝擊을 주었고 더 나아가서는 韓美兩國間의 友誼를 害칠 可能性이 많으므로, 이에 對한 根本對策이 時急히 要請되고 있다。

이러한 不祥事에 對하여 現地 住民들은 어느 程度 周知하고 있는가를 把握하고저 한바 調査結果에 依하면 「알고 있다」는 意見이 79.8%를 차지하고 있으며, 「모른다」는 意見은 19.9%를 차지하므로서 駐屯地域 住民들의 絶對多數가 現地에서 惹起되고 있는 諸般事件을 알고 있는 現象이다。

이를 地域別로 聯關시켜보면

各地域마다 「알고 있다」는 意見이 越等하게 많이 나타내고 있는데 그中 坡州에서 가장 많이 나타내고 있다。

職業別에서는 「美軍部隊從業員」과 「公務員및 會社員」層은 90% 以上이 「알고 있다」는 意見을 나타내고 있으나, 「慰安婦」層에 있어서는 이 보다 懸隔히 低調한 71.2%를 차지하므로서 職業別에서 가장 낮은 比率을 차지하고 있다。

0153

美軍과韓人間의不祥事知悉與否

(地域別)

	總 數	알고있다	모른다	無應答
總 數	959 (100.0)	765 (79.8)	191 (19.9)	3 (0.3)
坡州地区	502 (100.0)	418 (83.3)	83 (16.5)	1 (0.2)
東豆川地区	285 (100.0)	223 (78.2)	61 (21.4)	1 (0.4)
烏山地区	172 (100.0)	124 (72.1)	47 (27.3)	1 (0.6)

美軍과韓人間의不祥事知悉與否

(職業別)

	總 數	알고있다	모른다	無應答
總 數	959 (100.0)	765 (79.8)	191 (19.9)	3 (0.3)
農 業	55 (100.0)	44 (80.0)	11 (20.0)	—
商 業	212 (100.0)	167 (78.8)	44 (20.7)	1 (0.5)
서비스業	189 (100.0)	148 (78.3)	41 (21.7)	—
美軍部隊從業員	168 (100.0)	154 (91.7)	14 (8.3)	—
慰安婦	198 (100.0)	141 (71.2)	56 (28.3)	1 (0.5)
公務員및會社員	67 (100.0)	61 (91.0)	6 (9.0)	—
其 他	70 (100.0)	50 (71.5)	19 (27.1)	1 (1.4)

0154

九. 不祥事가 일어난 事實은 무엇을 通해서 아는가?

駐屯地区에서 惹起되고 있는 諸般不祥事를 現地住民들은 어떻게 알고 있는가?

이에 對한 問題를 把握하기 為해서 不祥事가 일어난 事實을 알고 있다고 應答한 사람 765名을 對象으로 調査把握한 바에 依하면, 「他人으로 부터 듣고」라는 意見이 33.9%로서 으뜸을 차지하고 있으며, 다음은 「新聞을 보고」가 32.2%, 「直接보았다」가 28.9%이며, 「라디오를 듣고」라는 意見은 이보다 훨씬 低調한 4.5%를 차지하고 있다.

美軍과의 諸般不祥事는 大部分 美軍部隊鐵條網附近이나, 部隊周辺地域에서 惹起되므로, 現地住民들은 이를 눈으로 直接 經驗할 수 있는 可能性이 많고, 直接經驗하지 못한 境遇라 하드라도, 얼마 안가서 他人에 依한 口頭콤뮤니케이숀에 依하여, 이를 알 수가 있다.

따라서, 이러한 不祥事에 對하여, 61.1%에 該當되는 現地住民들이, 매스·메디아에 依하지 않고 「直接 보았거나」, 「他人으로 부터」들어 알고 있는 現象이다.

이를 地域別로 보면

東豆川地域과 烏山地域에 있어서는 全体的인 傾向과 같이 「他人으로 부터 듣고」라는 意見이 으뜸을 차지하고 있으나, 坡州地域에서만은 「新聞을 보고」라는 意見이 다른 意見에 比하여 多少 많이 나타나고 있다.

그러나, 各地域마다 「他人으로부터 듣고」라는 意見과

0155

「直接 보았다」는 意見이 60%以上을 차지하고 있음은 全体的인 傾向과 같다。

職業別에 있어서는 多少 相異한 様相을 나타내고 있는데, 이를 보면,

「農業」,「商業」,「써비스業」,「慰安婦」層은 「他人으로부터 듣고」라는 意見이 가장 많이 나타나고 있는데 그中 「慰安婦」層은 45.4%로서 으뜸을 차지하고 있으며, 이에 比하여, 「美軍部隊從業員」과 「公務員및 會社員」層에 있어서는 「新聞을 보고」에 對한 意見이 가장 많이 나타나고 있다。 特히 「公務員및 會社員」層은 52.5%로서, 圧倒的이다。

不祥事가일어난事實은무엇을通해서아는가?

(地域別)

	總 數	新聞을보고	라디오를듣고	他人으로부터	直接보았다	無應答
總 數	765 (100.0)	246 (32.2)	34 (4.5)	259 (33.9)	221 (28.9)	5 (0.7)
坡州地区	418 (100.0)	138 (33.0)	25 (6.0)	116 (27.8)	135 (32.3)	4 (1.0)
東豆川地区	223 (100.0)	70 (31.4)	5 (2.2)	94 (42.2)	53 (23.8)	1 (0.4)
烏山地区	124 (100.0)	38 (30.6)	4 (3.2)	49 (39.5)	33 (26.6)	—

0156

不祥事가 일어난 事實은 무엇을 通해서 아는가?

(職業別)

	總 數	新聞을보고	라디오를듣고	他人으로부터	直接보았다	無應答
總 數	765 (100.0)	246 (32.2)	34 (4.5)	259 (33.9)	221 (28.9)	5 (0.7)
農 業	44	16	2	23	3	—
商 業	167 (100.0)	57 (34.1)	8 (4.8)	58 (34.7)	44 (26.4)	—
서 비 스 業	148 (100.0)	43 (29.1)	4 (2.7)	52 (35.1)	49 (33.1)	—
美軍部隊從業員	154 (100.0)	71 (46.1)	11 (7.1)	32 (20.8)	38 (24.7)	2 (1.3)
慰 安 婦	141 (100.0)	13 (9.2)	8 (5.7)	64 (45.4)	54 (38.3)	2 (1.4)
公務員및會社員	61 (100.0)	32 (52.5)	1 (1.6)	15 (24.6)	13 (21.3)	—
其 他	50	14	—	15	20	1

0157

十. 不祥事가 생기는 責任은 어느側에 더 많다고 보는가?

美軍部隊 周邊에서, 일어나는 大小의 不祥事는 事件의 原因이 어떻든間에, 結果的으로, 韓美間의 오랫동안의 友誼와 親善關係에 금을 가게 할 可能性이 많은 만큼, 이러한 不祥事가 다시는 再發하지 않게끔, 最善을 다하는데 韓美兩國間에 서로 協助하여야 할것임은 再言을 要치 않는다。

그러나 여기에서, 現地住民들은 美軍部隊 周邊에서 일어나고 있는 諸般不祥事의 責任을 어느側에 돌리고 있느냐 하는 責任의 所在問題는, 韓國人의 對美軍態度나 意識을 把握하는데, 重要한 意義가 있는 것이라 할수 있다。

이에 對한 調査結果를 보면 「兩側 다半々」이라는 意見이 50%라는 压倒的인 比率을 示顯하고 있고,

다음은, 「韓國사람에게」라는 意見이 15.2%, 「美軍에게」라는 意見이 12.3%로 나타나고 있으며, 「모르겠다」가 22.1%를 차지하고 있다。

以上과 같이 現地 住民들의 絶對多數가 不祥事의 責任을 韓國人과 美軍人에게 똑같이 認定하고 있음은 注目되는 現象이라 하겠다。

한편 이를 除外한 意見에 있어서는 不祥事의 責任을 「美軍」에게 보다 「韓國人」에 많다는 意見을 多少 많이 나타내고 있다。

0158

이를 地域別로 보면 各地域마다 全体的인 傾向과 같이, 責任이 「両側다 半々」이다는 意見이 많이 나타나고 있는데, 坡州와 烏山地域에 있어서는, 60%以上을 차지하고 있는데 反하여, 東豆川地域에서는 「모르겠다」는 意見이 60%를 차지하므로서 「両側다 半々」이다는 意見이 14.3%라는 極히 低調한 比率을 차지하고 있다。

한편 이를 除外한 意見에서는 各地域마다, 不祥事의 責任을 「美軍」보다 「韓國人」에게 多少라도 많이 認定하고 있음은 全体的인 傾向과 같다。

이를 性別로 보면 男女 다같이 「両側다 半々」이다는 意見이 가장 많이 나타나고 있는데, 特히, 女性은 男性에 比하여 顯著하게 많은 意見이 나타나고 있다。 한편 이意見을 除外하면, 不祥事의 責任을, 美軍에게 보다, 韓國人에게, 多少 많이 認定하고 있다。

年令別에 있어서도, 全体的인 傾向과 같이 「両側다 半々」이다는 意見이 가장 많이 나타나고 있는데, 20代層에 있어서는, 「모르겠다」는 意見이 約 半數를 차지하고 있는 反面, 「両側다 半々」이다는 意見은 다른 層에 比하여 越等하게 낮다。 한편 이를 除外한 意見에 있어서는 各層마다 「美國人」보다 「韓國人」에게 더많은 責任이 있다고 나타내고 있다。

學歷別로 보면, 不祥事의 責任은 各層마다 亦是 「両側다 半々」이다는 意見을 가장 많이 나타내고 있으나, 「無學」과 「한글解得」層은 「両側다 半々」이다는 意見을 除外하면, 韓國사람 보다는 美軍에게

0159

責任이 더 많다는 意見을 나타내고 있음이 다른 層과 다른 点이라 하겠다。

職業別에 있어서도 各層마다 「兩側다 半々」이다는 意見이 圧倒的으로 많이 나타나고 있으나,「商業」層만은,「韓國사람에게 있다」는 意見은 過半數 以上을 차지하고 있는 「모르겠다」는 意見을 除外하면, 가장 많이 나타나고 있음은 特異한 点이라고 하겠다。 또한 美軍部隊와 接觸이 많은 「美軍部隊從業員」層에 있어서는,「兩側다 半々」이다는 意見을 除外하면, 不祥事의 責任을 「韓國사람」에게 있다는 意見보다 「美軍人」에게 있다는 意見이 더욱 많이 나타나고 있음은 또한 注目되는 点이라 하겠다。

不祥事가 생기는 責任은
어느側에 더 많다고 보는가?

(地域別)

	総 數	韓國사람에게	美軍에게	兩側다半半	모르겠다	無応答
総 數	765 (100.0)	116 (15.2)	95 (12.3)	382 (50.0)	169 (22.1)	3 (0.4)
坡州地區	418 (100.0)	69 (16.5)	54 (12.9)	269 (64.4)	23 (5.5)	3 (0.7)
東豆川地區	223 (100.0)	29 (13.0)	27 (12.1)	32 (14.3)	135 (60.5)	—
烏山地區	124 (100.0)	18 (14.5)	14 (11.3)	81 (65.3)	11 (8.9)	—

0160

不祥事가 생기는 責任은 어느側에 더 많다고 보는가?

(性別)

	総 數	韓國사람에게	美軍에게	兩側다半半	모르겠다	無応答
総 數	765 (100.0)	116 (15.2)	95 (12.3)	382 (50.0)	169 (22.1)	3 (0.4)
男	516 (100.0)	82 (15.7)	74 (14.2)	219 (42.0)	138 (26.5)	3 (0.6)
女	247 (100.0)	34 (13.8)	20 (8.0)	162 (65.6)	31 (12.6)	—
未 詳	2	—	1	1	—	—

不祥事가 생기는 責任은 어느側에 더 많다고 보는가?

(年令別)

	総 數	韓國사람에게	美軍에게	兩側다半半	모르겠다	無応答
総 數	765 (100.0)	116 (15.2)	95 (12.3)	382 (50.0)	169 (22.1)	3 (0.4)
20~29	290 (100.0)	36 (12.4)	34 (11.7)	86 (29.7)	134 (46.2)	—
30~39	294 (100.0)	47 (16.0)	42 (14.3)	184 (62.6)	20 (6.8)	1 (0.3)
40~49	133 (100.0)	23 (17.3)	15 (11.3)	83 (61.4)	11 (8.3)	1 (0.7)
50~59	42	10	4	24	3	1
60歳以上	5	—	—	4	1	—
未 詳	1	—	—	1	—	—

0161

不祥事가 생기는 責任은 어느側에 더 많다고 보는가?

(學歷別)

	総 數	韓國사람에게	美軍에게	両側다半半	모르겠다	無応答
総 數	765 (100.0)	116 (15.2)	95 (12.3)	382 (50.0)	169 (22.1)	3 (0.4)
無 學	10	1	2	5	2	-
한글解得	60 (100.0)	7 (11.7)	9 (15.0)	34 (56.7)	10 (16.7)	-
國民學校	179 (100.0)	18 (10.1)	15 (8.4)	23 (12.8)	123 (68.7)	-
中學校	176 (100.0)	27 (15.3)	24 (13.6)	110 (62.5)	14 (8.0)	1 (0.6)
高等學校	208 (100.0)	35 (16.8)	25 (12.1)	133 (63.9)	14 (6.6)	1 (0.5)
專門및大學以上	127 (100.0)	27 (21.3)	20 (15.7)	73 (57.5)	6 (4.7)	1 (0.8)
未 詳	5	1	-	4	-	-

不祥事가 생기는 責任은 어느側에 더 많다고 보는가?

(職業別)

	総 數	韓國사람에게	美軍에게	両側다半半	모르겠다	無応答
総 數	765 (100.0)	116 (15.2)	95 (12.3)	382 (50.0)	169 (22.1)	3 (0.4)
農 業	44	7	3	29	4	1
商 業	167 (100.0)	31 (18.6)	23 (13.8)	19 (11.4)	93 (55.7)	1 (0.5)
써비스業	148 (100.0)	21 (14.2)	17 (11.5)	90 (60.8)	19 (12.8)	1 (0.7)
美軍部隊從業員	154 (100.0)	21 (13.6)	25 (16.2)	101 (65.6)	7 (4.5)	-
慰安婦	141 (100.0)	16 (11.3)	14 (9.9)	98 (69.5)	13 (9.3)	-
公務員및會社員	61 (100.0)	9 (14.8)	5 (8.2)	41 (67.2)	6 (9.8)	-
其 他	50	11	8	4	27	-

0162

十一. 各種不祥事의 責任이 韓國사람에게 더 많은 原因

美軍駐屯部隊周邊에서 종々 惹起되고 있는 各種不祥事의 責任이, 韓國사람에게 더 많다고 応答한 사람 116名을 對象으로 各種 不祥事의 原因이 무엇인가를 問議한바에 依하면,

첫째로 「美軍軍需物資에 對한 盜難行為」를 들고 있는데, 이比率은 35.3%를 차지하고 있으며, 다음은 「美軍部隊不法侵入」이 34.5%, 「一部倫落女性의 没知覺한 行為」가 19.8%, 「美軍과 野合한 営利行為」가 2.6%順으로 나타나고 있다.

따라서, 不祥事의 原因은, 「美軍軍需 物資에 對한 盜難行為」와 「美軍部隊不法行為」의 두 意見으로 集約되고 있는데, 이 두 意見은 全体의 69.8%에 該當되고 있다.

이를 各地域別로 보면,

坡州地域에 있어서는, 全体的인 傾向과 같이 「美軍軍需物資에 對한 盜難行為」에 對한 意見이 가장 많이 나타나고 있으며, 다음은, 「美軍部隊不法侵入」이라는 意見이 많이 나타나고 있는데 比하여, 東豆川地域에서는 「美軍部隊不法侵入」에 對한 意見이 가장 많고, 다음은 「一部 倫落女性의 没知覺한 行為」라는 意見이 많이 나타나고 있으며, 烏山地域에 있어서는 첫째로 「一部倫落女性의 没知覺한 行為」를, 다음으로 「美軍部隊

0163

不法侵入」과 「美軍軍需物資에 對한 盜難行為」를 똑같이 들고 있는것과 같이 各地域마다, 各各 相異한 樣相을 나타내고 있음이 注目된다。

또한 職業別에 있어서도 各層마다 多少의 相異点을 나타내고 있는데, 「公務員및 事務員」과 「農業」層은 「美軍部隊不法侵入」을, 「商業」層을 為始하여 「써비스業」과 「美軍部隊從業員」層은 「美軍軍需物資에 對한 盜難行為」를, 그리고, 「慰安婦」層은 「一部倫落女性의 沒知覺한 行為」를 가장 많이 들고 있다。

各種不祥事의 責任이 韓國사람에게 더많은 原因

(地域別)

	総 數	美軍部隊 不法侵入	一部倫落女性의沒知覺한行為	美軍軍需物資에對한盜難行為	美軍과野合한營利行為	其 他	無応答
総 數	116 (100.0)	40 (34.5)	23 (19.8)	41 (35.3)	3 (2.6)	6 (5.2)	3 (2.6)
坡州地區	69 (100.0)	24 (34.8)	10 (14.5)	30 (43.5)	2 (2.9)	2 (2.9)	1 (1.4)
東豆川地區	29	11	7	6	—	3	2
烏山地區	18	5	6	5	1	1	—

0164

各種不祥事의 責任이 韓國사람에게 더많은 原因

(職業別)

	総 数	美軍部隊 不法侵入	一部倫落女性의没知覚한行為	美軍軍需物資에對한盗難行為	美軍과野合한営利行為	其 他	無応答
総 数	116 (100.0)	40 (34.5)	23 (19.8)	41 (35.3)	3 (2.6)	6 (5.2)	3 (2.6)
農 業	7	4	1	2	−	−	−
商 業	31	11	3	14	−	1	2
써비스業	21	5	4	8	1	2	1
美軍部隊従業員	21	8	1	12	−	−	−
慰 安 婦	16	3	6	3	1	3	−
公務員및會社員	9	7	1	1	−	−	−
其 他	11	2	7	1	1	−	−

0165

十二. 各種不祥事의 責任이 美軍側에 더 많은 原因

美軍駐屯部隊 周邊에서 惹起되는 各種不祥事의 責任을 「韓國사람」에게 보다 「美軍人」에게 더 있다고 応答한 사람 95名을 對象으로 그原因을 問議한바에 依하면,

첫째로 「美軍人의 韓國人蔑視」를 들고 있는데 이意見은 全体意見의 60.0%에 該當되고 있으며, 다음은, 「美軍의 不當한 乱暴行為」가 25.3%, 「美軍의 倫落女性相對」가 6.3%, 「地方民과 野合한 軍需物資不正去來」가 3.2%, 「美軍의 無差別銃擊」의 2.1%順으로 들고 있다。

따라서, 不祥事에 對한 美軍人의 責任은 断的으로 「美軍人의 韓國人蔑視」라는 意見으로 集約된다고 볼수 있다。 이와같은 美軍人의 「韓國人蔑視」라는 意見은, 今般調査에서, 被調査者들이 종종 指摘되고 있는 問題点으로서 前項, 美軍駐屯으로 因한 害点에 있어서도, 가장 크게 指摘된바 있다。

이와같은 調査結果는 各地域別마다 全体的인 傾向과 비슷하게 나타나고 있으며,

職業別에 있어서도, 各層마다 「美軍人의 韓國人蔑視」라는 意見이 压倒的으로 차지하고 있으나, 다만 「慰安婦」層에 있어서는, 「美軍의 不當한 乱暴行為」를 가장 많이 들고 있음은 注目되는 現象이라 하겠다。

0166

各種不祥事의 責任이 美軍側에 더 많은 原因

(地域別)

	総 数	美軍人의韓國人蔑視	美軍의不當한乱暴行為	美軍의倫落女性相對	美軍의無差別銃擊	地方民과野合한軍需物資不正去來	其 他	無応答
総 数	95 (100.0)	57 (60.0)	24 (25.3)	6 (6.3)	2 (2.1)	3 (3.2)	1 (1.1)	2 (2.1)
坡州地區	54 (100.0)	32 (59.2)	15 (27.8)	4 (7.4)	—	3 (5.6)	—	—
東豆川地區	27	15	6	2	1	—	1	2
烏山地區	14	10	3	—	1	—	—	—

各種不祥事의 責任이 美軍側에 더 많은 原因

(職業別)

	総 数	美軍人의韓國人蔑視	美軍의不當한乱暴行為	美軍의倫落女性相對	美軍의無差別銃擊	地方民과野合한軍需物資不正去來	其 他	無応答
総 数	95 (100.0)	57 (60.0)	24 (25.3)	6 (6.3)	2 (2.1)	3 (3.2)	1 (1.1)	2 (2.1)
農 業	3	2	1	—	—	—	—	—
商 業	23	13	5	1	1	1	1	1
써비스業	17	9	3	2	1	1	—	1
美軍部隊從業員	25	19	4	1	—	1	—	—
慰 安 婦	14	6	8	—	—	—	—	—
公務員및會社員	5	3	—	2	—	—	—	—
其 他	8	5	3	—	—	—	—	—

十三. 美軍의不當한行爲로 억울한일을 當한일이있는가?

非戰時中, 駐屯軍의 重要한 任務의 하나는, 좋은 対民関係를 維持하는데 있다고 할것이다.

民間人과의 不祥事가 자주 일어난다면, 그 경위야 어쩨든 軍民関係, 나아가서는 韓美関係에 어떠한 影響을 끼칠것인가는 自明한 일이며 더욱이 現住民에 対하여 一方的으로 不當한 行為를 加한다면, 美軍에対한 韓国人의 善意的인意識은 흐려지기 쉬울것이다.

이러한 問題와 関聯하여, 駐屯地域住民에 対한 美軍의 不當한 行為로 말미아마, 生命이나 身体, 財産等에 억울한 일을 當한 적이 있는가를 調査把握하였다.

이에 依하면 87.8%라는 絶対多数가 「없다」는 意見을 나타내고 있으며, 「있다」는 意見은 10.7%로 나타나고 있다. 따라서 美軍의 不當한 行為가 「있다」는 意見은, 「없다」는 意見에 比하여 매우 低調한 比率이라 하겠으나 決코 적은 比率이라고는 볼수 없다.

이와같은 調査結果는 各地域別에서도 全体的인 傾向과 비슷하게 나타나고 있으며, 또한 職業別에 있어서도 「없다」는 意見이 絶対的으로 많이 나타나고 있으며, 「있다」는 意見에 있어서는 「農業」과 「商業」層에서, 多少 많이 나타나고 있으며, 「公務員과会社員」層에서 가장 적게 나타나고 있다.

0100

美軍의不當한行為로 억울한일을 當한일이 있는가?

(地域別)

	総 数	있 다	없 다	無應答
総 務	959 (100.0)	103 (10.7)	841 (87.8)	15 (1.5)
坡州地域	502 (100.0)	50 (10.0)	447 (89.0)	5 (1.0)
東豆川地域	285 (100.0)	35 (12.3)	244 (85.6)	6 (2.1)
烏山地域	172 (100.0)	18 (10.5)	150 (87.2)	4 (2.3)

美軍의不當한行為로 억울한일을 當한일이 있는가?

(職業別)

	総 数	있 다	없 다	無應答
総 数	959 (100.0)	103 (10.7)	841 (87.8)	15 (1.5)
農 業	55 (100.0)	7 (12.7)	48 (87.3)	-
商 業	212 (100.0)	29 (13.7)	176 (83.0)	7 (3.3)
써비스業	189 (100.0)	20 (10.6)	168 (88.9)	1 (0.5)
美軍部隊 従業員	168 (100.0)	14 (8.3)	148 (88.1)	6 (3.6)
慰安婦	198 (100.0)	18 (9.1)	180 (90.9)	-
公務員및 会社員	67 (100.0)	4 (6.0)	63 (94.0)	-
其 他	70 (100.1)	11 (15.7)	58 (82.9)	1 (1.4)

0169

十四. 억울한일에 對하여 補償을 받었는가?

前項에서, 美軍의 不当한 行為로 말미아마 生命이나 身体, 財産등에 억울한 일을 当했다고 応答한 사람 103名을 対象으로, 補償措置를 받었는가의 与否를 把把한바에 依하면, 過半数以上에 該当되는 54.4%가 「못받었다」고 応答하고 있으며, 「받었다」는 意見은 11.7%, 「請求中」이라는 意見이 3.9%를 차지하고 있으며, 其他는 26.1%가「補償을 받을만한 事件이 아니다」라고 答하고 있다。

따라서, 「補償을 받을만한 事件이 아니다」라고 答弁한 사람을 除外하고라도, 「補償을 받었거나」, 「請求中」이라는 意見은, 「못받었다」는 意見에 比하여, 너무도 低調한 様相임을 알수있다。

이러한 傾向은 各 地域別에 있어서나 職業別에 있어서도, 共通되고 있는 現象이다。

억울한일에 대해 補償을 받었는가?

(地域別)

	総 数	받었다	請求中	못받었다	補償을받을 만한사건이 아니다	無応答
総 数	103 (100.0)	12 (11.7)	4 (3.9)	56 (54.4)	27 (26.1)	4 (3.9)
坡州地区	50	7	1	25	14	3
東豆川地区	35	3	1	21	9	1
烏山地区	18	2	2	10	4	–

0170

억울한 일에 대해 補償을 받었는가?

(職業別)

	総数	받었다	請求中	못받었다	補償받을만한사건이아니다	無応答
総数	103 (100.0)	12 (11.7)	4 (3.9)	56 (54.4)	27 (26.1)	4 (3.9)
農業	7	1	2	3	1	—
商業	29	2	—	16	9	2
써—비스業	20	3	1	7	9	—
美軍部隊従業員	14	1	1	9	3	—
慰安婦	18	3	—	12	1	2
公務員 및 会社員	4	—	—	3	1	—
其他	11	2	—	6	3	—

0171

十五. 美軍事施設保安 및 韓美間의 親善을 圖謀하는 政府의 P, R 知悉與否

美軍部隊周辺에서, 종종 일어나고 있는 各種不祥事는, 根本的으로 韓美紐帯関係를 阻害하는 것이거니와, 特히 各種 不祥事中에서도, 生命에 関係되는 銃撃事件의 誘発은 대개, 前項, 各種不祥事의 責任이 韓国사람에게 더 많다는 欄에서 指摘되고 있는 「美軍需物資에 対한 盗難行為」와「美軍部隊不法侵入」等으로 惹起되고 있는데, 이러한 美軍基地内에서의 軍事施設盗難事件은 結果的으로는, 韓国防衛能力을 減少케 하는 이른바 国防問題와 直結되는 問題일뿐아니라, 美軍의 対韓国観 助成에 致命的인 悪影響을 미치는 것이므로, 이러한 事件들을 未然에 防止하기 위한 合理的이고 適切한 対策의 樹立이 무엇보다도 緊要한 것이다.

政府에서는, 이러한 対策樹立의 一環으로, 標語나, 라디오放送을 通하여 美軍軍事施設保安과 韓美間의 親善을 図謀하는 啓蒙運動을 展開한바 있는데, 이러한 啓蒙運動을, 駐屯地域住民은 어느程度 알고 있는가를 把握하므로서 P.R의 効果를 測定하고저 하였다.

調査結果에 依하면, 啓蒙運動을 본일이나 들은일이 「있다」는 意見이 50.8%로 나타나고 있으며, 「없다」는意見은 48.4%로서, 結局 P.R의 知悉度는 半半 이라고 볼수 있다.

이를 地域別로 보면, 坡州地域은 全体的인 傾向과 같이 「있다」는 意見이, 「없다」는 意見보다 많이나

0172

타나고 있을뿐 아니라 다른地域에 比하여 顯著하게 많이나타나고 있으나, 東豆川과 烏山地域은 「있다」는 意見보다 「없다」는 意見이 오히려 많이 나타나고 있는 相異한 様相을 나타내고 있으며, 性別에 있어서는, 男性은 「있다」는 意見이 「없다」는 意見에 比하여 越等하게 많이나고 있으나, 女性은 이와 反対로, 「없다」意見이 越等하게 많이 나타나고 있는 相反된 現象을 나타내고 있다。

한편 年令別에 있어서는, 30代와 40代層은, 「있다」는 意見이 「없다」는 意見에 比하여 많이나타나고 있는데 反하여, 20代를 비롯, 50代와 60歲以上層에 있어서는 「없다」는 意見이 顯著하게 많이 나타나고 있다。

学歷別에 있어서는, 政府의 P.R知悉与否에 対하여, 学歷水準이 높은 層일수록, 「있다」는 意見이 増加하고 있는데, 이를보면, 「無学」層은 11.5%가 「있다」는 意見을 나타낸데 比하여, 「專門및 大学以上」層에 있어서는 67.6%를 나타내고 있다。 「無学」層과, 「한글解得」「国民学校」層은, 「있다」는 意見보다 「없다」는 意見이 越等하게 많이 나타나고 있다。

職業別에 있어서는, 各層마다 多少 相異한 様相을 나타나고 있는데, 이를보면, 「商業」 「美軍部隊従業員」 「公務員및 会社員」層은 「있다」는 意見이 많이나타나고 있으나, 「農業」 「써ー비스業」 「慰安婦」層에 있어서는, 「없다」는 意見이 「있다」는 意見에 比하여 顯著하게 많이 나타나고 있다。

0173

美軍軍事施設保安 및 韓美間의 親善을 圖謀하는 政府의 P.R. 知悉 與否

(地域別)

	総 数	있 다	없 다	無応答
総 数	959 (100.0)	487 (50.8)	464 (48.4)	8 (0.8)
坡州地区	502 (100.0)	286 (57.0)	213 (42.4)	3 (0.6)
東豆川地区	285 (100.0)	121 (42.5)	162 (56.8)	2 (0.7)
烏山地区	172 (100.0)	80 (46.5)	89 (51.7)	3 (1.8)

政府의 P.R. 知悉与否

(性別)

	総 数	있 다	없 다	無応答
総 数	959 (100.0)	487 (50.8)	464 (48.4)	8 (0.8)
男	619 (100.0)	367 (59.3)	247 (39.9)	5 (0.8)
女	338 (100.0)	119 (35.2)	217 (64.2)	2 (0.6)
未 詳	2	1	-	1

0174

政府의 P.R. 知悉与否

(年令別)

	総 数	있 다	없 다	無応答
総 数	959 (100.0)	487 (50.8)	464 (48.4)	8 (0.8)
20 ~ 29	381 (100.0)	157 (41.2)	223 (58.5)	1 (0.3)
30 ~ 39	339 (100.0)	210 (61.9)	125 (36.9)	4 (1.2)
40 ~ 49	171 (100.0)	99 (57.9)	71 (41.5)	1 (0.6)
50 ~ 59	56 (100.0)	20 (35.7)	35 (62.5)	1 (1.8)
60 以上	11	1	10	-
未 詳	1	-	-	1

政府의 P.R. 知悉与否

(学歴別)

	総 数	있 다	없 다	無応答
総 数	959 (100.0)	487 (50.8)	464 (48.4)	8 (0.8)
無 学	26	3	22	1
한글解得	87 (100.0)	18 (20.7)	69 (79.3)	-
国民学校	248 (100.0)	95 (38.3)	150 (60.5)	3 (1.2)
中学校	220 (100.0)	121 (55.0)	99 (45.0)	-
高等学校	236 (100.0)	155 (65.7)	78 (33.1)	3 (1.3)
専門및大学以上	136 (100.0)	92 (67.6)	44 (32.4)	-
未 詳	6	3	2	1

0175

政府의 P.R. 知悉与否

(職業別)

	総数	있다	없다	無応答
総数	959 (100.0)	487 (50.8)	464 (48.4)	8 (0.8)
農業	55 (100.0)	23 (41.8)	32 (58.2)	–
商業	212 (100.0)	108 (50.9)	100 (47.2)	4 (1.9)
써－비스業	189 (100.0)	90 (47.6)	99 (52.4)	–
美軍部隊従業員	168 (100.0)	111 (66.1)	56 (33.3)	1 (0.6)
慰安婦	198 (100.0)	69 (34.8)	129 (65.2)	–
公務員및会社員	67 (100.0)	53 (79.1)	13 (19.4)	1 (1.5)
其他	70 (100.0)	33 (47.1)	35 (50.0)	2 (2.9)

0176

十六. 美軍事施設保安및 韓美間의 親善을 圖謀하는 政府의 P.R 活動의 効果與否

前項에서는 美軍事施設保安과 韓美親善에 對한 政府P.R 活動의 知悉與否를 把握하였거니와 이러한 政府의 P.R 活動이 어느程度의 効果를 걷울것이냐 하는 것은 決코 速斷할 수 있는 問題라고 하겠다。

이러한 政府의 P.R 活動에 對하여 駐屯地域住民은 如何히 생각하고 있는가 하는것은 앞으로, 美軍事施設保安과 韓美間의 親善을 圖謀하는데 重要한 意味를 갖는것이라 할것이다。

調査結果를 보면

「多少効果를 거둘 것이다」는 意見이 48.5%로서 가장 많이 나타나고 있으며 다음은 「큰 効果를 거둘 것이다」가 17.3% 「別効果가 없을 것이다」가 7.2% 順으로 나타나고 있다。 한편 「모르겠다」는 意見은 21.8%에 達하고 있다。

이와 같이 政府의 P.R 活動에 對하여 現地住民의 65.8%가 어느程度나마 効果를 거둘것이라는 肯定的인 見解를 나타내고 있으며 別로 効果를 거두지 못할 것이다는 否定的인 意見은 極히 낮은 比率로 나타나고 있다。

調査結果를 地域別로 보면,

政府P.R活動에 對한 肯定的인 意見은 坡州地域에서 가장많이 나타나고 있으며 東豆川地域에서 가장 低調하게 나타내고 있고, 性別에 있어서는 男性은 約70%가 肯

0177

定的인 意見을 나타내고 있는데 比하여 女性은 이보다 懸隔하게 낮은 比率을 나타내고 있는 反面, 「모르겠다」는 意見은 30%以上을 차지하므로서, 比較的 消極的인 態度를 나타내고 있다。

年令別에 있어서는,

30代層은 肯定的인 意見이 70%以上을 차지하므로서 가장 많이 나타나고 있으며 다음은 40代, 20代順으로 나타나고있고, 50代와 60代以上層은 約 50%를 차지하므로서 가장 低調한 比率을 나타내고 있다。

學歷別에 있어서는,

學歷水準이 높을수록 政府PR活動에 對하여 効果的일 것이라는 意見이 漸次 增加되고 있는 樣相을 나타내고 있는데 「專門 및 大學以上」層은 86%를 차지하고 있는데 比하여「한글解得」層은 51.7%라는 越等하게 낮은 比率을 차지하고 있다。

한편 職業別에 있어서는,

「公務員및會社員」層은, 85.1%가 政府의 P.R活動에 對하여 多少라도 効果的일 것이다는 意見을 나타내므로서 으뜸을 차지하고 있으며 다음은 「美軍部隊從業員」「商業」「써비스業」「慰安婦」順으로 나타나고 있으며 「農業」層이 가장 낮은 比率을 나타내고 있다。

0178

美軍事施設保安 및 韓美間의 親善을 圖謀하는政府 P.R活動의 効果

(地域別)

	總　數	큰効果를걷울것이다	多少効果를걷울것이다	別効果가없을것이다	모르겠다	無應答
總　數	959 (100.0)	166 (17.3)	465 (48.5)	69 (7.2)	209 (21.8)	50 (5.2)
坡州地區	502 (100.0)	95 (18.9)	275 (54.8)	41 (8.2)	79 (15.7)	12 (2.4)
東豆川地區	285 (100.0)	41 (14.4)	104 (36.5)	18 (6.3)	113 (39.6)	9 (3.2)
烏山地區	172 (100.0)	30 (17.4)	86 (50.0)	10 (5.8)	17 (9.9)	29 (16.9)

政府 P.R活動의 効果

(性別)

	總　數	큰効果를걷운것이다	多少効果를걷운것이다	別効果가없을것이다	모르겠다	無應答
總　數	959 (100.0)	166 (17.3)	465 (48.5)	69 (7.2)	209 (21.8)	50 (5.2)
男	619 (100.0)	136 (22.0)	297 (48.0)	53 (8.6)	103 (16.6)	30 (4.8)
女	338 (100.0)	30 (8.9)	168 (49.7)	16 (4.7)	105 (31.1)	19 (5.6)
未　詳	2	—	—	—	1	1

0179

政府 P.R 活動의 効果

(年令別)

	總 數	큰効果를 걷울것이다	多少効果를 걷울것이다	別効果가 없을것이다	모르겠다	無應答
總 數	959 (100.0)	166 (17.3)	465 (48.5)	69 (7.2)	209 (21.8)	50 (5.2)
20 - 29	381 (100.0)	52 (13.6)	186 (48.8)	22 (5.8)	103 (27.0)	18 (4.7)
30 - 39	339 (100.0)	71 (20.9)	173 (51.0)	33 (9.7)	48 (14.2)	14 (4.2)
40 - 49	171 (100.0)	36 (21.1)	81 (47.4)	13 (7.6)	33 (19.3)	8 (4.7)
50 - 59	56 (100.0)	6 (10.7)	23 (41.1)	1 (1.8)	20 (35.7)	6 (10.7)
60 以上	11	1	2	-	5	3
未詳	1	-	-	-	-	1

政府 P.R 活動의 効果

(學歷別)

	總 數	큰効果를 걷울것이다	多少効果를 걷울것이다	別効果가 없을것이다	모르겠다	無應答
總 數	959 (100.0)	166 (17.3)	465 (48.5)	69 (7.2)	209 (21.8)	50 (5.2)
無 學	26	-	10	-	11	5
한글解得	87 (100.0)	6 (6.9)	39 (44.8)	3 (3.4)	33 (38.0)	6 (6.9)
國民學校	248 (100.0)	28 (11.3)	115 (46.4)	14 (5.6)	76 (30.6)	15 (6.0)
中 學 校	220 (100.0)	45 (20.5)	99 (45.0)	15 (6.8)	50 (22.7)	11 (5.0)
高等學校	236 (100.0)	44 (18.6)	124 (52.5)	26 (11.0)	31 (13.1)	11 (4.7)
專門및大學以上	136 (100.0)	40 (29.4)	77 (56.6)	11 (8.1)	7 (5.1)	1 (0.7)
未 詳	6	3	1	-	1	1

0180

政府P.R活動의 効果

(職業別)

	總數	큰効果를거둘것이다	多少効果를걷울것이다	別効果가없을것이다	모르겠다	無應答
總數	959 (100.0)	166 (17.3)	465 (48.5)	69 (7.2)	209 (21.8)	50 (5.2)
農業	55 (100.0)	8 (14.5)	20 (36.4)	4 (6.3)	21 (38.2)	2 (2.6)
商業	212 (100.0)	38 (17.9)	99 (46.7)	14 (6.6)	45 (21.2)	16 (7.5)
써비스業	189 (100.0)	37 (19.6)	81 (42.9)	14 (7.4)	40 (21.2)	17 (8.9)
美軍部隊從業員	168 (100.0)	41 (24.4)	86 (51.2)	20 (11.9)	19 (11.3)	2 (1.2)
慰安婦	198 (100.0)	18 (9.1)	105 (53.0)	9 (4.5)	58 (29.3)	8 (4.0)
公務員및會社員	67 (100.0)	11 (16.4)	46 (68.7)	4 (6.0)	6 (9.0)	-
其他	70 (100.0)	13 (18.6)	28 (40.0)	4 (5.7)	20 (28.6)	5 (7.1)

0181

十七. 美軍部隊出入禁止區域知悉與否

美軍部隊周圍에는 部隊保安上 또는 各種事故를 防止하기 위하여 鐵條網이 架設되어 있으며 鐵條網周圍는 一般出入禁止地域으로서 一般人의 接近이 禁止되어 있다。 이러한 基地村에 있어서 銃擊事件과 같은 不祥事는 大部分 鐵條網周邊에서 發生되고 있는만큼 現住民의 出入禁止地域에 對한 知悉度乃至 認識度가 問題의 對象이 되고 있다。

이러한 意味에서 現地住民에 對하여 美軍部隊出入禁止區域知悉度를 把握한바에 依하면 「다알고있다」는 意見이 60.0%로서 가장많이 나타나고 있으며 다음은 「어느程度알고 있다」가 25.9%로 나타나고 있는데 「잘모르겠다」는 意見은 12.9%이다。

따라서 現地住民의 大部分인 85.9%가 美軍部隊出入禁止地域을 알고 있는 現象이다。

이와같은 現象은 各 地域別마다 大体로 共通되고 있는데 그中 東豆川地域에서 가장 많은 比率이 나타나고 있다。 居住年數別에 있어서도 居住年數가 얼마안되는 層이나 오래된 層을 莫論하고 大部分의 住民이 美軍出入禁止區域을 알고있는 現象인데 그中 6年에서 10年까지의 居住者는 92.4%가 알고있는 形便으로 가장 높은 比率을 나타내고 있다。

0182

美軍部隊出入禁止區域知悉與否

(地域別)

	總 數	다알고있다	어느程度 알고있다	잘모르겠다	無應答
總 數	959 (100.0)	575 (6.0)	248 (25.9)	124 (12.9)	12 (1.2)
坡州地區	502 (100.0)	329 (65.5)	105 (21.0)	63 (12.5)	5 (1.0)
東豆川地區	285 (100.0)	167 (58.6)	87 (30.5)	27 (9.5)	4 (1.4)
烏山地區	172 (100.0)	79 (45.9)	56 (32.6)	34 (19.8)	3 (1.7)

美軍部隊出入禁止區域知悉與否

(居住年數別)

	總 數	다알고있다	어느程度 알고있다	잘모르겠다	無應答
總 數	959 (100.0)	575 (60.0)	248 (25.9)	124 (12.9)	12 (1.2)
2 未滿	296 (100.0)	162 (54.7)	77 (26.0)	54 (18.2)	3 (1.0)
2 - 5	337 (100.0)	207 (61.4)	84 (24.9)	42 (12.5)	4 (1.2)
6 - 10	223 (100.0)	146 (65.5)	60 (26.9)	14 (6.3)	3 (1.3)
11 - 15	42	23	13	5	1
15 以上	61 (100.0)	37 (60.6)	14 (23.0)	9 (14.8)	1 (1.6)

0183

十八. 美軍의援護및 慈善事業實施與否

駐韓美軍들은 駐屯地域에 對한 公共事業을 爲始해서 住民에 對한 各種援護및 慈善事業을 實施함으로서 韓美間의 紐帶關係를 더욱 增進시키고 있다。

따라서 美軍의 援護및 慈善事業의 對象이 되고 있는 駐屯地域 住民들은 이러한 美軍들의 諸般事業을 어느程度 알고 있는가를 把握할 必要가 있다。 이를 把握하기 위하여 「이곳에 駐屯하고 있는 美軍들이 地方民을 위하여 援護및 慈善事業을 한일이 있읍니까?」 라는 設問으로 調査把握한바에 依하면 「있다」는 意見은 59.2%로서 過半數以上을 차지하고 있으며 反面 「없다」는 意見은 9.4%로 나타나고 있다。 한편 「모르겠다」는 意見은 29.3%이다。

이를 地域別로보면 東豆川地域은 他地域에 比하여 「있다」는 意見이 가장많이 나타나고 있으며 坡州地區는 이보다 多少낮은 比率을 나타내고있는 反面 烏山地域은 以上 두地域에 比하여 越等하게 낮은 比率을 나타내고 있다。

特히 烏山地域의 境遇는 「있다」는 意見보다도 「모르겠다」는 意見이 多少많은 比率을 차지하고 있음은 다른地域에 比하여 特異한 現象이라 하겠다。

이를 職業別로 보면,

「있다」는 意見은 「公務員및會社員」層에서 83.6%라는 가장 많은 比率을 차지하고 있으며 다음은 「美

0184

軍部隊從業員」「商業」層 順으로 나타나고 있는데 「慰安婦」層은 40.9%로서 다른 層에比하여 懸隔히 낮은 比率을 나타내고 있다。

한편 居住年數別에 있어서는 大体로 居住年數가 많을수록 「있다」는 意見이 많이 나타나고 있다。

美軍의 援護나 慈善事業實施與否

(地域別)

	總 數	있 다	없 다	모르겠다	無應答
總 數	959 (100.0)	568 (59.2)	90 (9.4)	281 (29.3)	20 (2.1)
坡州地區	502 (100.0)	305 (60.8)	57 (11.4)	132 (26.3)	8 (1.5)
東豆川地區	285 (100.0)	189 (66.3)	17 (6.0)	70 (24.6)	9 (3.1)
烏山地區	172 (100.0)	74 (43.0)	16 (9.3)	79 (45.9)	3 (1.8)

美軍의 援護나 慈善事業 實施與否

(職業別)

	總 數	있 다	없 다	모르겠다	無應答
總 數	959 (100.0)	568 (59.2)	90 (9.4)	281 (29.3)	20 (2.1)
農 業	55 (100.0)	34 (61.8)	12 (21.8)	7 (12.8)	2 (3.6)
商 業	212 (100.0)	135 (63.7)	13 (6.1)	57 (26.9)	7 (3.3)
써비스業	189 (100.0)	117 (61.9)	17 (9.0)	55 (29.1)	—
美軍部隊從業員	168 (100.0)	108 (64.3)	14 (3.8)	41 (24.4)	5 (3.0)
慰 安 婦	198 (100.0)	81 (40.9)	22 (11.1)	92 (46.5)	3 (1.5)
公務員및會社員	67 (100.0)	56 (83.6)	2 (3.0)	7 (10.4)	2 (3.0)
其 他	70 (100.0)	37 (52.9)	10 (14.3)	22 (31.4)	1 (1.4)

0185

美軍의 援護나 慈善事業實施與否

(居住年數別)

	總 數	있 다	없 다	모르겠다	無應答
總 數	959 (100.0)	568 (59.2)	90 (9.4)	281 (29.3)	20 (2.1)
2 未滿	296 (10.00)	145 (49.0)	26 (8.8)	121 (40.9)	4 (1.4)
2 - 5	337 (10.00)	192 (57.0)	36 (10.7)	103 (30.5)	6 (1.8)
6 - 10	223 (10.00)	158 (70.9)	12 (5.4)	45 (20.1)	8 (3.6)
11 -15	42 (100.0)	33	2	5	2
15 以上	61 (10.00)	40 (65.6)	14 (23.0)	7 (11.4)	-

0186

十九. 美軍의 援護및 慈善事業

前項에서 美軍들이 地方民을 為하여 援護 및 慈善事業을 한 일이 있다고 応答한 사람 568名을 対象으로 美軍들이 実施한 援護 및 慈善事業은 어떤것인가를 問議한바, 그들이 提示하고 있는 事業名은 다음과 같다。

어린이 놀이터, 孤児院 設置, 学校施設, 橋梁및 道路工事, 下水道工事, 公共施設工事支援, 公会堂設置, 極貧者救護事業, 教会建立支援, 防疫事業및 衛生施設, 図書館設置等 11個種에 達하고 있다。

이러한 諸般援護 및 慈善事業에 対하여,
가장 많은 意見이 나타나고 있는것은, 「橋梁및 道路工事」의 26.4%, 「孤児院設置」의 24.9%이며, 다음은 「学校施設」의 15.8%, 「極貧者救護事業」의 9.9%, 「어린이 놀이터」의 8.4%, 「公共施設工事支援」이 5.1% 順이며, 其外는 少数의 意見만이 나타나고 있다。

以上의 結果로 미루어보아 美軍의 援護및 慈善事業은 「橋梁 및 道路工事」, 「孤児院設置」, 「学校施設」의 세 事業으로 集約된다고 볼 수 있다。

이를 地域別로 보면,

坡州 및 東豆川地域에 있어서는 全体的인 傾向과 같이 「橋梁 및 道路工事」, 「孤児院」, 「学校施設」順으로 많이 나타나고 있으며, 烏山地域에 있어서는 「孤児院」에 対한 意見이 가장 많이 나타나고 있으며, 다음은

0187

「學校施設」 「橋梁 및 道路工事」 順으로 많이 나타나므로서, 多少 相異한 樣相을 나타내고 있다.

또한 職業別에 있어서도, 多少의 差異는 있으나, 各層마다, 「橋梁 및 道路工事」 事業과, 「孤児院」 그리고 「學校施設」 등의 事業에 對한 意見이 가장 많이 나타나고 있다.

美軍들의地方民을위한援護및慈善事業

(地域別)

	總數	坡州	東豆川	烏山
總數	784 (100.0)	424	250	110
橋梁및道路工事	211 (26.9)	127	76	8
孤児院	195 (24.9)	98	46	51
學校施設	124 (15.8)	75	16	33
極貧者救護事業	78 (9.9)	53	17	8
어린이놀이터	66 (8.4)	20	46	—
公共施設工事支援	40 (5.1)	18	18	4
教會建立支援	20 (2.6)	4	12	4
下水道工事	15 (1.9)	15	—	—
圖書館設置	15 (1.9)	—	15	—
防疫事業및衛生施設	12 (1.5)	6	4	2
公會堂設置	8 (1.0)	8	—	—

0188

美軍 들의 地方民을위한 援護및 慈善事業

(職業別)

	總 數	商 業	써비스業	美軍部隊從業員	慰安婦	其他一般
總 數	784 (100.0)	180	158	137	118	191
橋梁및道路工事	211 (26.9)	53	47	31	33	17
孤 兒 院	195 (24.9)	30	38	57	28	42
學 校 施 設	124 (15.8)	42	22	14	11	35
極貧者救護事業	78 (9.9)	7	7	14	17	33
어린이놀이터	66 (8.4)	20	16	2	12	16
公共施設工事支援	40 (5.1)	6	11	12	6	5
教會建立支援	20 (2.6)	5	9	2	1	3
下 水 道 工 事	15 (1.9)	8	—	2	2	3
圖 書 館 設 置	15 (1.9)	3	4	—	5	3
防疫事業및衛生施設	12 (1.5)	3	4	2	2	1
公 會 堂 設 置	8 (1.0)	3	—	1	1	3

0189

二十. 美軍의 어떤救護事業을 願하는가?

前項에서, 美軍이 地方民을 위하여 實施한 各種 援護事業과 慈善事業을 보았거니와, 여기에서 다시, 이 地方을 위하여 앞으로 美軍에게 要請되는, 援護및 慈善事業이 있다면 무엇인가를 問議한바, 應答者가 提示하고 있는 事業名은,

「極貧者救護事業」이 36.1%로서 가장 많이 나타나고 있으며, 다음은 「保健衛生施設」의 18.1%, 「教育施設」이 15.6%, 「橋梁및 道路建設」이 14.2%, 「孤児院施設」이 6.0%, 「公會堂」이 1.1% 順으로 나타나고 있다.

따라서 앞으로 要請되는 事業은, 美軍이 이미 實施한 바 있는 諸般事業과 거이 비슷한 事業들이라 볼수있다. 다만, 이미 實施한바있는 事業에 있어서는 「橋梁및 道路工事」와 「孤児院設置」에 對한 意見이 가장 많이 나타나고 있는데 比하여 앞으로 要請되는 事業에 있어서는, 「極貧者救護事業」과 「保健衛生施設」에 對한 意見이 가장 많이 나타나고 있음이 相異할 뿐이다.

이를 地域別로 보면,

坡州와 東豆川地域에 있어서는 全體的인 傾向과 같이 「極貧者救護事業」에 對한 意見이 가장 많이 나타나고 있는데, 特히 東豆川地域의 境遇는 이 意見이 40.4%를 차지하고 있는데 比하여, 烏山地域에 있어서는, 「保健衛生施設」에 對한 意見이 首位를 차지하고 있다.

性別에 있어서는

男女다같이 「極貧者救護事業」에 對한 意見이 가장 많

0190

이 나타나고 있으나, 다음은,
男性의 境遇 「教育施設」 「橋梁및 道路建設」 順으로 意見이 많이 나타나고 있고, 女性에 있어서는 「保健衛生施設」 「孤児院設置」 順으로 많이 나타나므로서 多少의 相異點을 나타내고 있다.

年令別에 있어서는
全體的인 傾向과 같이 「極貧者救護事業」에 對한 意見이 各層마다 으뜸을 차지하고 있으며, 特히 50代의 境遇는 이 意見이 50%를 차지하고 있다.
그러나 이 意見을 除外하고는 各層마다, 多少의 相異한 樣相을 나타내고 있다. 이를 보면 다음과 같다.

△ 20代 : 「保健衛生施設」 「教育施設」 順
△ 30代 : 「保健衛生施設」과 「橋梁및 道路建設」
△ 40代 : 「教育施設」 「橋梁및 道路建設」 順
△ 50代 : 「橋梁및 道路建設」 「教育施設」 順
△ 60代 : 「教育施設」 「橋梁및 道路建設」 順.

學歷別에 있어서도 各層마다 「極貧者救護事業」에 對한 意見이 가장 많이 나타나고있으며, 이를 除外한 意見에 있어서도,
「無學」, 「한글解得」 「國民學校」 「中學校」 層까지는 全體的인 傾向과 같이 나타나고 있으나, 「高等學校」 層에 있어서는, 「教育施設」 「保健衛生施設」 順으로, 「專門및 大學以上」 層에 있어서는 「保健衛生施設」 「橋梁및 道路建設」 順으로 意見이 많이 나타나고 있다.

職業別에 있어서는,

0191

全體的인 傾向과 같이 各層마다 「極貧者救護事業」에 對한 意見이 가장 많이 나타나고 있으나, 其外 意見에 있어서는 「農業」과 「써비스業」「公務員및 會社員」層은 「橋梁및 道路建設」「教育施設」順으로 많이 나타나고 있으며, 「美軍部隊從業員」은 「保健衛生施設」「教育施設」順으로, 「慰安婦」層은 「保健衛生施設」「孤児院設置」順으로 많이 나타나고 있는데 比하여 「商業」層에 있어서는 「教育施設」「橋梁및 道路建設」順으로 意見이 많이 나타나고 있다.

美軍의어떤救護事業을願하는가?

(地域別)

	總數	公會堂	橋梁및道路建設	教育施設	孤児院	保健衛生施設	極貧者救護事業	其他	無應答
總數	959 (100.0)	11 (1.1)	136 (14.2)	150 (15.6)	58 (6.0)	174 (18.1)	346 (36.1)	48 (5.0)	36 (3.8)
坡州地域	502 (100.0)	7 (1.4)	86 (17.1)	74 (14.7)	29 (5.8)	86 (17.1)	184 (36.7)	15 (3.0)	21 (4.2)
東豆川地域	285 (100.0)	2 (0.7)	38 (13.3)	50 (17.5)	20 (7.0)	37 (13.0)	115 (40.4)	12 (4.2)	11 (3.9)
烏山地域	172 (100.0)	2 (1.2)	12 (7.0)	26 (15.1)	9 (5.2)	51 (29.7)	47 (27.3)	21 (12.2)	4 (2.3)

美軍의어떤援護事業을願하는가?

(性別)

	總數	公會堂	橋梁및道路建設	教育施設	孤児院	保健衛生施設	極貧者救護事業	其他	無應答
總數	959 (100.0)	11 (1.1)	136 (14.2)	150 (15.6)	58 (6.0)	174 (18.1)	346 (36.1)	48 (5.0)	36 (3.8)
男	619 (100.0)	11 (1.8)	105 (17.0)	110 (17.8)	17 (2.7)	86 (13.9)	233 (37.6)	35 (5.7)	22 (3.6)
女	338 (100.0)	—	31 (9.2)	40 (11.8)	41 (12.0)	88 (26.0)	113 (33.7)	13 (3.8)	12 (3.6)
未詳	2	—	—	—	—	—	—	—	2

0192

美軍의 어떤 援護事業을 願하는가?

(年齢別)

	総数	公会堂	橋梁및 道路建設	教育施設	孤児院	保健衛生施設	極貧者 救護事業	其他	無応答
総 数	959 (100.0)	11 (1.1)	136 (14.2)	150 (15.6)	58 (6.0)	174 (18.1)	346 (36.1)	48 (5.0)	36 (3.8)
20 ~ 29	381 (100.0)	2 (0.5)	39 (10.2)	50 (13.1)	34 (8.9)	100 (26.2)	130 (34.1)	12 (3.2)	14 (3.7)
30 ~ 39	339 (100.0)	5 (1.4)	61 (17.9)	59 (17.3)	11 (3.1)	61 (17.9)	118 (34.7)	13 (3.7)	11 (3.0)
40 ~ 49	171 (100.0)	4 (2.3)	28 (16.4)	33 (19.3)	10 (5.8)	12 (7.0)	66 (38.6)	11 (6.4)	7 (4.1)
50 ~ 59	56 (100.0)	—	7 (12.5)	6 (10.7)	3 (5.4)	1 (1.8)	28 (50.0)	8 (14.3)	3 (5.4)
60歳以上	11	—	1	2	—	—	4	4	—
未 詳	1	—	—	—	—	—	—	—	1

美軍의 어떤 援護事業을 願하는가?

(学歴別)

	総数	公会堂	橋梁및 道路建設	教育 施設	孤児院	保健衛生施設	極貧者 救護事業	其他	無応答
総 数	959 (100.0)	11 (1.1)	136 (14.2)	150 (15.6)	58 (6.0)	174 (18.1)	346 (36.1)	48 (5.0)	36 (3.8)
無 学	26	—	1	—	4	6	8	3	4
한글解得	87 (100.0)	1 (1.1)	12 (13.8)	9 (10.3)	5 (5.7)	16 (18.4)	33 (37.9)	9 (10.3)	2 (2.4)
国民学校	248 (100.0)	2 (0.8)	34 (13.7)	35 (14.1)	16 (6.5)	40 (16.1)	97 (39.1)	9 (3.6)	15 (6.0)
中学校	220 (100.0)	2 (0.9)	23 (10.5)	36 (16.4)	22 (1.0)	39 (17.7)	76 (34.5)	16 (7.3)	6 (2.7)
高等学校	236 (100.0)	1 (0.4)	36 (15.3)	50 (21.2)	9 (3.8)	41 (17.4)	85 (36.0)	8 (3.4)	6 (2.5)
專門및大学以上	136 (100.0)	4 (2.9)	29 (21.3)	18 (13.2)	2 (1.5)	31 (22.8)	47 (34.6)	3 (2.2)	2 (1.5)
未 詳	6	1	1	2	—	1	—	—	1

0193

美軍의 어떤救護事業을 願하는가?

(職業別)

	總数	公会堂	橋梁및 道路建設	教育 施設	孤児院	保健衛 生施設	極貧者 救護事業	其他	無應答
總 数	959 (100.0)	11 (1.1)	136 (14.2)	150 (15.6)	58 (6.0)	174 (18.1)	346 (36.1)	48 (5.0)	36 (3.8)
農 業	55 (100.0)	3 (5.5)	12 (21.8)	8 (14.5)	1 (1.8)	4 (7.3)	22 (40.0)	4 (7.3)	1 (1.8)
商 業	212 (100.0)	4 (1.9)	37 (17.5)	39 (18.4)	5 (2.3)	21 (9.9)	79 (37.3)	15 (7.0)	12 (5.7)
써비스業	189 (100.0)	2 (1.1)	31 (16.4)	30 (15.9)	8 (4.2)	25 (13.2)	69 (36.5)	15 (7.9)	9 (4.8)
美軍部隊従業員	168 (100.0)	1 (0.6)	24 (14.3)	28 (16.7)	8 (4.8)	35 (20.8)	62 (36.9)	4 (2.4)	6 (3.6)
慰 安 婦	198 (100.0)	–	9 (4.5)	14 (7.1)	26 (13.1)	72 (36.4)	66 (33.3)	4 (2.0)	7 (3.5)
公務員및会社員	67 (100.0)	–	18 (26.9)	17 (25.4)	1 (1.5)	8 (11.9)	22 (32.8)	1 (1.5)	–
其 他	70 (100.0)	1 (1.4)	5 (7.1)	14 (20.0)	9 (12.9)	9 (12.9)	26 (37.1)	5 (7.2)	1 (1.4)

0194

二十一. 美軍의 住民에 對한 不快한 行爲有無

前項에서, 美軍의 現住民에 對한 不当한 行爲의 有無를 보았거니와, 이와 關聯하여, 美軍이나 유엔軍들이 住民들에 對한 불쾌한 行爲의 有無를 把握하고저 하였다。調査結果에 依하면 「모르겠다」는 意見이 35.4%로서 가장 많이 차지하고 있으나, 이를 除外하고, 「있다」「없다」는 積極的인 意見에 있어서는

「없다」는 意見이 32.4%를 차지하고 있으며, 「있다」는 意見은 29.5%를 차지하므로서, 結局 「있다」는 意見과 「없다」는 意見은 거이 비슷하게 나타나고 있다。

이를 地域別로 보면

波州地域에 있어서는 「없다」는 意見이 다른 意見에 比하여 많이 나타나고 있으나, 「있다」는 意見에 比하여 若干 많이 나타나고 있는대 比하여, 東豆川과 烏山地域에 있어서는 「모르겠다」는 意見이 가장많이 나타나고 있으나, 東豆川地域에서는 「없다」는 意見이, 烏山地域에서는 「있다」는 意見이 顯著하게 많이 나타나고 있는 相反된 樣相을 나타내고 있다。

職業別로 보면

「農業」과 「써비스業」「慰安婦」層에 있어서는 다른 意見에 比하여, 「없다」는 意見이 가장 많이 나타나고 있으나, 「商業」과 「美軍部隊從業員」「公務員 및 會社員」層은 「모르겠다」는 意見이 가장많이 나타나고 있다。

0195

한편 「있다」는 意見은 各層마다 가장 低調하게 나타나고 있으나 「農業」層의 10%를 除外하면 「商業」「써비스業」「美軍部隊從業員」層은 30%以上이, 「公務員및 社會員」 및 「其他」層은 20%以上의 比率을 차지하고 있는 것으로 보아 駐屯地區居住民에 對한 美軍의 불쾌한 行動은 相当한 数에 達하고 있는 것으로 看做된다。

이를 다시 居住年度別로 보면

居住年数가 가장 짧은 「2年未満」層과, 居住年数가 가장많은 「15年以上」層에 있어서는 「없다」는 意見이 가장많이 나타나고 있는대 比하여, 「2年~5年」層과 「6年~10年」層에 있어서는 「있다」는 意見이 各各 30%以上을 차지하므로서 가장많은 比率을 차지하고 있음은 注目된다。

問20. 美軍의 住民에 對한 불쾌한 行爲

(地域別)

	總 数	있 다	없 다	모르겠다	無 應 答
總 数	959 (100.0)	283 (29.5)	311 (32.4)	339 (35.4)	26 (2.7)
波州地區	502 (100.0)	162 (32.3)	179 (35.7)	146 (29.1)	15 (2.9)
東豆川地區	285 (100.0)	68 (23.9)	91 (31.9)	116 (40.7)	10 (3.5)
馬山地區	172 (100.0)	53 (30.8)	41 (23.8)	77 (44.8)	1 (0.6)

0196

問20. 美軍의 住民에 對한 불쾌한 行爲

(職業別)

	總 数	있 다	없 다	모르겠다	無應答
總 数	959 (100.0)	283 (29.5)	311 (32.4)	339 (35.4)	26 (2.7)
農 業	55 (100.0)	6 (10.9)	30 (54.5)	18 (32.8)	1 (1.8)
商 業	212 (100.0)	65 (30.7)	67 (31.6)	77 (36.3)	3 (1.4)
써 비 스 業	189 (100.0)	58 (30.7)	71 (37.6)	60 (31.7)	–
美軍部隊從業員	168 (100.0)	55 (32.7)	33 (19.6)	66 (39.3)	14 (8.3)
慰 安 婦	198 (100.0)	67 (33.8)	77 (38.9)	50 (25.2)	4 (2.1)
公務員및會社員	67 (100.0)	15 (22.4)	19 (28.3)	33 (49.3)	–
其 他	70 (100.0)	17 (24.3)	14 (20.0)	35 (50.0)	4 (5.7)

問20. 美軍의 住民에 對한 불쾌한 行爲

(居住年数別)

	總 数	있 다	없 다	모르겠다	無 應 答
總 数	959 (100.0)	283 (29.5)	311 (32.4)	339 (35.4)	26 (2.7)
2 未 満	296 (100.0)	63 (21.3)	116 (39.2)	113 (38.2)	4 (1.3)
2 ~ 5	337 (100.0)	114 (33.8)	98 (29.1)	114 (33.8)	11 (32.3)
6 ~ 10	223 (100.0)	78 (35.0)	60 (9.0)	75 (33.6)	10 (4.4)
11 ~ 15	42	12	12	17	1
15 以上	61 (100.0)	16 (26.2)	25 (41.0)	20 (30.8)	–

0197

二十二. 美軍의 住民에 對한 不快한 行爲

美軍의 住民에 對한 不快한 行爲有無欄에서 「있다」고 應答한 사람 283名을 對象으로 美軍의 不快한 行爲가 어떤것인가를 問議한바 235名이 이에 意見을 提示하고 있는데 가장 많이 提示하고 있는 意見은 「飮酒亂行」의 35.3%, 「亂暴한 言動」의 26.0%, 「韓國人蔑視」 25.5%, 順으로 나타나고 있으며 다음은 「金錢去來詐欺」가 5.5%, 「住宅不法侵入 및 搜索」이 4.3%, 「越權行爲」가 2.1%, 「發砲行爲」가 1.3%順으로 나타나고 있다. 이러한 結果로 미루어 보아 住民에 對한 美軍의 不快한 行爲는 「飮酒亂行」 「亂暴한 言動」 「韓國人蔑視」라는 세개의 意見으로 集約된다고 볼 수 있다.

이를 地域別로 聯關시켜 보면

坡州地域은 「亂暴한 言動」이라는 意見이 으뜸을 차지하고 있으며 다음은 「飮酒亂行」 「韓國人蔑視」 順으로 나타나고 있으며 東豆川地域은 「飮酒亂行」 「韓國人蔑視」 「亂暴한 言動」 順으로 나타나고 있는데 比하여 烏山地域에 있어서는 「韓國人蔑視」 對한 意見이 가장 많이 나타나고 있으며 다음은 「飮酒亂行」 「越權行爲」 順으로 나타나고 있음이 注目된다.

한편 이를 職業別로 보면 다음과 같다.

△ 商業 : 「飮酒亂行」 「韓國人蔑視」 「金錢去來詐欺」順

0198

△ 서비스業：「飮酒亂行」「亂暴한 言動」「韓國人蔑視」順

△ 美軍部隊從業員：「飮酒亂行」「韓國人蔑視」「亂暴한 言動」順

△ 慰安婦：「韓國人蔑視」「亂暴한 言動」「飮酒亂行」順

住民에 對한 美軍의 不快한 行爲

(地域別)

	總數	坡州地區	東豆川地區	烏山地區
總數	235 (100.0)	135	51	49
韓國人蔑視	60 (25.5)	29	10	21
飮酒亂行	83 (35.3)	38	25	20
亂暴한言動	61 (26.0)	52	9	－
住宅不法侵入및 搜索	10 (4.3)	7	－	3
金錢去來詐欺	13 (5.5)	9	4	－
發砲行爲	3 (1.3)	－	3	－
越權行爲	5 (2.1)	－	－	5

0199

住民에 對한 美軍의 不快한 行爲

(職業別)

	總 數	商 業	써비스業	美軍部隊從業員	慰安婦	其他一般
總 數	235 (100.0)	59	18	58	61	39
韓國人蔑視	60 (25.5)	12	3	17	22	6
飮酒亂行	83 (35.3)	29	9	28	14	3
亂暴한言動	61 (26.0)	6	3	5	20	27
住宅不法侵入 및 搜索	10 (4.3)	3	2	4	-	1
金錢去來詐欺	13 (5.5)	9	1	2	-	1
發砲行爲	3 (1.3)	-	-	-	2	1
越權行爲	5 (2.1)	-	-	2	3	-

0200

二十三. 駐韓美軍에게 우리나라의 認識을 좋게 하고 그들이 外出하여 愉快한 時間을 보내게 하자면

오늘날 韓美兩國은 共産侵略으로부터 自由를 守護하기 爲한 共同의 利害와 目標를 가지고 있다。 이러한 共同의 運命体로서의 韓國과 美國과의 紐帶強化는 必然的인 것이며 이를 爲한 兩國의 努力은 더욱 增進하여야 할것이다。 韓美間의 紐帶와 親善關係는 무엇보다도 兩國民의 相互理解增進에 있으며 이는 相互接觸關係에서 始作된다고 해도 過言이 아니다。

우리나라 國民과 美國國民 間의 接觸關係는 여러面에서 이루어지고 있으나 우리가 決코 看過해서 안될 것은 駐韓美軍들과 韓國國民과의 關係라고 할수 있다。

現在 우리나라에는 數많은 美軍이 駐屯하고 있는만큼 그들과 韓國民의 接觸關係는 美國民間人과 韓國民의 接觸關係 못지 않게 크나큰 比重을 차지하고 있는것만은 事實이다。

여기에서 우리가 생각할수 있는 것은 駐韓美軍들이 接觸하고 있는 것은 大部分 前方一線地區 다시 말해서 美軍駐屯地區에 居住하고 있는 住民들이라는 것이다。

前項에서 이미 밝힌바와 같이 美軍駐屯地區에 居住하고 있는 住民들은 거의 大部分이 美軍部隊를 따라 他地域에서 移住해온 異質的인 사람들이다。 따라서 駐韓美軍들은 이들 特殊地帶에서 居住하고 있는 韓國사람과 接觸하고 이들과의 接觸을 通하여 韓國民을 認識하게

0201

되고 韓國을 意識하게 되는 것이다。 事實上 大部分의 駐韓美軍들은 이러한 一部 特殊地域의 居住民과의 接觸을 通하여 모든 韓國民을 評價하고 있는데 憂慮를 表明하지 않을수 없다。 그러므로 駐韓美軍의 보다 善意的이고 友好的인 對韓國觀을 形成시키기 爲한 駐屯地域居住民의 役割은 實로 莫重하다고 아니할수 없다。

이러한 意味와 關聯하여, 駐屯地域 居住民으로 하여금 美軍들에게 우리나라와 우리나라사람에 對한 認識을 보다 좋게 하기 爲해서는 어떤方法이 있다고 생각하는가를 自由設問法에 依하여 問議한 바에 依하면 9개의 意見이 나타나고 있는데 이를 보면 「觀光娛樂施設擴充및 改善」에 對한 意見이 29.4%로서 가장 많이 나타나고 있으며 다음은 「親切性」이 21.3%, 「慰安婦의 敎養및 保健向上」이 14.0%, 「住民의 生活및 敎養向上」이 7.8%, 「펨프, 不良輩, 窃盜撤底團束」이 7.7%, 「韓美親善會合」이 6.6%, 「接客業所衛生施設完備」가 4.1%, 「周圍環境美化」가 4.0%, 「韓國美風紹介」가 3.3% 「其他」 1.8%順으로 나타나고 있다。

以上의 여러意見은 모두 駐韓美軍의 善意的인 對韓國觀 形成에 不可欠의 要素로 指摘되고 있으나 그中에서도 「觀光娛樂施設擴充및 改善」과 「親切性」 그리고 「慰安婦의 敎養및 保健向上」의 세意見은 全体意見의 總64.7%에 該當되고 있는데 여기에서 特히 注目되는 것은 「慰安婦의 敎養및 保健向上」이라는 意見이다。

0202

美軍部隊周邊에서 居住하고 있는 韓國人의 生活圈은 大部分 慰安婦를 中心으로 形成되고 있다 해도 過言이 아니며 그들은 또한 美軍과 每日 直接的 接觸關係를 갖고 있으므로 그들의 生活上에 있어서의 모든 言行은 곧 美軍들에게 直接的인 影響을 미치게 하고 있다.

事実上 一線地區美軍들은 駐屯地域居住民 가운데서도 美軍相對 慰安婦와의 直接的인 接觸關係에 依하여 韓國人을 認識하고 있는 實情이다. 이러한 諸點을 考慮할 때 美軍人들로 하여금 韓國을 善意的으로 認識시키는데 가장 重要한 位置를 차지하고 있으며 影響力을 가지고 있는 것은 다름아닌 美軍相對의 慰安婦라고 할수 있다.

今般調査에서 調査員이 實際調査를 通하여 把握되고 現地 實務擔當官吏나 檢疫所醫師 그리고 各地域別 慰安婦自治會長들이 指摘하고 있는 것은 慰安婦의 教養 乃至 質的水準이 想像以外로 매우 낮다는 것이다. 한例를 들면 美軍과 意思疎通에 必要한 簡單한 英語會話 한마디조차 못하는 慰安婦의 數는 想像以外로 많으며 이러한 意思疎通의 不可能은 종종 美軍과의 不祥事를 이르키는 原因이 되고 있다는 것이다.

이러한 慰安婦들의 美軍과의 意思疎通을 可能케 하기 爲하여 나아가서는 最小限의 教養을 불어 넣어주기 爲해서는 強制的으로나마 定期的인 教養이 不可避하다는 것이다. 이와같은 調査結果는 各地域別에 있어서나 職業別에 있어서도 全体的인 傾向과 같이 「觀光娛樂施設擴充및 改善」에 對한 意見과 「親切性」 그리고 「慰安婦의 教養및 保健向上」順으로 意見이 많이 나타나고 있다.

0203

駐韓美軍에게 우리나라의 認識을 좋게하고 그들이 外出하여 愉快한 時間을 보내게 하자면

(地域別)

	總 數	坡州地區	東豆川地區	烏山地區
總 數	1,411 (100.0)	866 (100.0)	280 (100.0)	265 (100.0)
親切性	300 (21.3)	184 (21.2)	56 (20.0)	60 (22.6)
觀光娛樂施設擴充및 改善	415 (29.4)	254 (29.3)	69 (24.6)	92 (34.7)
韓國美風良俗紹介	47 (3.3)	12 (1.4)	23 (8.2)	12 (4.5)
韓美親善會合	93 (6.6)	52 (6.0)	25 (8.9)	16 (6.0)
펨프.不良輩.窃盜撤底團束	109 (7.7)	75 (8.7)	7 (2.5)	27 (10.2)
慰安婦의教養및 保健向上	197 (14.0)	120 (13.9)	50 (17.9)	27 (10.2)
周圍環境美化	57 (4.0)	13 (1.5)	34 (12.1)	10 (3.8)
接客業所衛生施設完備	58 (4.1)	40 (4.6)	2 (0.7)	16 (6.0)
住民의 生活및 教養向上	110 (7.8)	96 (11.1)	14 (5.0)	-
其 他	25 (1.8)	20 (2.3)	-	5 (1.9)

0204

駐韓美軍에게 우리나라의 認識을 좋게하고 그들이 外出하여 愉快한 時間을 보내게 하자면

(職業別)

	總數	商業	서비스業	美軍部隊從業員	慰安婦	其他一般
總數	1.411 (100.0)	287 (100.0)	252 (100.0)	303 (100.0)	298 (100.0)	271 (100.0)
親切性	300 (21.3)	57 (19.9)	64 (25.4)	55 (18.2)	75 (25.2)	49 (18.1)
觀光娛樂施設擴充 및 改善	415 (29.4)	80 (27.9)	81 (32.1)	90 (29.7)	99 (33.2)	65 (24.0)
韓國美風良俗紹介	47 (3.3)	10 (3.5)	6 (2.4)	14 (4.6)	9 (3.0)	8 (3.0)
韓美親善會合	93 (6.6)	16 (5.6)	11 (4.4)	31 (10.2)	8 (2.7)	27 (10.0)
펨프, 不良輩, 窃盜 撤底團束	109 (7.7)	30 (10.5)	20 (7.9)	19 (6.3)	13 (4.4)	27 (10.0)
慰安婦의 教養및 保健向上	197 (14.0)	37 (12.9)	37 (14.7)	42 (13.9)	39 (13.1)	42 (15.5)
周圍環境美化	57 (4.0)	7 (2.4)	8 (3.2)	13 (4.3)	15 (5.0)	14 (5.2)
接客業所衛生施設完備	58 (4.1)	17 (5.9)	7 (2.8)	20 (6.6)	4 (1.3)	10 (3.7)
住民의生活및教養向上	110 (7.8)	26 (9.1)	14 (5.6)	15 (5.0)	30 (10.1)	25 (9.2)
其他	25 (1.8)	7 (2.4)	4 (1.6)	4 (1.3)	6 (2.0)	4 (1.5)

0205

二十四. 좋아하는 나라와 싫어하는 나라

外國人과 接觸이 많은 駐屯地域 住民들에게 自由陣營 共產陣營, 中立陣營에 屬하는 8個國家를 提示하고 여기에서 가장 좋아하는 나라와 싫어하는 나라를 各各 一個國家씩 指摘하게 하므로서 外國國家에 對한 嗜好度를 測定하고 그들의 意識面을 間接的으로 把握하고저 하였다.

調査結果에 依하면 첫째

좋아하는 나라에 있어서는 「美國」이 64.9%를 차지하므로서 으뜸을 차지하고 있으며 다음은 「西獨」이 10.6%로서 2位, 「스위스」가 7.9%로서 3位 「佛蘭西」가 5.4%로서 4位, 「日本」이 5.3%로서 5位, 「印度」가 0.2%로서 6位로 나타나고 있으며 「蘇聯」과 「中共」에 對한 意見은 全然 나타나고 있지 않다.

이와같이 駐屯地域住民들의 絶對多數가 美國을 가장 좋아하는 나라로 指摘되고 있음은 韓美親善을 增進하는 意味에서도 매우 重要한 意義를 갖는다고 하겠다.

이와같은 傾向은 各地域別에서도 共通되고 있는 現象인데 그中에서도 烏山地區는 76.2%로서 가장 많이 나타나고 있다.

性別에 있어서도 全体的인 傾向과 비슷하게 나타나고 있는데 「美國」에 對한 意見은 男性보다는 女性에게 多少 많이 나타나고 있으나 全体인 意見에서 2位를

0206

차지하고 있는 「西独」에 対한 意見에 있어서는 女性의 意見은 別로 나타나고 있지 않는데 比하여 男性의 意見은 顕著히 增加하고 있다。 한편 女性에 있어서는 「美国」 다음으로 「仏蘭西」를 들고 있다。

年齢別에 있어서도

各層마다 「美国」에 対한 意見이 圧倒的으로 많이 나타나고 있는데 이 意見은 大体로 年齢이 많은層에서 더욱 많이 나타나고 있는 便이며

学歴別로 보면

各層마다 「美国」에 対한 意見이 가장 많이 나타나고 있는데 한가지 注目되는 것은 学歴이 높을수록 「美国」에 対한 意見이 낮아가고 있는 現象이다。

이를 보면 「無学」層은 92.3%, 「한글解得」層은 74.7%인데 比하여 「高等学校」層은 59.3%, 「専門및 大学以上」層은 47.8%라는 比率을 나타내므로서 学歴水準이 낮은 層과 높은層과는 懸格한 差異状을 나타내고 있는 것이다。

한편 学歴이 높은 層에서는 「西独」에 対한 意見이 顕著하게 增加되고 있는데 이를 보면 「한글解得」層은 2.3%인데 比하여 「専門및 大学以上」層은 20.6%로 增加하고 있다。

職業別에 있어서도 全体的인 傾向과 같이 나타나고 있는데 「美国」에 対한 意見은 「農業」層에서 85.5%라는 圧倒的인 比率을 나타내고 있고 다음은 「慰安婦」層이 차지하고 있으며 「美軍部隊従業員」層은 57.7%로

0207

서 가장 低調하다。

한편 「西独」에 対한 意見은 다른層에 比하여 「公務員및 会社員」層과 「美軍部隊従業員」 그리고 「써비스業」에서 많이 나타나고 있다。

둘째 싫어하는 나라에 있어서는

「蘇聯」이 47.0%로서 首位를 차지하고 있으며, 2位는 「中共」으로서 31.5%, 3位는 「日本」의 11.8%,로 나타나고 있으며 其外의 国家에 対하여는 거의 意見이 나타나고 있지않다。

이와같은 調査結果는 地域別에서도 거의 비슷하게 나타나고 있으나 烏山地域에 있어서는 日本이 2位를 차지하므로서 「中共」보다도 「日本」을 더 싫어하는 나라로서 指摘하고 있는 注目되는 現象을 나타내고 있는데 이와같은 事実은 職業別에서도 「慰安婦」層에서 同一한 結果로 나타나고 있다。

한편 調査結果는 「性別」에 있어서나 「年齢別」「学歴別」을 莫論하고 全体的인 傾向과 비슷하게 나타나고 있다。

좋아하는나라

(地域別)

	総数	仏蘭西	日本	美国	中共	스위스	印度	蘇聯	西独	無応答
総数	959 (100.0)	52 (5.4)	51 (5.3)	622 (64.9)	—	76 (7.9)	2 (0.2)	—	102 (10.6)	54 (5.6)
坡州地区	502 (100.0)	29 (5.8)	33 (6.6)	313 (62.3)	—	42 (8.4)	2 (0.4)	—	45 (9.0)	38 (7.5)
東豆川地区	285 (100.0)	21 (7.4)	11 (3.9)	178 (62.5)	—	20 (7.0)	—	—	43 (15.1)	12 (4.2)
烏山地区	172 (100.0)	2 (1.2)	7 (4.1)	131 (76.2)	—	14 (8.1)	—	—	14 (8.1)	4 (2.3)

0208

좋아하는나라

（学歴別）

	総数	仏蘭西	日本	美国	中共	스위스	印度	蘇聯	西独	無応答
総数	959 (100.0)	52 (5.4)	51 (5.3)	622 (64.9)	—	76 (7.9)	2 (0.2)	—	102 (10.6)	54 (5.6)
無学	26	—	—	24	—	—	—	—	1	1
한글解得	87 (100.0)	2 (2.3)	5 (5.7)	65 (74.7)	—	4 (4.6)	1 (1.2)	—	2 (2.3)	8 (9.2)
国民学校	248 (100.0)	15 (6.0)	13 (5.2)	184 (74.2)	—	9 (3.6)	1 (0.4)	—	5 (2.0)	21 (8.5)
中学校	220 (100.0)	14 (6.4)	8 (3.6)	140 (63.6)	—	19 (8.6)	—	—	27 (12.3)	12 (5.5)
高等学校	236 (100.0)	15 (6.4)	13 (5.5)	140 (59.3)	—	22 (29.3)	—	—	39 (16.5)	7 (3.0)
専門및 大学以上	136 (100.0)	6 (4.4)	12 (8.8)	65 (47.8)	—	21 (15.4)	—	—	28 (20.6)	4 (2.9)
未詳	6	—	—	4	—	1	—	—	—	1

좋아하는나라

（職業別）

	総数	仏蘭西	日本	美国	中共	스위스	印度	蘇聯	西独	無応答
総数	959 (100.0)	52 (5.4)	51 (5.3)	622 (64.9)	—	76 (7.9)	2 (0.2)	—	102 (10.6)	54 (5.6)
農業	55 (100.0)	—	4 (7.3)	47 (85.5)	—	1 (1.8)	—	—	1 (1.8)	2 (3.6)
商業	212 (100.0)	5 (2.3)	11 (5.2)	134 (63.2)	—	24 (11.3)	—	—	19 (9.0)	19 (9.0)
써비스業	189 (100.0)	12 (6.3)	10 (5.3)	123 (65.1)	—	11 (5.8)	—	—	25 (13.2)	8 (4.2)
美軍部隊 従業員	168 (100.0)	9 (5.4)	4 (2.4)	97 (57.7)	—	22 (13.1)	—	—	29 (17.3)	7 (4.2)
慰安婦	198 (100.0)	17 (8.6)	12 (6.0)	140 (70.7)	—	11 (5.6)	2 (1.0)	—	6 (3.0)	10 (5.1)
公務員및 会社員	67 (100.0)	4 (6.0)	4 (6.0)	42 (62.7)	—	2 (3.0)	—	—	14 (20.8)	1 (1.5)
其他	70 (100.0)	5 (7.1)	6 (8.6)	39 (55.7)	—	5 (7.1)	—	—	8 (11.4)	7 (10.0)

0209

좋아하는나라

(性別)

	総数	仏蘭西	日本	美国	中共	스위스	印度	蘇聯	西独	無応答
総数	959 (100.0)	52 (5.4)	51 (5.3)	622 (64.9)	—	76 (7.9)	2 (0.2)	—	102 (10.6)	54 (5.6)
男	619 (100.0)	19 (3.1)	32 (5.2)	394 (63.7)	—	55 (8.9)	—	—	89 (14.4)	30 (4.8)
女	338 (100.0)	33 (6.8)	19 (5.6)	227 (67.2)	—	21 (6.2)	2 (0.6)	—	13 (3.8)	23 (6.8)
未詳	2	—	—	1	—	—	—	—	—	1

좋아하는나라

(年齢別)

	総数	仏蘭西	日本	美国	中共	스위스	印度	蘇聯	西独	無応答
総数	959 (100.0)	52 (5.4)	51 (5.3)	622 (64.9)	—	76 (7.9)	2 (0.2)	—	102 (10.6)	54 (5.6)
20～29	381 (100.0)	33 (8.7)	16 (4.2)	241 (63.3)	—	41 (10.8)	1 (0.3)	—	31 (8.0)	18 (4.7)
30～39	339 (100.0)	12 (3.5)	24 (7.1)	208 (61.4)	—	25 (7.4)	1 (0.3)	—	51 (15.0)	18 (5.3)
40～49	171 (100.0)	6 (3.5)	6 (3.5)	126 (73.7)	—	9 (5.3)	—	—	14 (8.2)	10 (5.8)
50～59	56 (100.0)	1 (1.8)	5 (8.9)	38 (67.9)	—	1 (1.8)	—	—	6 (10.7)	5
60歳以上	11	—	—	9	—	—	—	—	—	2
未詳	1	—	—	—	—	—	—	—	—	1

0210

싫 어 하 는 나 라

(地域別)

	総数	仏蘭西	日本	美国	中共	스위스	印度	蘇聯	西独	無応答
総 数	959 (100.0)	2 (0.2)	113 (11.8)	3 (0.3)	302 (31.5)	2 (0.2)	10 (1.0)	451 (47.0)	1 (0.1)	75 (7.8)
坡州地区	502 (100.0)	—	40 (8.0)	2 (0.4)	148 (29.5)	2 (0.4)	7 (1.4)	251 (50.0)	—	52 (10.4)
東豆川地區	285 (100.0)	2 (0.7)	24 (8.4)	1 (0.4)	111 (38.9)	—	1 (0.4)	130 (45.6)	1	15 (5.3)
烏山地区	172 (100.0)	—	49 (28.5)	—	43 (25.0)	—	2 (1.2)	70 (40.7)	—	8 (4.7)

싫 어 하 는 나 라

(性別)

	総数	仏蘭西	日本	美国	中共	스위스	印度	蘇聯	西独	無応答
総 数	959 (100.0)	2 (0.2)	113 (11.8)	3 (0.3)	302 (31.5)	2 (0.2)	10 (1.0)	451 (47.0)	1 (0.1)	75 (7.8)
男	619 (100.0)	2 (0.3)	48 (7.8)	2 (0.3)	219 (35.4)	—	7 (1.1)	306 (49.4)	1 (0.2)	34 (5.5)
女	338 (100.0)	—	65 (19.2)	1 (0.3)	83 (24.6)	2 (0.6)	3 (0.9)	145 (42.9)	—	39 (11.5)
未 詳	2	—	—	—	—	—	—	—	—	2

싫 어 하 는 나 라

(年齢別)

	総数	仏蘭西	日本	美国	中共	스위스	印度	蘇聯	西独	無応答
総 数	959 (100.0)	2 (0.2)	113 (11.8)	3 (0.3)	302 (31.5)	2 (0.2)	10 (1.0)	451 (47.0)	1 (0.1)	75 (7.8)
20 ~ 29	381 (100.0)	—	79 (20.7)	2 (0.5)	109 (28.6)	—	3 (0.9)	157 (41.2)	—	31 (8.1)
30 ~ 39	339 (100.0)	1 (0.3)	20	1 (0.3)	122 (36.0)	1 (0.3)	4 (1.2)	165 (48.7)	—	25 (7.4)
40 ~ 49	171 (100.0)	—	9 (5.3)	—	51 (29.8)	—	2 (1.2)	95 (55.6)	1 (0.6)	13 (7.6)
50 ~ 59	56 (100.0)	1 (1.8)	3 (5.4)	—	19 (33.9)	—	1 (1.8)	29 (51.8)	—	3 (5.4)
60歳以上	11	—	2	—	1	1	—	5	—	2
未 詳	1	—	—	—	—	—	—	—	—	1

싫 어 하 는 나 라

(学歴別)

	総数	仏蘭西	日本	美国	中共	스위스	印度	蘇聯	西独	無応答
総数	959 (100.0)	2 (0.2)	113 (11.8)	3 (0.3)	302 (31.5)	2 (0.2)	10 (1.0)	451 (47.0)	1 (0.1)	75 (7.8)
無学	26	—	4	—	8	—	1	10	—	3
한글解得	87 (100.0)	1 (1.2)	18 (20.7)	—	24 (27.6)	1 (1.2)	—	35 (40.2)	—	8 (9.2)
国民学校	248 (100.0)	1 (0.4)	35 (14.1)	—	69 (27.8)	—	2 (0.8)	114 (46.0)	1 (6.4)	26 (10.5)
中学校	220 (100.0)	—	14 (6.4)	2 (0.9)	65 (29.5)	1 (0.5)	2 (0.9)	122 (55.5)	—	14 (6.4)
高等学校	236 (100.0)	—	26 (11.0)	—	86 (36.4)	—	1 (0.4)	110 (46.6)	—	13 (5.5)
專門및 大學以上	136 (100.0)	—	15 (2.9)	1 (0.7)	49 (36.0)	—	4 (2.9)	57 (41.9)	—	10 (7.4)
未詳	6	—	1	—	1	—	—	3	—	1

싫 어 하 는 나 라

(職業別)

	総数	仏蘭西	日本	美国	中共	스위스	印度	蘇聯	西独	無応答
総数	959 (100.0)	2 (0.2)	113 (11.8)	3 (0.3)	302 (31.5)	2 (0.2)	10 (1.0)	451 (47.0)	1 (0.1)	75 (7.8)
農業	55 (100.0)	—	3 (5.5)	—	24 (43.6)	—	—	25 (45.5)	—	3 (5.5)
商業	212 (100.0)	—	17 (8.0)	—	69 (32.5)	—	2 (0.9)	103 (48.6)	—	21 (9.9)
써비스業	189 (100.0)	—	17 (9.0)	1 (0.5)	62 (32.8)	1 (0.5)	4 (2.1)	91 (48.1)	—	13 (6.9)
美軍部隊 従業員	168 (100.0)	2 (1.2)	14 (8.3)	2 (1.2)	64 (38.1)	—	1 (0.6)	79 (47.0)	—	6 (3.6)
慰安婦	198 (100.0)	—	50 (25.3)	—	42 (21.2)	1 (0.5)	2 (1.0)	84 (42.4)	—	19 (9.6)
公務員및 会社員	67 (100.0)	—	4 (6.0)	—	22 (32.8)	—	—	39 (58.2)	—	2 (3.0)
其他	70 (100.0)	—	8 (11.4)	—	19 (27.1)	—	1 (1.4)	30 (42.9)	1 (1.4)	11 (15.7)

0212

二十五. 美國政府및美軍當局에對한 要望事項

美国政府및 美軍當局에対한 駐屯地域住民의 要望事項을 自由設問法에 依하여 把握하였는바 調査結果에서 나타나고있는 要望事項은 總19種에 達하고있다。

여기에서 「民族差別意識根絶」에対한 意見이 28.6%로서 가장 많이 나타나고 있으며, 다음은「韓美行政協定早速締結」이 11.9%, 「從業員의 處遇改善」이 9.2%, 「暴力및 不法行為根絶」이 7.1%, 「対韓経済援助增大」가 6.7%「極貧者救護事業」이 6.1%, 「韓美間友好增進」이 4.5%, 「美軍禁足令解除」가 4.0%, 「徵發財産에 対한補償」이 3.8%, 「從業員의一方的減員止揚」이 2.5% 「美軍의教養向上」이 2.5%,
「韓国에対한 正確한 知識習得」이 2.1%.
「美軍撤收反対」가 1.5%順으로 나타나고 있으며 그外 意見은 極히 微微하게 나타나고 있다。 이와같이 美国및 美軍에対한 駐屯地域住民의 要望事項은 매우 多樣性있게 나타나고 있는데, 大体로, 그들의 要望事項은 「民族差別 意識根絶」에対한 意見과, 「韓美行政協定早速締結」「從業員의處遇改善」「暴力및不法行為根絶」等의 意見으로 크게 集約된다고 볼수있다。 特히「民族差別意識根絶」에 対한 意見은 다른 諸般要望事項에 比하여 越等하게 많이 나타나고 있는데 이 意見은 앞에서도 指摘한바와 같이 「美軍駐屯으로 因한 害로운面」欄에 있어서, 「美軍의民族差別」이라는 意見이 가장 많이 나타나고 있으

0213

며,「各種不祥事의責任이 美軍側에 더 많은原因」欄에서도,「美軍人의 韓国人蔑視」라는 意見이 全体意見의 60%를 차지하고 있는것과 関聯하여 생각할때,美軍의 民族差別意識은,韓国사람으로 하여금 올바르게 認識하고 더나아가 韓美間의紐帶関係를 增進시키는데 하나의 阻害點이 되고, 있는것으로 看做할수있다。

調査結果를 地域別로 보면

坡州를 비롯하여 各地域마다「民族差別意識根絶」에 対한 意見이 越等하게 많이 나타나고 있는데 特히 烏山地域에서는 全体意見의 39.4%를 차지하고 있다。

그러나 이 意見을 除外하면

各地域마다 多少 相異點이 나타나고 있는데 坡州地域에 있어서는「韓美行政協定早速妥結」「從業員의處遇改善」「極貧者救護事業」順으로 많이 나타나고 있으며,

東豆川地域에서는,「韓美行政協定早速妥結」「韓美間友好增進」「韓国에対한知識習得」順으로 烏山地域에서는「対韓経済援助增大」「暴力및不法行為根絶」「從業員의處遇改善」에対한 意見이 同一하게 많이 나타나고 있다。以上의 結果로 미루어보아,注目되는것은,烏山地域을除外하고,坡州와 東豆川地域에서 다같이「韓美行政協定早速締結」에 対한 意見이 全体的인 傾向과같이「民族差別意識根絶」다음으로 登場하고있는 事実이라 하겠다。

한편 職業別과 関聯하여 順位別로 보면 다음과 같다。

△商業:

1位:民族差別意識根絶

0214

2 位 : 韓美行政協定早速締結, 対韓経済援助増大

3 位 : 極貧者救護事業, 暴力및 不法行為根絶.

△ 써비스業 :

1 位 : 民族差別意識根絶

2 位 : 対韓経済援助増大・美軍禁足令解除

3 位 : 韓美行政協定早速締結

△ 美軍部隊従業員

1 位 : 民族差別意識根絶

2 位 : 従業員의 處遇改善

3 位 : 韓美行政協定早速締結

△ 慰女婦

1 位 : 民族差別意識根絶

2 位 : 暴力및 不法行為根絶

3 位 : 韓美間友好増進

△ 其他一般人

1 位 : 民族差別意識根絶

2 位 : 徵發財産에対한 補償

3 位 : 韓美行政協定早速締結

0215

美国政府 및 美軍當局 에 対 한 要望事項

(地域別)

	総 数	坡 州	東豆川	烏 山
総 数	791 (100.0)	478 (100.0)	153 (100.0)	160 (100.0)
民族差別意識根絶	226 (28.6)	127 (26.6)	36 (23.3)	63 (39.4)
対韓経済援助増大	53 (6.7)	23 (4.8)	9 (5.7)	21 (13.1)
韓美行政協定早速締結	94 (11.9)	61 (12.8)	23 (14.8)	10 (6.3)
極貧者救護事業	48 (6.1)	33 (6.9)	13 (8.3)	2 (1.3)
暴力 및 不法行為根絶	56 (7.1)	25 (5.2)	10 (6.3)	21 (13.1)
従業員의 處遇改善	73 (9.2)	43 (9.0)	9 (5.7)	21 (13.1)
従業員의 一方的 減員上揚	20 (2.5)	20 (4.2)	-	-
徵發財産에 対한 補償	30 (3.8)	17 (3.6)	12 (7.6)	1 (0.6)
美軍撤收反対	12 (1.5)	7 (1.5)	5 (3.1)	-
韓美間友好増進	36 (4.5)	18 (3.8)	18 (11.6)	-
韓国에 対한 知識習得	17 (2.1)	-	14 (8.9)	3 (1.9)
美軍의 教養向上	20 (2.5)	20 (4.2)	-	-
韓国統一成就	7 (0.9)	5 (1.0)	-	2 (1.3)
混血児美国入籍	7 (0.9)	4 (0.8)	-	3 (1.9)
美軍禁足令解除	32 (4.0)	32 (6.7)	-	-
不法的家宅捜索止揚	4 (0.5)	4 (0.8)	-	-
麻薬団束	7 (0.9)	7 (1.4)	-	-
無差別銃撃禁止	3 (0.4)	-	-	3 (1.9)
保健衛生事業援助	5 (0.6)	-	-	5 (3.1)
其 他	41 (5.2)	32 (6.7)	4 (2.4)	5 (3.1)

0216

美国政府및美軍當局에対한 要望事項

（職業別）

	總数	商業	써비스業	美軍部隊従業員	慰安婦	其他一般人
總数	791	168 (100.0)	121 (100.0)	204 (100.0)	561 (100.0)	331 (100.0)
民族差別意識根絶	226	40 (23.8)	31 (25.6)	58 (28.3)	69 (41.8)	28 (21.1)
対韓経済援助増大	53	24 (14.3)	13 (10.7)	3 (1.5)	5 (3.0)	8 (6.0)
韓美行政協定早速締結	94	24 (14.3)	12 (9.9)	34 (16.7)	9 (5.5)	15 (11.3)
極貧者救護事業	48	8 (4.8)	8 (6.6)	7 (3.4)	5 (3.0)	20 (15.0)
暴力및不法行為根絶	56	8 (4.8)	8 (6.6)	-	26 (15.8)	14 (10.5)
従業員의処遇改善	73	5 (3.0)	4 (3.3)	55 (27.0)	1 (0.6)	8 (6.0)
従業員의一方的減員止揚	20	-	1 (0.8)	17 (8.3)	-	2 (1.5)
徴発財産에対한補償	30	-	3 (2.5)	7 (3.4)	4 (2.4)	16 (12.0)
美軍撤収反対	12	7 (4.2)	2 (1.7)	1 (0.5)	1 (0.6)	1 (0.7)
韓美間友好増進	36	6 (3.6)	4 (3.3)	11 (5.4)	11 (6.7)	4 (3.0)
韓国에対한知識習得	17	6 (3.6)	1 (0.8)	1 (0.5)	5 (3.0)	4 (3.0)
美軍의教養向上	20	-	7 (5.8)	6 (2.7)	7 (4.2)	-
韓国統一成就	7	4 (2.4)	-	2 (1.0)	-	1 (0.7)
混血児美国入籍	7	1 (0.6)	-	-	4 (2.4)	2 (1.5)
美軍禁足令解除	32	11 (6.5)	13 (10.7)	-	4 (2.4)	4 (3.0)
不法的家宅捜査止揚	4	2 (1.2)	1 (0.8)	-	1 (0.6)	-
麻薬団束	7	5 (3.0)	-	1 (0.5)	1 (0.6)	-
無差別銃撃禁止	3	3 (1.8)	-	-	-	-
保健衛生事業援助	5	1 (0.6)	1 (0.8)	-	3 (1.8)	-
其他	41	13 (7.7)	12 (9.9)	1 (0.5)	9 (5.5)	6 (4.5)

0217

二十六. 對政府要望事項

「여러분이 살고계신 地域에 對하여 우리政府에서 여러가지 解決하여야 할 일이 많은데 무엇부터 먼저 解決해줄것을 바랍니까?」라는 美軍駐屯地域住民의 對政府要望事項을 自由設問法에 依하여 把握하였는바 調査結果에서 나타나고 있는 要望事項은 總 26種에 達하고 있다。

여기에서 「電氣施設」에 對한 意見이 12.2%로서 가장 많이 나타나고 있으며 다음은 「上下水道工事」가 8.9%, 「保健衛生施設」이 8.3%, 「道路工事및舖装」이 8.1%, 「倫落女性質的向上」이 7.6%, 「캠프및不良輩, 窃盜團束」이 7.4%, 「極貧者救護」가 6.8%, 「韓美行政協定締結」이 5.6%, 「校舍增築」이 4.4%, 「物價高調節」이 4.3% 順으로 나타나고 있으며 그外意見은 매우 低調하다。

이와같이 對政府要望事項은 美國 및 美軍에 對한 要望事項과는 樣相이 달리 나타나고 있으며 두드러지게 意見이 많이 나타나고 있는 要望事項이 別로 없고 거의 비슷하게 나타나고 있다。

이와같은 調査結果를 地域別로 關聯시켜 보면 坡州地域에 있어서는 全体的인 傾向과 같이 「電氣施設」에 對한 意見이 16.0%로서 으뜸을 차지하고 있으며 다음은 「道路工事및舖装」「韓美行政協定早速締結」「衛生保健施設」順으로 많이 나타나고 있으나 東豆川地域에 있

0218

어서는 「上下水道工事」「倫落女性質的向上」「電氣施設」「道路工事및舖装」順이며, 烏山地域에서는 「衛生保健施設」에 對한 意見이 17.5%로서 가장 많이 나타나고 있으며 다음은 「펨프 및 不良輩, 窃盜團束」「倫落女性質的向上」「物價高調節」順으로 많이 나타나고 있다. 따라서 意見順位別에 있어서는 各地域마다 多少의 相異點을 나타내고 있다. 職業別과 關聯시켜보면 「商業」과 「써비스業」層에 있어서는 「電氣施設」과 「上下水道工事」에 對한 意見이 가장 많이 나타나고 있으며 다음은 「道路工事및舖装」「極貧者救護」「韓美行政協定締結」에 對한 意見이 많이 나타나고 있는데 比하여 「美軍部隊從業員」層에서는 「韓美行政協定早速締結」에 對한 意見이 으뜸을 차지하고 있으며 다음은 「펨프및 不良輩, 窃盜團束」「衛生保健施設」「倫落女性質的向上」의 意見順으로 나타나고 있으며 「慰安婦」層에서는 「衛生保健施設」에 對한 意見이 18.6%를 차지하므로서 으뜸을 차지하고 있으며, 다음은 「倫落女性質的向上」「道路工事舖装」에 對한 意見이, 「其他一般」層에 있어서는 「電氣施設」에 對한 意見이 가장 많이 나타나고 있으며 다음은 「極貧者救護」「道路工事및舖装」「校舍增築」「倫落女性質的向上」「펨프및不良輩, 窃盜團束」「物價高調節」에 對한 意見이 많이 나타나고 있다.

0219

對政府要望事項

(地域別)

	總 數	坡 州	東豆川	烏 山
總 數	971 (100.0)	518(100.0)	276(100.0)	177(100.0)
道路工事및舗装	79 (8.1)	53 (10.2)	26 (9.4)	—
電氣施設	118 (12.2)	83 (16.0)	35 (12.7)	—
上下水道工事	86 (8.9)	36 (6.9)	38 (13.8)	12 (6.8)
校舍增築	43 (4.4)	13 (2.5)	23 (8.3)	7 (4.0)
極貧者救護	66 (6.8)	34 (6.6)	19 (6.9)	13 (7.3)
韓美行政協定早速締結	54 (5.6)	40 (7.7)	5 (1.8)	9 (5.1)
倫落女性質的向上	74 (7.6)	22 (4.2)	35 (12.7)	17 (9.6)
펨프 및 不良輩, 窃盜團束	72 (7.4)	36 (6.9)	16 (5.8)	20 (11.3)
衛生保健施設	81 (8.3)	39 (7.5)	11 (4.0)	31 (17.5)
美軍事施設로因한損害補償	14 (1.4)	7 (1.4)	4 (1.4)	3 (1.7)
失業者救濟	33 (3.4)	17 (3.3)	5 (1.8)	11 (6.2)
物價高調節	42 (4.3)	9 (1.7)	16 (5.8)	17 (9.6)
韓美親善積極推進	8 (0.8)	5 (1.0)	3 (1.1)	—
住宅問題解決	10 (1.0)	—	8 (2.9)	2 (1.1)
美軍從事員의處遇改善策講求	6 (0.6)	—	—	6 (3.4)
美軍從事員 勤勞所得稅引下	7 (0.7)	—	7 (2.5)	—
都市計劃으로美化	14 (1.4)	—	14 (5.1)	—
倫落女性들의檢診徹底	10 (1.0)	10 (1.9)	—	—
倫落女性들의集團收容	10 (1.0)	10 (1.9)	—	—
倫落女性生活保障	21 (2.2)	21 (4.1)	—	—
美軍物資販賣禁止緩和	15 (1.5)	15 (2.9)	—	—
年少者慰安婦團速徹底	9 (0.9)	9 (1.7)	—	—
禁足令措置早速解除	7 (0.7)	7 (1.4)	—	—
特殊婦女會및抱主制整理	4 (0.4)	—	—	4 (2.3)
住民啓蒙指導	7 (0.7)	—	—	7 (4.0)
娛樂觀光施設	7 (0.7)	—	—	7 (4.0)
其 他	74 (7.6)	52 (10.0)	11 (4.0)	11 (6.2)

0220

対政府要望事項

(職業別)

	総数	商業	써-비스業	美軍部隊従業員	慰安婦	其他一般
総数	971(100.0)	239(100.0)	198(100.0)	177(100.0)	177(100.0)	180(100.0)
道路工事및舗装	79(8.1)	20(8.4)	14(7.1)	13(7.3)	16(9.0)	16(8.9)
電気施設	118(12.2)	40(16.7)	36(18.2)	11(6.2)	11(6.2)	20(11.1)
上下水道工事	86(8.9)	30(12.6)	30(15.2)	5(2.8)	10(5.6)	11(6.1)
校舍増築	43(4.4)	11(4.6)	5(2.5)	-	11(6.2)	16(8.9)
極貧者救護	66(6.8)	20(8.4)	14(7.1)	8(4.5)	5(2.8)	19(10.6)
韓美行政協定早速締結	54(5.6)	15(6.3)	11(5.6)	22(12.4)	-	6(3.3)
倫落女性質的向上	74(7.6)	18(7.5)	9(4.5)	15(8.5)	16(9.0)	16(8.9)
깽프및不良輩窃盜団束	72(7.4)	13(5.4)	13(6.6)	19(10.7)	11(6.2)	16(8.9)
衛生保健施設	81(8.3)	8(3.3)	15(7.6)	18(10.2)	33(18.6)	7(3.9)
美軍事施設로因한損害補償	14(1.4)	6(2.5)	4(2.0)	-	-	4(2.2)
失業者救済	33(3.4)	8(3.3)	4(2.0)	14(7.9)	-	7(3.9)
物価高調節	42(4.3)	9(3.8)	2(1.0)	6(3.4)	9(5.1)	16(8.9)
韓美親善積極推進	8(0.8)	-	-	6(3.4)	2(1.1)	-
住宅問題解決	10(1.0)	2(0.8)	3(1.5)	-	3(1.7)	2(1.1)
美軍従事員의処遇改善策請求	6(1.0)	-	-	6(3.4)	-	-
美軍従事員勤労所得税引下	7(0.7)	-	-	7(4.0)	-	-
都市計劃으로美化	14(1.4)	4(1.7)	4(2.0)	6(3.4)	-	-
倫落女性들의検診徹底	10(1.0)	2(0.8)	3(1.5)	-	3(1.7)	2(1.1)
倫落女性들의集団収容	10(1.0)	2(0.8)	4(2.0)	4(2.3)	-	-
倫落女性生活保障	21(2.2)	2(0.8)	2(1.0)	3(1.7)	12(6.8)	2(1.1)
美軍物資販売禁止緩和	15(1.5)	7(2.9)	6(3.0)	1(0.6)	-	1(0.6)
年少者慰安婦団速徹底	9(0.9)	2(0.8)	1(1.0)	-	5(2.8)	1(0.6)
禁足令措置早速解除	7(0.7)	4(1.7)	1(1.0)	-	1(0.6)	1(0.6)
特殊婦女会및抱主制整理	4(0.4)	2(0.8)	2(1.0)	-	-	-
住民啓蒙指導	7(0.7)	-	-	-	7(4.0)	-
娯楽観光施設	7(0.7)	-	-	-	5(2.8)	2(0.6)
其他	74(7.6)	14(5.9)	15(7.6)	13(7.3)	17(9.6)	15(8.3)

0221

第三部 附　　錄

0222

유엔軍駐屯地域住民에 對한 輿論 및 實態調査質疑票

(公報部實施 1964.7)

安寧하십니까? 이번 政府에서는 韓美親善에 關係되는 여러가지 일에 對하여 유엔軍駐屯地域에 居住하는 國民 여러분의 좋은 意見을 듣고저, 여러분을 찾게 되었읍니다。

여러분은 다음 事項을 考慮하시여 忌憚없는 意見을 발씀하여 주시기 바랍니다。

1. 이 票에는 여러분의 住所나 姓名을 밝힐 必要가 없읍니다。
2. 이 票는 아무에게도 보여지지 않을 것이며, 여러분의 意見은 統計的으로 處理될 뿐입니다。
3. 意見을 記入하실 적에는 他人과의 相議는 하지 마셔야 합니다。
4. 다음 여러가지 質問가운데, 하나만 ○표 할곳에 두개以上 ○표를 하시면 無效가 됩니다。

問一. 선생께서는 이곳에 사신지가 얼마나 되십니까?

1. ○ 2年未滿
2. ○ 2年~5年
3. ○ 6年~10年
4. ○ 11年~15年
5. ○ 15年以上

0223

問二. (問一에서 1,2,3에 答한분만)

이곳으로 오시게 된 動機는 무엇입니까?

1. ○農事짓기 위해서
2. ○職場關係로
3. 돈 벌기 위해서(商業)
4. ○親戚關係로
5. ○其他(記入)

問三. 선생께서는 이곳에 駐屯하고 있는 美軍과 接觸이 있읍니까?

1. ○항상 있다
2. ○가끔 있다
3. ○없다

問四. 이곳 美軍들은 韓國사람에 對하여 親切하다고 생각하십니까? 혹은 그렇지 않다고 생각하십니까?

1. ○親切하다
2. ○그저 그렇다
3. ○親切하지 않다.
4. ○모르겠다

問五. 이곳에 駐屯하고 있는 美軍部隊로 因해서 宅의 日常生活에 利로운 点이 많다고 생각하십니까? 혹은 害로운 点이 많다고 생각하십니까?

1. ○利로운 点이 많다
2. ○半半이다
3. ○害로운 点이 많다
4. ○美軍과 아무런 關係가 없다.

0224

問六. (問五에서 1에 答한분만)

그러면 어떤 面에서 利로운 点이 많다고 생각하십니까?

1. ○生計維持에 도움이 된다

2. ○韓美親善을 圖謀한 수 있다

3. ○其他(記入)

問七. (問五에서 3에 答한 분만)

그러면 어떤 面에서 害로운 点이 많다고 생각 하십니까?

1. ○美軍의 행패가 심하다

2. ○各種 우범으로 不安을 느낀다

3. ○美軍의 民族差別

4. ○其他(記入)

問八. 美軍駐屯地域에서 韓國사람과, 美軍사이에 不祥事가 가끔 일어나고 있는데 선생께서는 이를 알고 있읍니까?

1. ○알고 있다

2. ○모르고 있다

問九. (問八에서 1에 答한 분만)

이러한 不祥事가 일어난 事實은 대개 무엇을 통해서 아십니까?

1. ○新聞을 보고

2. ○라디오를 듣고

3. ○다른 사람으로 부터 듣고

4. ○直接 보았다

0225

問十. 이러한 不祥事가 생기는 것은 韓國사람에게 責任이 많다고 생각하십니까? 혹은 美軍에게 責任이 많다고 생각하십니까?

1. ○ 韓國사람에게 責任이 많다
2. ○ 美軍에 責任이 많다
3. ○ 兩側 다 責任이 半半이다
4. ○ 모르겠다

問十一. (問十에서 1에 答한 분만)

各種 不祥事의 責任이 韓國사람에게 더 많다고 하셨는데 그 原因은 主로 어디에 있다고 생각하십니까?

1. ○ 美軍部隊의 不法侵入
2. ○ 一部倫落女性의 몰지각한 행위
3. ○ 美軍軍需物資에 對한 盜難行爲
4. ○ 美軍과 野合한 營利行爲
5. ○ 其他(記入)

問十二. (問十에서 2에 答한 분만)

各種 不祥事의 責任이 美軍側에 많다고 하셨는데 그 原因은 主로 어디에 있다고 생각하십니까?

1. ○ 美軍人의 韓國人 멸시(민족적 차별 의식)
2. ○ 美軍의 不当한 亂暴行爲
3. ○ 美軍의 倫落女性 相對
4. ○ 美軍의 無差別 銃擊
5. ○ 地方民과 野合한 軍需物資不正去來
6. ○ 其他(記入)

0226

問十三. 선생께서나 혹은 家族中에 美軍의 不当한 行爲로 말미아마 生命이나 身體, 財産등에 억울한 일을 当한 적이 있읍니까?

1. ○ 있다
2. ○ 없다

問十四. (問十三에서 1에 答한분만)

그러면 그 억울한 일에 對하여 적절한 補償조치를 받았읍니까?

1. ○ 받었다
2. ○ 현재 청구중이다
3. ○ 못받었다
4. ○ 補償받을만한 사건이 아니다

問十五. 政府에서는 標語나, 라디오 방송을 통하여 美軍軍事施設 保安과 韓美間의 親善을 도모하는 계몽운동을 실시한바 있는데 당신은 이를 본일이나 들은일이 있읍니까?

1. ○ 있다
2. ○ 없다

問十六. 軍事施設保安과 韓美親善을 위한 계몽활동은 效果를 걷우리라고 생각하십니까?

1. ○ 큰 效果를 걷울 것이다
2. ○ 多少 效果를 걷울 것이다
3. ○ 別 效果가 없을 것이다
4. ○ 모르겠다

0227

問十七. 선생께서는 美軍部隊 주위의 一般人 出入禁止區域을 알고 계십니까?

1. ○다 알고 있다
2. ○어느 정도 알고 있다
3. ○잘 모른다

問十八. 이곳에 駐屯하고 있는 美軍들이 地方民을 爲하여 援護 및 慈善事業을 한일이 있읍니까?

1. ○있다(어떤 事業?)
2. ○없다
3. ○모르겠다

問十九. 앞으로 美軍들이 이 地方에 援護 및 慈善事業을 해준다면 어떤 援護事業을 먼저 해주었으면 좋겠다고 생각하십니까?

1. ○公會堂
2. ○橋梁 및 道路建設
3. ○教育施設
4. ○孤児院
5. ○保健衛生施設
6. ○極貧者救護事業
7. ○其他(記入)

問二十. 이곳에 駐屯하고 있는 美軍이나 유엔軍들이 住民들에 對하여 불쾌한 行爲를 한일이 있으면 말씀하여 주십시오

1. ○있다(어떤行爲?)
2. ○모르겠다

0228

問二十一. 이곳에 駐屯하고 있는 美軍들에게 우리나라와 우리나라 사람에 對한 認識을 보다 좋게 하기 위해서는 어떤 方法이 있다고 생각하십니까?

1.

2.

3.

問二十二. 美軍이나 유엔軍들이 外出하여 이곳에서 보다 유쾌한 時間을 보낼수 있게 하자면 어떤 조치가 필요하다고 생각하십니까?

1.

2.

3.

問二十三. 美國政府나 美軍側에 對한 要望事項이 있으시면 이 機會에 말씀하여 주십시요。

1.

2.

3.

問二十四. 여러분이 살고계신 地域에 對하여 우리政府에서 여러가지 解決하여야 할 일이 많은데 선생께서는 무엇부터 먼저 解決해 줄것을 바라십니까?

1.

2.

3.

0229

問二十五. 끝으로 다음 여러나라중에서 선생께서 제일 좋아하는 나라와 제일 싫어하는 나라 하나씩만 ○표하여 주십시요.

	불란서	일 본	미 국	중 공	스위스	인 도	소 련	서 독
좋아하는나라								
싫어하는나라								

다음 事項은 統計를 내는데 必要하오니, 해당란에 ○표 하나만 記入하여 주십시요.

問二十六. 性 別

1. ○男

2. ○女

問二十七. 年 齡

1. ○ 20 歲 ~ 29 歲

2. ○ 30 歲 ~ 39 歲

3. ○ 40 歲 ~ 49 歲

4. ○ 50 歲 ~ 59 歲

5. ○ 60 歲以上

問二十八. 學歷 (中退者包含)

1. ○無學 (文盲)

2. ○한글解得

3. ○國民學校

4. ○中學校

5. ○高等學校 (舊制中學包含)

6. ○專門 및 大學以上

0230

問二十九. 職　業

〇 職　業 (　　　　　　　　　　)

問三十. 出身道

(　　　　　　　　道)

調査地点 ____________________

0231

調 査 地 点 表

1964.7

番 號	調 査 地 点	標 本 数	備 考
1	坡州郡 泉峴面 法院一里	50	
2	〃 二里	50	
3	臨津面 汶山一里	50	
4	〃 〃 二里	50	
5	〃 仙遊一里	50	
6	〃 仙遊四里	50	
7	州内面 坡州一里	50	
8	〃 〃 二里	50	
9	〃 延豐一里	50	
10	〃 〃 二里	50	
11	楊州郡東豆川邑東豆川一里	50	
12	〃 東豆川二里	50	
13	〃 生淵四里	50	
14	〃 保山里	50	
15	〃 生淵五里	50	
16	〃 廣岩里	50	
17	平澤郡 松炭邑 新場一里	50	
18	〃 〃 二里	50	
19	〃 芝山一里	50	
20	〃 〃 二里	50	

0232

기 안 용 지

자 체 통 제		기안처	미주과 이 근 팔	전화번호	근거서류접수일자

	과 장	국 장	차 관	장 관		
	(서명) 11/11	(서명)				

관 계 관 서 명	

기 안 년월일	1964. 11. 11.	시 행 년월일		보 존 년 한		정 서	기 장
분 류 기 호	외구미 722.2—	전 체 통 제		종결			
경 유 수 신 참 조	건 의			발 신			
재 목	주둔군지위협정 체결 교섭에 관한 P.R. 활동						

1. 한.미간 주둔군지위협정 체결 교섭에서 검토되고 있는 형사재판관할권, 민사청구권 및 노무조달등 중요 조항의 한.미 쌍방의 문제점과 체결될 협정의 방향을 국민에게 인식시킴으로서 협정 체결에 대한 국민의 협조적인 태세를 함양시키고 아울러,

2. 미국측에 대하여 우리 정부의 교섭 방침을 간접적으로 제시함과 동시에 협정의 실지 운영에 있어서 우리 정부는 국제 선례에 따라 미측에 적극적으로 협조할 용의가 있음을 다짐함으로서 교섭의 조기 타결을 촉구하기 위하여

3. 국내 중요 일간지를 통하여 별첨과 같은 내용을 국민에게 계몽 선전코저 하오니 재가하여 주시기 바랍니다.

유 첨: 주둔군지위협정 체결 교섭에 관한 P.R. 자료. 끝.

0233

승인서식 1—1—3 (11—00900—03) (195mm×265mm16절지)

1966, 10, 7, 에 예고문에 의거 일반문서로 재분류됨

차관 지시로 보류 五五. 1. 七 (서명)

4부중 1부 - 결재용(차관실)
1부 - 장관실용보관
2부 과에서 보관

주둔군지위협정 체결 교섭에 관한 PR 자료

내 용

0234

한·미간 주둔군지위협정 체결
교섭에 대한 고찰

1. 행정협정 발달의 역사적 고찰

제2차대전이후 세계는 서로 정치적 이념을 달리하는 동서양진영으로 대립되는 현상을 나타내게 됨에 따라 미국을 중심으로한 민주주의 서방제국과 쏘련을 중심으로 한 공산주의제국은 서로 집단안전보장체제 또는 방위동맹을 형성하여 이른바 냉전을 계속하여 왔다. 이러한 국제적 긴장속에서 미국은 자유우방제국과 더불어 공산침략으로 부터 자유세계의 안전보장과 나아가서는 항구적 세계평화의 유지를 위하여 그 군대를 널리 세계 우방제국에 주둔시키게 되었으며 오늘날 그규모는 역사상 일직이 그유례를 찾아볼수 없을만큼 광범위한 것이다. 이와 같이 많은 미국군대가 우방제국에 주둔하게 됨에 따라 미국과 미군을 받아들이는 접수국간에 주둔군군인 군속 및 그들가족의 특권 및 면제 ~~당사국간에 미군의 신분이나~~ 또는 미군이 사용하는 시설에 관하여 규제하게 되었는바 이것이 오늘날 흔히 행정협정이라고 불리우는 주둔군지위협정인 것이다. 따라서 주둔군지위협정은 자유우방국가간의 상호방위조약 혹은 집단안전보장체제와의 밀접한 관련하에 발달하여 온것을 알수 있으며 현재 미국은 1951년 6월 19일에 론돈에서 서명된 북대서양조약 당사국간의 그들의 군대지위에 관한 협정(NATO 협정) 및 1960년 1월 19일 동경에서 서명된 미국과 일본간의 상호협력 및 안전보장조약 제6조에 의거한 시설 및 구역과 일본에 있어서의 미국군대지위에 관한 협정을 비롯하여 1963년 5월 9일 "칸베라"에서 서명된 미국과 호주간의 미군대지위협정에 이르기까지 무려 40여개국과 주둔군지위 협정을 체결하고 있는 실정이다.

0235

2. 행정협정의 일반적의의 및 내용

행정협정이란 주로 미국에서 발전해온 것으로서 행정부가 의회의 비준 동의없이 타국정부를 상대로하여 체결한 협정을 말한것인데 과거 미국이 외국에 주둔하는 미국군대의 지위를 규정하는 협정을 체결함에 있어서 소위 Executive Agreement의 형식을 취한 일이 간혹 있어 주둔군지위협정이 행정협정이라고도 불리우게 된 것이다 ~~이러한 본래의 행정협정은 점차적으로 미국군대의 외국주둔이라는 현상과 더불어 군사적의의를 갖게 되었으며 주로 한나라의 군대가 타국영토에 주둔하는데 관련된 명시적 의사합의 형태로 발전하게 되었다~~.

외국군대가 우방국가에 주둔함에 따라 파견국은 자국군대가 방위임무 수행에 지장이 없도록 최대한도의 치외법권을 향유할수 있게 되기를 희망할것이며 한편 접수국은 지국영토내에 주둔하는 외국군대가 자국의 법을 최대한도로 존중할것을 바라게 되는 서로 이윤배단적인 문제가 생기게 됨에 따라 이에 수반하여 당사국간에 주둔군이 어떤 한도내에서 권리와 의무, 특권과 면제를 향유할 것인가를 규제할 필요가 야기되는 것이다. 이와 같이 하여 주둔군지위협정은 봉상, 주둔군의 군대 구성원, 군속 및 그들의 가족들의 신분과 법적지위를 규율함과 아울러 접수국 법률의 적용범위를 규제하고 있는바, 동협정에서 규제할 대상에는 복잡한 많은 문제가 포함되며 그중 형사재판관할권, 민사청구권, 토지시설, 관세업무 출입국관리, 조세문제등은 특히 중요한 규제대상이라 하겠다.

3. 행정협정 체결의 필요성

우리나라를 공산침략으로 부터 방위하기 위하여 미군이 주둔한지 어언 10여년이 지났다. 지금까지의 사정을 회고하건대 동두천 지구 미군부녀 2명에 대한 삭발사건을 비롯하여 파주의 나무꾼 린치사건 및 최근의 운천리사건등 실로 열거하기 어려울 정도로 많은 사건이 돌발하였다. 이로 인하여 우리국민의 감정은 격화되었고 여론은 불등하여 조속한 행정협정체결을 갈구하는 마음

한이없다. 그러나 한국동란이 발발하자 1950.7.12일 대전에서 각서교환 형식에 의하여 성립한 소위대전협정은 잠정적으로 주한미군에 대한 배타적 형사재판관할권을 미군법회의에 부여하고 있는 형편으로서 이는 "전쟁이라는 긴박한 상태"를 전제로 한것인으로 휴전이된 현금에도 한미간에 주둔군지위협정 ~~행정협정~~이 체결되지 못하여 소위 대전협정이 폐기되지 않고 있음은 심히 유감스러운 일이다. 물론 우리정부가 행정협정을 체결코저 10여년간 꾸준히 미군측에 교섭하여 온바를 모르는 바는 아니나 이제 1962년 9월부터 본격적인 교섭을 진행시켜서 최종적 협정체결을 안전에 두고 있는 이마당에 어째서 동교섭이 지연되는가를 한번 고찰하여 봄으로서 일반이 ~~국민전체가~~ 아직도 잘모르는 문제점을 밝혀보고저 한다.

4. 고섭경위

우리정부가 국민의 염원에 호응하여 주한미군의 지위를 규제하는 주둔군지위협정 체결 고섭을 개시할것을 미국측에 촉구한 것은 상당한 시일에 달하지만 한·미 양국이 본격적으로 고섭을 시작한 것은 1962년 9월 20일 제1차 실무자회의를 개최한 때라 하겠다. 그후 양국 실무자 대표단은 각기 자국의 초안을 고환하고 꾸준하게 회의를 거듭한 보람이 있어 금년도 국정감사가 실시되기 직전인 9월.9일까지 62회에 달하는 회의를 개최하였으며 그간총 29개조항중 출입국관리, 관세, 조세, 현지조달 조항을 위시하여 20개조항에 완전합의를 보는 단계에 이르렀다. 그러나 상금 합의를 보지 못하고 있는 9개조항에는 형사재판관할권, 민사청구권, 노무조달등 몇몇 어려운 문제를 내포하고 있는 조항들이 있는것으로 보인다.

5. 고섭지연의 요인

이와같이 고섭이 쉽사리 타결되지 않고 있는 이유는 여러가지 들을수 있겠으나 첫째로 우선 양국고섭단이 상기와 같은 어려운문제를 위요하고 자국의 실리를 최대한으로 확보하려고 신중을 기하고 있다는데 있으리라고 보아야 하겠다. 둘째로는 상기한 미합의 9개 조항중에서도 특히 쌍방교섭단간에 상당한 의견이 대립되어 있으며 본협정 체결의 "키"가 되는 조항은 형사재판관할권이라고 할수 있으므로 이에 대해서는 문제점 별로 상세히 그내용을 검토해 보고자 하나, 그외에도 민사청구권 및 노무조항등에 대하여 간단히 문제점만을 제시하고 넘어가고자 한다.

가. 민사청구권

주한미국군대의 구성원 및 피고용자들이 그들의 임무를 수행함에 있어 혹은 임무수행과는 관계없이 한국정부나 국민에 대하여 고의 또는 과실로 인한 불법행위로 인하여 생명의 침해 및 재산상의 손해 혹은 신체를 해하는 일이 발생하게 됨은 불가피할 것이다. 또한 미국군대가 법적책임을 지는 불법행위로 인하여 민사청구권 문제가 많이 야기될수 있는 것이다.

따라서 이러한 우리정부 혹은 국민에 대한 손해를 보상받을수 있는 방법이나 그한계등에 관한 규정이 마련되어야 함은 당연할 것이다.

이문제에 관련하여 미·일협정이나, 나토협정이나 또는 최근에 체결된 미국과 호주간의 협정등에서 민사청구에 관한 규정을 찾아보면 정부재산을 제외하고는 모두 접수국의 관계법에 따라 처리,해결되게 되어 있는 것이다.

여기서 우리가 가장 관심을 갖게되는 것은 공무
(미군 구성원 및 모든 피고용자와)
집행중에 있는 ~~있거나 혹은~~ 비공무중에 있는 미군 (구성원 및 한국인와 한국에) ~~및 미군~~
(통상적으로 거주하는 사람을 제외한 미군)
피고용자들이, 또는 미군당국이 우리나라 국민에게 손해를 주었을때에 우리나라 국민이 어떤 방법으로 공평하고

0238

신속하게 배상을 받으므로서 구제될수 있는가 하는 문제일 것이다. 현재 이러한 피해자들은 미육군성에서 제정한 "외국에서 일어나는 청구"라는 육군규정에 의거 미8군이 운영하는 미군소청사무소에 직접 손해배상을 신청하여 구제를 받을수 있을 뿐인바, 이는 미군당국에서 그들의 법규에 의거 일방적으로 배상금을 사정하여 피해자에게 지불하고 있는 것이며 피해자는 이에 불복이 있을때에 한국법에서 보장된 바와 같은 공정한 재판을 받을 권리가 부여되어 있지 않을 뿐만 아니라, 같은 한국내에서의 손해일지라도 미군에 의한 손해일 경우에는 미군육군규정에 의하여 단순히 처리되고 있어 우리나라 영토내에서 우리나라국민이 우리의 법의 보호를 받지 못하고 있는 실정에 놓여있는 것이다.

따라서 우리나라에 있어서도 이러한 경우에는 당연히 상기 외국의 제협정과 같이 우리나라 법에 의거 해결할수 있도록 규정되어야 함은 논의의 여지가 없을 줄로 본다.

한가지 여기서 강조하고 싶은 점은 현재 우리나라의 국군 혹은 기타 정부공무원이 그직무를 행함에 있어 고의 또는 과실로 법령에 위반하여 타인에게 손해를 가하였거나 혹은 도로, 하천 기타 공공의 영조물의 설치 또는 관리에 하자가 있어 타인에게 손해가 발생하였을 경우에는 국가배상법과 동시행령에 따라 국가배상위원회에서 국가의 책임을 신속하고 공정하게 결정 처리하고 있다는 것이다. 따라서 흔히 일어날수 있는 미군에 의한 손해가 공무 집행중의 미군의 행위에 의한 경우이거나 혹은 미군당국이 법적으로 책임이 있는 손해일 경우 일지라도 이상과 같은 방법으로 미군당국의 손해배상책임을 우선 국가배상위원회에서 우리법에 따라 신속하고 공정하게 결정할수 있도록 해야 될것이며 또한 이러한 해결방법이 미국이 타국과 체결한 대부분의 협정의 선례에서도 찾아볼수 있는 것이다. 다만 구태여 문제되는 점이 있다면 우리나라의 국가배상제도의 역사가 짧다는 점과 동일 성질의 사건을 처리하는데 있어 미국당국이 부담할 보상액을 한국정부의 경우 보다 과중하게 책정하지나 않을까 하는 점에 대한 미국측의 의구심이 있지나 않을까 예상된다는 점이다.

그러나 현재 국가배상업무에 직접관여하고 있는 법무부 당국자의 말에 의하면 우리나라의 국가배상위원회의 심의위원들은 대개가 20여년의 법관, 변호사 혹은 대학교수 생활을 한바 있는 유능한 법조계의 인사들로 구성되고 있으며 그들이 배상액을 심의사정함에 있어서는 그들의 풍부한 경험을 살려 국제적으로 통용되고 있는 "호프만 방식"과 같은 제반기준과 풍부한 한국법정의 판례에 의거하여 신속하게 처리하고 있다는바, 그공정성이 국제적 수준에 달하고 있음을 알수있다. 또한 주권국가의 법의 존엄성과 양국간의 우호관계를 고찰할때 미군에 대한 차별대우는 있을수도 없는 일인 동시에 외국의 협정예를 보드래도 공무집행중의 행위에 의한 손해에 대하여는 양국정부가 일정한 비율에 의거 분담하게 되어 있어 실제적으로는 미군에 대한 차별대우는 그이해관계가 한국정부에 직결되게 되므로 이러한 문제는 우려할 성질의 것이 아니며 이러한 문제점으로 인하여 본협정 체결지연의 요인이 된다고는 볼수 없다.

나. 노무조항

현재 미군에게 고용되고 있는 노무자는 3만여명에 달하고 있다. 따라서, 미군은 이들에 대한 모집, 임명, 급여, 해직등 고용조건 및 그들의 보호 및 복지를 위한 조건과 기타 노무자의 권리에 관하여 한국의 노동법 및 관계법규를 준수하여야만 될것이다. 이와 같은 내용을 미국이 체결한 각국과의 협정에서도 그예를 찾아 볼수 있는 것이다.

0240

- 6 -

그러나 여기서 몇가지 문제될수 있는 점을 들어 보자면 첫째로 우리나라 노동관계 법규에 의하면 노동관계 당사자간에 분쟁이 야기될시 이를 해결하기 위하여 법정에 소송을 제기할수 있게 되어 있다. 그러나, 미군이 관련된 분쟁해결에 있어서도 미군이 피고로서 법정에 출두해야 될것이냐 하는 문제를 둘수 있다. 그러나 각국의 선례를 보면 미군이 직접 법정에 출도하는 예는 찾아볼수 없음으로 국제선례에 따라 분쟁을 해결하는 방도가 마련되어야 할것이다. 둘째로 미군에 종사하는 노무자가 우리법에 규정된 모든 권리를 당연히 향유하여야 될것이나 미군이 우리나라의 방위를 위하여 주둔하고 있는만큼, 동사명의 수행에 지장을 초래할 정도로 노무자의 파업권이 존중되어야 할것인가의 문제를 들수 있다. 그러나, 법적으로 인정된 권리는 원칙적으로 박탈될수 없다는 데에는 이론의 여지가 있을수 없으며 다만 군의 사명을 완수하는데 지장을 주는 결과가 초래된다면 이는 엄격히 방지되어야 할것이다. 따라서 미군당국과 한국의 노동관계 당국은 이와같은 곤난점을 실지운영을 통하여 해소하도록 상호 긴밀한 협조가 요망되는 것이다.

다. 형사재판관할권

행정협정에서 말하는 형사재판관할권에서 다루어지는 과제는 두말할나위도 없이 소위 대전협정의 존속으로 말미아마 주둔군의 군인, 군속, (또는 그들의 가족)에 의하여 발생한 범죄에 대하여 미국당국이 배타적으로 관할권을 행사하고 있는 현상태를 타파하고 어떤 경우에 파견국 또는 접수국당국이 재판권을 행사할 것이냐 하는 것을 결정해야 하는 문제인데 이문제가 상금 해결을 보지 못하고 교섭이 답보상태에 있는 요인을 살펴보면 한마디로 말하여 미국이 형사재판관할권 행사에 대한 우리나라의 태도 또는 아량에 대하여 일종의 불신을

0241

가지고 고섭에 입하고 있는데서 연유하고 있지나 않을가 추측된다. 그러나 우리가 강조코저 하는 것은 한·미간에 체결된 협정은 나토협정이나, 미·일협정등 일반적 국제선례에 따라 해결되어야 한다는 것이며 협정의 실지운영에 있어서는 우리나라는 미군의 방위목적의 완수를 위하여 주둔군당국에 최대한도로 협조하리라는 것은 추호도 의심할 여지가 없는 것이다.

이제 개개 범죄에 따라 관할권 행사당국이 결정되는 과정을 고찰하여 보면 다음과 같다.

(1) 전속적 관할권과 경합적 관할권

관할권이라면 전속적 관할권과 경합적 관할권의 두가지를 둘수 있는데 전자는 국가의 안전에 관한 범죄를 모함하여 일국가의 법에 의하면 범죄를 구성하나 타방국가의 법에서는 범죄가 구성되지 않는 범죄에 대한 관할권을 의미하는 것으로서 해당범죄의 건수도 극히 적고 또 법익이 침해된 국가만이 관심이 있을것임으로 관할권 행사에 있어 한미양국간에 문제될 것이 없는 것이다. 그러나 대부분의 범죄는 후자인 경합적 관할권에 해당하는 범죄로서 경합적 관할권이라 함은 파견국과 접수국법에 의하여 다같이 범죄를 구성하게 되어 서로 각기 재판권을 행사할수 있는 경우를 말하며 이때에는 양국중 어느국가가 ~~먼저~~ 재판권을 행사해야 할것인가를 당사국간에 결정할 필요가 생긴다. 국제선례를 보면 일반적으로 파견국은 자국군인, 군속 및 가족에 의하여 이루어진 범죄로서 (ㄱ) 전적으로 자국의 안전이나 재산에 대한 범죄 또는 자국군인, 군속, 가족의 신체나 재산에 대한 범죄와 (ㄴ) 공무집행중 작위 또는 부작위에 의하여 발생된 범죄에 대하여 우선적으로 관할권을 행사하며 접수국은 그외의 범죄에 대하여 관할권을 행사하게 되어 있다. 참고로 미군관계 사건수는 내무부 당국의 기록에 의하면 매년 200건 전후라고 하며 1962년도 이래의 미군관계 사건에 관한 통계를 보면 다음과 같다.

미군 사건 통계

구분 / 년도별	폭행	상해	살인	강(절)도	기타	계
1962년도	107	64	13	3	31	218
1963년도	106	48	7	2	52	215
1964년도 (10월말현재)	83	52	9	6	30	180
계	296	164	29	11	113	613

(주) 상기 사건수에는 교통법규 위반사건은 포함되지 않었음.

(2) 공무집행중 범죄

우리나라에는 상당한 수의 미군이 주둔하고 있는 관계로 미군에 의한 총격사건을 비롯하여 각종사건이 종종 발생하는데 미군인에 의한 범죄가 발생하였을시 그범죄가 공무집행중 발생하였는가의 여부에 따라 관할권의 행사 당국이 결정될것인바 일본, 나도등 각국의 협정에서의 선례는 다같이 제1차적으로 파견국 군인이 소속하고 있는 군대지휘관이 발행하는 공무집행중 범죄증명서의 내용에 따라 공무집행중 범죄 여부를 결정하게 되어 있으며 파견국당국이 발행한 증명서의 내용에 대하여 접수국당국은 이의 또는 반증을 제시할수 있는 것이 통례가 되어 있다. 따라서 이문제에 있어서는 접수국이 이의 또는 반증을 제기할 경우 쌍방의 의견차의 및 주장을 어떻게 해결하느냐, 다시 말하자면 접수국이 제기한 이의 또는 반증을 파견국당국이 어느정도까지 인정하느냐라는 점이 관건이 되고 있는 것이다. 참고로 공무집행중 범죄 여부의 결정에 관한 각국협정의 선례를 보면 다음과 같다.

(가) 미.일협정

범죄가 발생하였을 경우 관계미군인이 소속하고 있는 미군지휘관이 동범죄가 공무집행중 행위에 의하여 발생하였다는 증명서를 발행하면 그증명서는 반증이 없는한 충분한 증거가 된다. 그러나 상기규정은 법관의 자유심증주의에 관한 일본형사소송법 제 318 조의 규정을 저해하는 것은 아니다.

(나) NATO 협정

관계미군인이 소속하고 있는 미군지휘관이 발행하는 증명서는 반증이 없는 한 충분한 증거가 된다.

(다) 형사소송과정에 있어서 미군관계 범죄가 공무집행중 발생하였는가의 여부를 결정할 필요가 생길때에는 파견국의 법에 따라 결정되어야 하며 독일법정 또는 관계당국은 파견국의 최고관계 당국자가 제출한 증명서의 내용에 따라 결정하여야 한다. 그러나 예외적으로 독일당국이 요청하면 독일정부와 파견국의 외교사절간에 재심될수 있다.

이상 국제적 선례를 고찰하여 보아 알수 있듯이 미군관계 범죄가 발생한 경우 그범죄가 공무집행중 범죄 여부인가에 대하여 제1차적으로 미군당국에 증명서 발행의 권한을 인정하는데는 아무이의가 없으나 우리로서는 어떤 범죄가 공무집행중 행하여 졌다는 미군의 증명서가 발급된 경우에도 우리나라에서 일단 반증이나 또는 이의를 제기한 때에는 공무집행중 범죄로 미군당국의 일방적인 의사에 의하여 결정되어서는 않되며 어디까지나 우리측의 주장이 존중되어 원만한 해결을 볼수있는 길이 한·미협정에서는 마련되어야 한다고 보는 바이다.

과거 국민의 관심을 환기시킨 바있는 여러 미군관계사건(예를 들면 운천리사건)은 그대부분이 우리측의 재판관할권을 주장하기 전에 그러한 사건들이 공무집행중 발생한 범죄인지 아닌지를 먼저 검토하여야 할 사건들이며 상기한 바와 같은 국제적 선례에 비추어 볼때 지금까지 문제시된 총격사건들은 대부분 공무집행중 이루어진 작위 또는 부작위에 의한 범죄라고 판정되지 않을가 생각된다.

이렇게 살펴보면 과거 총격사건이 발생할때 마다 대두된 ~~행정협정~~ 주둔군지위협정의 조기체결을 촉구한 여론은 문제의 핵심에 대한 정확한 이해에서 우러나온 것이라곤 볼수 없다.

한마디로 말하자면 정부나 국민이 한결같이 형사재판관할권에 대한 합의 나아가서 ~~행정협정~~ 주둔군지위협정 전반에 대한 조기 타결을 희구하고 있는 것은 우리나라가 하나의 주권국가로서 우리나라에 주둔하고 있는 외국군대에 대하여 원칙적으로 보유해야할 사법권을 회복하려는데 있는 것이지 우리가 개개의 총격사건에 대하여 일률적으로 재판권을 주장하려는데 있는 것은 아니라고 할수 있다.

(3) 관할권의 포기

위에서 말한바와 같은 절차에 따라 일단접수국이 관할권을 행사하게 된경우 파견국이 관할권의 포기를 요청하면 접수국은 특히 중대하다고 인정되는 범죄를 제외하고는 이요청에 응하여 상당율의 범죄를 파견국에 포기하는 제도가 발달되었다. 즉 일방당사국이 행시하기로 결정된 관할권을 요청에 따라 타방당사국에 이양하는 특수한 포기제도가 각국간에 인정되어 온 것은 생각컨대 관할권행사 그자체를 초월하여 일방당사국이 특수한 이유로 재판권을 행사하기를 희망하는 사건의 관할권을 구국가에 포기함으로서 국제사회에 있어서 국가간의 우의를 증진하려 한데서 부터 연유한 것이 아닌가 한다. 각국 협정을 살펴보면 다음과 같은 포기에 관한 유형이 있음을 알수있다.

(가) 나토협정, 미·일협정, 미국·오스트리아 협정:

만약 일방당사국으로 부터 관할권을 갖고 있는 국가에 관할권 포기요청이 있으면 타방당사국은 특히 중대하다고 인정하는 경우를 제외하고는 그러한 요청에 대하여 호의적인 고려를 하게되어 있다.

(나) 희랍협정:

희랍 당국은 미군법에 복하는 자에 관한한 질서와 기율을 유지할 주된 책임이 미국 당국에 있음을 인정하여 미국당국으로부터 신청이 있으면 희랍당국이 관할권을 행사하는 것이 중대하다고 인정하는 경우를 제외하고는 미국당국에 관할권을 포기하게 되어 있다.

(다) 독일보충협정

파견국의 요청이 있으면 독일국은 독일국이 행사하게 되어 있는 관할권을 일단 파견국에 포기하며 그후 만약 독일국이 특정한 경우 특수한 이유로 독일국이 관할권을 행사하는 것이 불가결하다고 인정할때에는 포기를 철회하게 되어 있다.

이상 관할권 포기에 관한 3가지의 형태를 보건데 절차상 접수국이 일단 포기한 연후 중대하다고 인정되는 범죄를 파견국으로 부터 이양받는다는 독일보충협정의 내용과 접수국에서 중대하다고 인정하는 범죄 이외의 기타 사건만을 파견국에게 포기해주는 두가지 형태로 대분할수 있겠으나 어떤 형태이든 간에 모두가 파견국에게 관할권을 포기한다는 점은 동일한 것이다. 그러면 이와 같은 포기제도 밑에서 여러나라들은 관할권 행사를 실지로 어느정도 포기하고 있는가를 다음과 같은 통계에서 보기로 하자.

(라) 관할권 포기통계 (별표참조)

상기 통계로 보아 세계적인 포기의 경향을 알수 있거니와 1961년 12월 1일부터 1962년 11월 30일까지의 각국 총포기율이 59퍼센트였음에 비하여 1962년 12월 1일부터 1963년 11월 30일까지의 포기율은 70.45퍼센트에 달하여 점차적으로 증가하는 경향을 보이고 있다. 가장 포기율이 많은 국가는 미군이 많이 주둔하고 있는 일본, 독일, 불란서등 국가로서 보통 80 내지 90 퍼센트의 포기율을 보이고 있으며 특히 일본의 91.6 퍼센트 및 화란의 97.2 퍼센트등은 주목할만한 고율이다. 따라서 실지 접수국들이 재판에 회부한 건수는 얼마되지 않음을 알수 있다. 물론 이와 같이 관할권 행사의 포기율이 높은 것은 많은 교통법규 위반 사건이 포함되고 있는 때문이기도 하지만 기타 일반범죄의 경우도 상당히 포기되고 있다는 것을 알수 있다. 참고로 교통법규 위반 사건수를 보면 1962 년 12 월 1 일부터 1963 년 11 월 30 일까지에 일어난 총 19,017 건의 사건중 교통법규위반사건이 12,713 건에 달하고 있으며 이는 총건수의 63 퍼센트에 해당한다.

이상 세계각국에서 관할권을 포기하고 있는 현황을 살펴보았는데 우리나라에서도 어느나라 못지 않게 관대하게 많은 범죄사건에 대한 관할권을 미군당국에 포기할 용의가 있을 것으로 보지만 모든 사건에 대한 관할권을 미당국에 일단 포기한후 미당국의 동의를 얻어 우리가 재판해야할 중요한 사건에 대한 관할권을 다시 회복하는 번잡스럽고도 불필요한 절차를 거칠것 없이 처음부터 우리가 주권국가로서 재판해야 되겠다고 생각하는 중요한 사건은 우리가 재판하고 기타 범죄는 미당국에 포기하는 말하자면 우리나라

스스로가 포기할 것인가의 여부를 결정할수 있는 재량권을 유보하여야 한다는 것이다.

6. 결론

이상 형사재판관할권을 주심으로 한 관할권의 결정절차, 공무집행중 범죄 및 관할권의 포기등 몇가지 문제점을 고찰하였다. 양국실무자들이 각기 자국의 이익을 위하여 신중히 교섭에 임하고 있는 것은 이해할수는 있으나 한국측은 특히 중대하다고 생각하는 경우를 제외하고는 타국의 선례에 따라 양보할것은 양보하고 불충분한 점이 있으면 시정하여 관대하게 미측에 협조하는데 추호라도 인색하지 않기 바라며 미국측도 한국이 주권국가로서 법을 공정, 성실하게 운영할것을 신뢰하고 국제선례를 토대로 하여 협정을 맺도록 교섭을 진행하기 바란다. 또 그렇게 하드래도 협정의 실지운영에 있어서는 미측이 기대하는 이상으로 한국의 협조를 얻게될 것을 확신하는 바이다.

재삼 부탁하오니 한.미양국은 자국의 주장만을 고집하지 말고 양국간에 맺어지고 있는 전통적인 우호관계의 증진이라는 대국적 견지에서 호양의 정신으로 현안인 교섭을 하루바삐 타결할것을 촉구하여 마지 않는 바이다.

각국의 관할권 포기에 관한 통계

기간 : 1962.12.1 – 1963.11.30
괄호내 수자는 전년도인
61.12.1 – 62.11.30까지의 통계

1. NATO 협정 제국

국가명	접수국의 관할권에 속하는 범죄건수		포기건수		관할권포기율 (퍼센트)	
Belgium	56	(42)	56	(20)	100	(47.6)
Canada	401	(415)	19	(21)	4.7	(5.0)
Denmark	5	(2)	3	(1)	60.0	(50.0)
France	4,625	(4,454)	3,928	(3,841)	84.9	(86.2)
Germany *	6,188		5,512		89.0	
Greece	45	(36)	36	(35)	80.0	(97.2)
Italy	271	(305)	163	(100)	60.1	(32.7)
Luxembourg	43	(26)	10	(3)	23.2	(11.5)
Netherlands	247	(119)	247	(119)	100.	(100.)
Norway	4	(1)	0	(1)	0.	(100.)
Portugal	0	(0)	0	(0)	–	–
Turkey	116	(95)	54	(6)	46.5	(6.3)
U. K.	1,640	(2,037)	144	(345)	8.7	(16.9)
Total	13,641	(7,532)	10,172	(4,492)	74.5	(59.6)

* 독일은 1963년 7월 1일에 NATO-SOFA 의 당사국이 되었음.

0250

협 조 전

응신기일

분류기호 외구미 913 제목 1964년도 일반국정감사결과 시정조치 통보

수신 기획관리실장 발신일자 64.11.13 (협조제의)

구 미 국 장 (발신명의) 장 상 문

(제1 의견)

1. 외기획 101 (1964.10.31) 1964년도 "일반국정감사결과시정조치"에 관련됩니다.

2. 1964년도 일반국정감사결과 당국에서 시정 및 건의할 사항에 대하여 별첨과 같이 이를 작성 송부합니다.

(제2의견)

유첨 - 주둔군지위협정 체결 교섭에 대한 국정감사 결과 조치. 끝

공통서식 1—23 (16절지)

0251

주둔군지위협정 체결 교섭에 대한 국정감사 결과 조치

1964년 10월 16일 국회외무위원회에서 의결된 국정감사보고서중 주둔군지위협정 체결 교섭에 관한 총평 및 건의사항에 의거 동교섭을 조속한 시일내에 타결하기 위하여 관계부처와의 긴밀한 협조하에 한·미간 실무자급의 교섭회의를 계속 개최하는 동시에 다음과 같이 고위층회담의 추진 및 국민에 대한 PR 활동을 전개코저 함.

1. 고위층 회담을 통한 교섭 촉진

가. 주한미국대사를 통한 교섭

실무자회의에서 해결되기 어려운 문제에 관하여서는 장관이 수시 주한미국대사를 초치하여 우리측 입장을 수락할것을 요청하고 미측의 성의를 촉구하여 교섭을 주기에 타결토록 노력한다. 장관은 9.18 이래 수차 "부라운"대사를 불러 최단시일내에 교섭을 타결할 것을 촉구한바 있으며 미국대사는 본국정부의 훈령을 기다려 단시일내에 합의할수 있도록 노력하겠다고 다짐하였음.

나. 주미대사를 통한교섭

주미대사에게 지시하여 중요문제에 대한 우리측 입장을 미국정부 관계관에게 납득시키며 협정을 조기에 타결코저 하는 것이 우리정부의 입장인을 강조한다. 10월 29일 주한미군총사령관 "하우스" 장군이 미군방송을 통하여 협정의 조기타결에 관한 희망적 견해를 피력하였음을 계기로 주미대사로 하여금 미국정부관계관을 접촉하여 우리정부가 년내에 교섭을 종결할것을 희망하고 있음을 강조하고 미측의 성의를 촉구케한바 있음.

0252

다. 내한하는 미국정부 고위층 인사를 통한 교섭

한국을 방문하는 미국국무성 또는 국방성의 고위층 인사에게 우리입장을 수락할것과 교섭을 단시일내에 타결할 것을 강조한다.

지난 9월부터 10월초까지 내한한 미국무성의 "번디" 차관보에게도 동문제를 제기한바 있음.

2. 국민에 대한 PR 활동

협정체결 전후를 기하여 교섭의 문제점과 체결후의 실지운영상황을 국민에게 인식시킴으로서 국민의 협조적인 태세를 함양하기 위하여 각종 보도기관을 이용하여 국민에 대한 PR 활동을 한다.

0253

주둔군지위협정 체결 교섭에 대한 국정감사 결과 조치

1964 년 10 월 16 일 국회 외무위원회에서 의결된 국정감사보고서중 주둔군지위협정 체결 교섭에 관한 총평 및 건의사항에 의거 동 교섭을 조속한 시일내에 타결하기 위하여 관계부처와의 긴밀한 협조하에 한.미간 실무자급의 교섭회의를 계속 개최하는 동시에 다음과 같이 고위층회담의 추진 및 국민에 대한 P.R. 활동을 전개코저 함.

1. 고위층 회담을 통한 교섭 추진

가. 주한미국대사를 통한 교섭

실무자회의에서 해결되기 어려운 문제에 관하여서는 장관이 수시 주한미국대사를 초치하여 우리측 입장을 수락할 것을 요청하고 미측의 성의를 촉구하여 교섭을 조기에 타결도록 노력한다. 장관은 9.18. 이래 수차 "브라운"대사를 불러 최단시일내에 교섭을 타결할 것을 촉구한바 있으며 미국대사는 본국정부의 훈령을 기다려 단시일내에 합의할 수 있도록 노력하겠다고 다짐하였음.

나. 주미대사를 통한 교섭

주미대사에게 지시하여 중요 문제에 대한 우리측 입장을 미국 정부 관계관에게 납득시키며 협정을 조기에 타결코저 하는 것이 우리 정부의 입장임을 강조한다. 10 월 29 일 주한미군 총사령관 "하우즈"장군이 미군방송을 통하여 협정의 조기 타결에 관한 희망적 견해를 피력하였음을 계기로 주미대사로 하여금 미국정부관계관을 접촉하여 우리 정부가 년내에 교섭을 종결할 것을 희망하고 있음을 강조하고 미측의 성의를 촉구케 한바 있음.

다. 내한하는 미국정부 고위층 인사를 통한 교섭

한국을 방문하는 미국국무성 또는 국방성의 고위층 인사에게 우리 입장을 수락할 것과 교섭을 단시일내에 타결할 것을 강조한다.

0254

지난 9월부터 10월 초까지 내한한 미국무성의 "번디" 차관보에게도 등 문제를 제기한바 있음.

2. 국민에 대한 P.R. 활동

협정 체결 전후를 기하여 교섭의 문제점과 체결 후의 실지운영상황을 국민에게 인식시킴으로서 국민의 협조적인 태세를 함양하기 위하여 각종 보도기관을 이용하여 국민에 대한 P.R. 활동을 한다.

0255

구주공관장회의 안건 (1964. 11. 30)

주둔군지위협정 체결 교섭

1. 교섭경위

주한미군의 지위를 규제하기 위한 주둔군 지위협정의 체결 교섭은 1962년 9월 20일 제1차 실무자회의를 개최한 이래 한·미양국은 1964년 11월 24일까지 66회에 달하는 실무자급 회의를 개최하여 그간 총 29개 조항중, 20개조항에 완전 합의를 보았다. 합의를 보지 못하고 있는 9개 조항중 형사재판관할권을 포함한 7개조항은 토의중에 있으며 협정의 발효절차 및 유효기간에 관한 2개 조항은 상금 초안을 교환치 않고 있다.

2. 교섭현황

(1) 총 29개조항중 20개조항에 합의.

(2) 중요한 합의 조항

(가) 출입국관리

(나) 관세

(다) 조세

(라) 군계약자

(3) 중요한 미합의조항

(가) 형사재판관할권

(나) 민사청구권

(다) 노무조달

(라) 토지시설

3. 중요한 미합의 조항에 관한 쌍방의 차이점

(1) 형사재판관할권

(가) 관할권의 포기

(ㄱ) 한국: 한국당국이 행사할 관할권의 포기를 미국당국이 요청하면 한국당국이 특히 중대하다고 결정하는 경우를 제외하고

0256

미측에 관할권의 행사를 포기한다.

(ㄴ) 미국: 모든 관할권을 일단 미국당국에 포기한 후 특수한 이유로 한국당국이 행사하는 것이 특히 중요하다고 인정하는 사건에 대하여서는 합동위원회의 협의를 거처 관할권 포기를 철회하며 한국이 허용한 관할권 포기는 무조건적이고도 최종적이며 한국당국이나 국민은 형사소송을 제기할수 없다.

(나) 공무집행중 범죄

(ㄱ) 한국: 미군 법무관이 발행한 공무집행증명서는 관할권 결정에 있어서 반증이 없는 한 충분한 증거가 되며 한국당국이 반증을 제시하는 경우에는 합동위원회에서 쌍방의 합의에 의하여 해결하여야 한다.

(ㄴ) 미국: 미군지휘관이 발행한 공무집행증명서는 관할권 결정에 있어서 확정적이며 한국당국이 반증을 제시하는 경우에도 미국당국이 수정하지 않는 한 유효하다.

(다) 피의자의 신병구금

(ㄱ) 한국: 특수한 경우 한국당국이 신병을 구금할 정당한 사유가 있다고 인정할

0257

때를 제외하고는 모든 사법절차 진행중 및 한국당국이 요청할때까지 미국당국이 신병을 구금하며 한국의 안전에 관한 피의자의 신병은 한국당국이 구금한다.

(ㄴ) 미(모) 모든 사법절차가 끝나고 한국당국이 신병인도를 요청할때까지 미국당국이 구금하며 한국의 안전에 관한 피의자의 신병은 양국 합의에 의하여 한국당국이 구금한다.

(2) 민사청구권

(ㄱ) 한국 미군으로 인한 모든 손해에 관한 소청사무는 한국법에 의거하여 한국당국에서 처리한다.

(ㄴ) 미국 미국의 대외소청법에 의거하여 현 미8군소청사무소에서 소청사무를 계속 처리한다.

(3) 노무조달

(ㄱ) 한국 미군의 노무관리와 노무자의 모든 노동조건은 분쟁해결 절차를 제외하고는 한국법에 따라야 한다.

(ㄴ) 미국 노무조건은 대체로 한국법에 따르겠으나 노무자에게 파업권을 부여할수는 없으며

0258

분쟁이 발생할시 미국당국은 한국법정에 출도할수 없다.

(4) 토지시설 보상

(가) 한국미군이 사용하는 토지시설중 사유재산에 대하여서는 한국의 재정형편을 고려하여 미국이 보상의 책임을 져야한다.

(ㄴ) 미국미군이 사용하는 토지시설중 사유재산에 대하여 미국은 보상을 할수 없으며 과거 보상을 한 선례도 없다.

0259

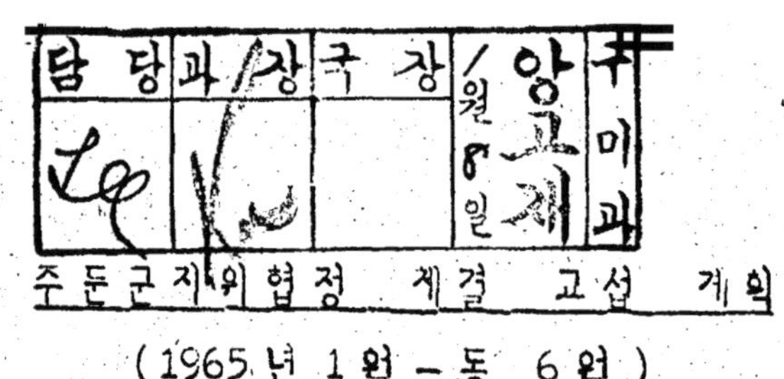

주둔군지위협정 체결 고섭 계획

(1965년 1월 - 동 6월)

1965. 1. 7.

1. 고섭 경위

1962년 9월 20일 제1차 한·미간 실무자회의를 개최한 이래 1964년 12월 23일까지 68차에 달하는 실무자회의를 거듭하였으며 그간 총 29개 조항중 20개조항에 완전 합의를 보았으며 상금 합의를 보지 못하고 있는 것이 9개조항임.

2. 방침

현재 토의중에 있는 조항을 위시한 9개 미합의 조항에 대한 토의를 1965년 6월말까지 대체적으로 종결한다.

3. 방법

(1) 작년도에 있어서와 간이 금년도에도 실무자회의의 회수를 가능한한 주 1회 원칙하에 개최한다.

(2) 관계 부처간의 협조를 긴밀히 하기 위하여 고섭의 진전에 따라 수시 관계 부처간 실무자회의를 개최하여 우리측 입장을 검토 조정 또는 수립하여 고섭에 임한다.

(3) 실무자회의에서 해결되기 어려운 점은 고위층 및 주한미대사간의 회담을 통하여 해결토록 노력한다.

0260

4. 조항별 교섭계획

조항별	문제점	교섭기간 1	2	3	4	5	6
1. 형사재판관할권	제 1 차단계						
	(1) 관할권의 포기						
	(2) 공무집행중 범죄						
	(3) 재판전 피의자의구금						
	(4) 피의자의 권리						
	제 2 차단계						
	(1) 미측행사기관						
	(2) 한국측 행사기관						
	(3) 기타 문제점의조정						
2. 민사청구권	(1) 우리측Formula Concept 의 채택을 주장						
3. 노무조달	(1) 파업권을 포함한 노무자의 권익보장						
	(2) 분쟁해결절차결정						
4. 토지 및 시설	(1) 미군사용 사유재산에 대한 보상요구						
5. 비세출자금기관	(1) 사용자의 범위제한						
6. 외환통제	(1) 미군에 적용할 환율의 결정						
7. 미군인 가족의 신체 및 재산의 안전	(1) 신체 및 재산의 보호 책임의 한정						
8. 협정의 비준, 발효 및 시행사항							
9. 협정의 유효기간 및 만료사항							

0261

주둔군지위협정 체결 교섭 현황

~~대통령 년초 순시 브리핑 자료~~

1965. 1. 19.

주한미군의 지위를 규제하기 위한 주둔군지위협정의 체결 교섭은 1962년 9월 20일 제1차 실무자회의를 개최한 이래 한.미양국은 1964년 12월 23일 까지 68회에 달하는 실무자급회의를 개최한바 있으며 그간 의제로 채택된 총 29개조항 중 20개조항에 완전합의를 보는 단계에 이르렀읍니다.

그러나 행정협정의 핵심이라고 할 수 있는 형사재판관할권조항을 위시하여 민사청구권, 노무조달등 9개조항에 관하여서는 상금 토의를 계속하고 있으나 이러한 미해결 조항을 위요한 한.미양국간의 입장의 차이로 말미아마 협정 체결 교섭이 완전 타결되기 까지는 상항단 시일이 걸릴 것으로 예측되지만 우리실무자단은 오는 6월말경까지 중요문제에 관한 대체적인 토의를 끝마치고저 적극 추진중에 있읍니다.

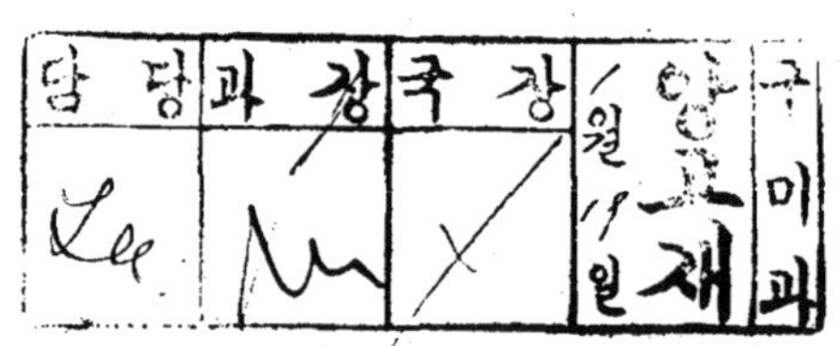

담당	과장	국장	1월 19일	구미과
Lee			재	

0262

미주둔군지위협정(행정협정) 체결 교섭 현황

1. 경 위

(1) 실무자회의의 개시 (민주당) 1961. 4. 17.

(2) 실무자회의의 재개 (5. 16. 이후) 1962. 9. 20.

(3) 제 63 차 실무자회의 개최 1964. 9. 11.

2. 교섭 현황

(1) 총 29 개조항중 20 개조항에 합의.

(2) 중요한 합의 조항

(가) 출입국관리

(나) 관 세

(다) 조 세

(라) 군계약자

(3) 중요한 미합의조항

(가) 형사재판관할권

(나) 민사청구권

(다) 노무조달

(라) 토지 시설

3. 중요한 미합의조항에 관한 쌍방의 차의점

(1) 형사재판관할권

(가) 관할권의 포기

(ㄱ) 한국: 한국당국이 행사할 관할권의 포기를 미국당국이 요청하면 한국당국이 특히 중대하다고 결정하는 경우를 제외하고 미측에 관할권의 행사를 포기한다.

(ㄴ) 미국: 모든 관할권을 일단 미국당국에 포기한 후 특수한 이유로 한국당국이 행사하는 것이 특히 중요하다고 인정하는 사건에 대하여서는 합동위원회의 협의를 거쳐 관할권 포기를 철회하며 한국이 허용한 관할권 포기는 무조건적이고도 최종적이며 한국당국이나 국민은 형사소송을 제기할 수 없다.

0263

1966. 10. 7.

(나) 공무집행중 범죄

(ㄱ) 한국: 미군 법무관이 발행한 공무집행증명서는 관할권 결정에 있어서 반증이 없는 한 충분한 증거가 되며 한국당국이 반증을 제시하는 경우에는 합동위원회에서 쌍방의 합의에 의하여 해결하여야 한다.

(ㄴ) 미국: 미군 지휘관이 발행한 공무집행증명서는 관할권 결정에 있어서 확정적이며 한국당국이 반증을 제시하는 경우에도 미국당국이 수정하지 않는 한 유효하다.

(다) 피의자의 신병 구금

(ㄱ) 한국: 특수한 경우, 한국당국이 신병을 구금할 정당한 사유가 있다고 인정할 때를 제외하고는 모든 사법절차 진행 중 및 한국당국이 요청할 때까지 미국당국이 신병을 구금하며 한국의 안전에 관한 피의자의 신병은 한국당국이 구금한다.

(ㄴ) 미국: 모든 사법절차가 끝나고 한국당국이 신병 인도를 요청할 때까지 미국당국이 구금하며 한국의 안전에 관한 피의자의 신병은 양국 합의에 의하여 한국당국이 구금한다.

(2) 민사청구권

(ㄱ) 한국: 미군으로 인한 손해에 관한 소청사무는 원칙적으로 한국법에 의거하여 한국당국에서 처리한다.

(ㄴ) 미국: 미국의 대외소청법에 의거하여 현 미 8군 소청사무소에서 소청사무를 계속 처리한다.

(3) 노무 조달

(ㄱ) 한국: 미군의 노무관리와 노무자의 모든 노동조건은 분쟁해결 절차를 제외하고는 한국법에 따라야 한다.

(ㄴ) 미국: 노무조건은 대체로 한국법에 따르겠으나 노무자에게

0264

파업권을 부여할 수는 없으며 분쟁이 발생할 시 미국당국은 한국법정에 출도할 수 없다.

(나) 토지 시설 보상

(ㄱ) 한국: 미군이 사용하는 토지 시설 중 사유재산에 대하여서는 한국의 재정 형편을 고려하여 미국이 보상의 책임을 져야 한다.

(ㄴ) 미국: 미군이 사용하는 토지 시설 중 사유재산에 대하여 미국은 보상을 할 수 없으며 과거 미국이 보상을 한 선례도 없다.

0265

주둔군지위협정 체결 교섭

고섭경위

우리정부가 국민의 염원에 호응하여 주한미군의 지위를 규제하는 주둔군지위협정 체결 교섭을 개시할것을 미국측에 촉구한 것은 상당한 시일에 달하지만 한.미 양국이 본격적으로 고섭을 시작한 것은 1962 년 9 월 20 일 제 1 차 실무자회의를 개최한 때라 하겠다. 그후 양국 실무자 대표단은 1964 년 12 월 23 일까지 68 회에 달하는 회의를 개최하였으며 그간 총 29 개 조항중 출입국관리, 관세, 조세, 현지조달 조항을 위시하여 20 개 조항에 완전 합의를 보는 단계에 이르렀다. 그러나 상금 합의를 보지 못하고 있는 9 개조항에는 형사재판관할권, 민사 청구권, 노무조달등 조항이 남아 있으며 그문제점과 각국의 선례를 살펴보면 다음과 같다.

1. 형사재판관할권

형사재판관할권에서 다루어지는 과제는 두말할나위도 없이 소위 대전협정의 존속으로 말미아마 주둔군의 군인, 군속 또는 그들의 가족에 의하여 발생한 범죄에 대하여 미국당국이 배타적으로 관할권을 행사하고 있는 현상태를 타파하고 어떤 경우에 파견국 또는 접수국당국이 재판권을 행사할 것이냐 하는 것을 한.미 양국이 새로히 결정해야 하는 문제이다.

이제 개개 범죄에 따라 관할권 행사당국이 결정되는 과정을 고찰하여 보면 다음과 같다.

(1) 전속적 관할권

전속적 관할권이라 함은 국가의 안전에 관한 범죄를 포함하여 일국가의 법에 의하면 범죄를 구성하나 타방국가의 법에서는 범죄가 구성되지 않는 범죄에 대한 관할권을 의미하는 것으로서 해당범죄의 건수도 극히 적고 또 법익이 침해된 국가만이 관심이 있을 것임으로 관할권 행사에 있어 한미 양국간에 문제될 것이 없는 것이다.

(2) 경합적 관할권

대부분의 범죄는 경합적 관할권에 해당하는 범죄로서 경합적 관할권이라 함은 파견국과 접수국법에 의하여 다같이 범죄를 구성하게 되어 서로 각기 재판권을 행사할수 있는 경우를 말하며 이때에는 양국중 어느국가가 재판권을 행사해야 할것인가를 당사국간에 미리 결정할 필요가 생긴다. 국제선례를 보면 일반적으로 파견국은 자국군인, 군속 및 가족에 의하여 이루어진 범죄로서 (ㄱ) 전적으로 자국의 안전이나 재산에 대한 범죄 또는 자국군인, 군속, 가족의 신체나 재산에 대한 범죄와 (ㄴ) 공무집행중 작위 또는 부작위에 의하여 발생한 범죄에 대하여 우선적으로 관할권을 행사하며 접수국은 그외의 범죄에 대하여 관할권을 행사하게 되어 있다.

(3) 공무집행중 범죄

우리나라에는 상당한 수의 미군이 주둔하고 있는 관계로 미군에 의한 총격사건을 비롯하여 각종사건이 종종 발생하는데 미군인에 의한 범죄가 발생하였을시 그범죄가 공무집행중 발생하였는가의 여부에 따라 관할권의 행사 당국이 결정될 것인바 일본, 나토등 각국의 협정에서의 선례는 다같이 제1차적으로 파견국 군인이 소속하고 있는 군대지휘관이 발행하는 공무집행중 범죄증명서의 내용에 따라 공무집행중

0267

범죄 여부를 결정하게 되어 있으며 파견국 당국이 발행한 증명서의 내용에 대하여 접수국 당국은 이의 또는 반증을 제시할수 있는 것이 통례가 되어 있다. 따라서 이문제에 있어서는 접수국이 이의 또는 반증을 제시할 경우 쌍방의 의견차의 및 주장을 어떻게 해결하느나, 다시 말하자면 접수국이 제기한 이의 또는 반증을 파견국 당국이 어느정도까지 인정하느나라는 점이 관건이 되고 있는 것이다. 참고로 공무집행중 범죄 여부의 결정에 관한 각국협정의 선례를 보면 다음과 가다.

(가) <u>미 . 일협정</u> .

어떤 범죄가 발생하였을 경우 관계 미군인이 소속하고 있는 미군지휘관이 동범죄가 공무집행중 행위에 의하여 발생하였다는 증명서를 발행하면 그증명서는 반증이 없는한 충분한 증거가 된다. 그러나 상기규정은 법관의 자유심증주의에 관한 일본형사소송법 제 318 조의 규정을 저해하는 것은 아니다.

(나) <u>NATO 협정</u>

관계미군인이 소속하고 있는 미군지휘관이 발행하는 증명서는 반증이 없는 한 충분한 증거가 된다.

(다) <u>독일보충협정</u>

형사소송과정에 있어서 미군관계 범죄가 공무집행중 발생하였는가의 여부를 결정할 필요가 생길때에는 파견국의 법에 따라 결정되어야 하며 독일법정 또는 관계당국은 파견국의 최고관계 당국자가 제출한 증명서의 내용에 따라 결정하여야 한다.

- 3 -

0268

그러나 예외적으로 독일당국이 요청하면 독일정부와 파견국간의 외교교섭을 통하여 재심될수 있다.

이상 국제적 선례를 고찰하여 보아 알수있듯이 미군관계 범죄가 발생한 경우 그범죄가 공무집행중 범죄 여부인가에 대하여 제1차적으로 미군당국에 증명서 발행의 권한을 인정하고 있으며 접수국이 반증을 제시한 경우에는 합동위원회 또는 외교교섭을 통하여 해결하는 길이 마련되고 있음을 알수 있다.

(4) 관할권의 포기

위에서 말한바와 같은 절차에 따라 일단 접수국이 관할권을 행사하게 된경우에도 파견국이 관할권의 포기를 요청하면 접수국은 특히 중대하다고 인정되는 범죄를 제외하고는 이요청에 응하여 상당율의 범죄를 파견국에 포기하는 제도가 발달되었다. 즉 일방당사국이 행사하기로 결정된 관할권을 요청에 따라 타방당사국에 이양하는 특수한 포기제도가 각국간에 인정되어 왔다. 여기서 특기해야 할것은 접수국이 파견국의 요청에 따라 관할권을 파견국에 포기함에 있어서도 접수국의 제1차 관할권에 속하는 사건을 무조건 전면적으로 파견국에 포기한후 파견국의 동의를 얻어 특히 중대하다고 생각되는 개개의 사건에 대한 관할권을 회복할 것인가, 또는 접수국이 특히 중대하다고 인정하는 사건은 자국법정에서 재판하기 위하여 관할권을 보유하고 기타 그렇지 않은 사건에 대하여서는 관할권을 파견국에 포기하느냐의 여부를 스스로 결정할수 있는 재량권을 확보할

것인가 라는 문제이다. 각국협정을 살펴보면 다음과 같은 포기에 관한 유형이 있음을 알수있다.

(가) 나토협정, 미·일협정, 미국·오스트라리아협정: 만약 일방당사국으로 부터 관할권을 갖고 있는 국가에 관할권 포기요청이 있으면 타방당사국은 특히 중대하다고 인정하는 경우를 제외하고는 그러한 요청에 대하여 호의적인 고려를 하게되어 있다.

(나) 희랍협정:
희랍당국은 미군법에 복하는 자에 관한한 질서와 기율을 유지할 주된 책임이 미국당국에 있음을 인정하여 미국당국으로 부터 요청이 있으면 희랍당국이 관할권을 행사하는 것이 중대하다고 인정하는 경우를 제외하고는 미국당국에 관할권을 포기하게 되어 있다.

(다) <u>독일보충협정</u>
파견국의 요청이 있으면 독일국은 독일국이 행사하게 되어 있는 관할권을 일단 파견국에 포기하며 그후 만약 독일국이 특정한 경우 특수한 이유로 독일국이 관할권을 행사하는 것이 불가결하다고 인정할때에는 포기를 철회하게 되어 있다.

(라) 각국의 관할권 포기 (별표참조)

그러면 이와같은 포기제도 밑에서 여러나라들은 관할권 행사를 실지로 어느정도 포기하고 있는가를 별첨된 통계에서 보기로 하자.

별첨 통계로 보아 세계적인 포기의 경향을 알수 있거니와 1961 년 12 월 1 일부터 1962 년

11월 30일까지의 각국 총포기율이 59퍼센트 였음에 비하여 1962년 12월 1일부터 1963년 11월 30일까지의 포기율은 70.45퍼센트에 달하여 점차적으로 증가하는 경향을 보이고 있다. 가장 포기율이 많은 국가는 미군이 많이 주둔하고 있는 일본, 독일, 불란서등 국가로서 보통 80 내지 90퍼센트의 포기율을 보이고 있으며 특히 일본의 91.6퍼센트 및 희랍의 97.2퍼센트등은 주목할만한 고율이다. 따라서 실지 접수국들이 재판에 회부한 건수는 얼마되지 않음을 알수 있다. 물론 이와같이 관할권 행사의 포기율이 높은 것은 많은 교통법규 위반사건이 포함되고 있는 때문이기도 하지만 기타 일반범죄의 경우도 상당히 포기되고 있다는 것을 알수 있다. 참고로 교통법규 위반사건수를 보면 1962년 12월 1일부터 1963년 11월 30일까지에 일어난 총 19,017건에 사건중 교통법규위반사건이 12,713건에 달하고 있으며 이는 총건수의 63퍼센트에 해당한다.

2. 민사청구권 문제

민사청구권 문제라 함은 파견국의 군대가 그들의 임무를 수행함에 있어 혹은 그들의 임무수행과는 관계 없이 접수국내에서 인명이나 재산등에 대한 여러가지 손해를 가하게 되는 경우, 그손해에 대한 배상절차 및 배상책임의 한계등을 규정하는 문제인 것이다.

이문제에 관한 각국의 선례는 대개 두가지의 유형 으로 대별될수 있는바,

그 첫째 유형에 속하는 예로서는 "나토" 제국간의 협정, 미·일협정 및 미국과 호주간의 협정을 들수있는 것이다. 이들 제협정에 규정된 손해배상절차는 공무집행

중의 행위로 일어나는 손해와 비공무중의 행위로 일어나는 손해를 구별하고, 또다시 공무집행중의 행위에 의한 손해에 대하여는 그 피해자가 누구인가에 따라 손해배상청구해결 절차가 각각 상이하게 되어 있는 것이다. 즉,

공무집행중의 행위에 의한 손해의 해결은,

(1) 파견국 혹은 접수국 군대의 공무집행중의 행위로 일어나는 손해가 군대에 미친 경우에는 상호 그 청구를 포기하고,

(2) 공무집행중에 정부재산에 가하는 손해에 대하여는 접수국의 국적을 가지는 1명의 중재인이 손해액과 책임한계를 결정하여 해결하되 미화 $1,400 이하의 손해에 대하여는 상호 포기하게 되며,

(3) 공무집행중 파견국의 군대가 접수국 정부이외의 제삼자의 재산에 손해를 가하였을 때에는 접수국의 해당법규에 의거 우선 접수국 정부당국이 손해배상을 하고, 그후에 양당사국 정부간에 일정한 절차에 따라 배상액을 청산하되 그 행위가 파견국측에만 책임이 있을때에는 파견국 75 퍼센트, 접수국 25 퍼센트의 비율로 분담하고 양당사국이 모두 책임이 있거나 혹은 그 책임한계가 명확치 않을때에는 균등히 분담하게 된다.

비공무중의 행위로 일어나는 손해에 대하여는,

(가) 접수국 당국이 손해의 모든 정상을 참작하여 적합한 배상금을 정하여 이를 파견국 당국에 통보하며, 파견국 당국은 동통보에 의거 피해자와 직접 화해를 하게하되,

(나) 피해자가 파견국당국의 배상금에 불만이

있을 때에는 접수국의 민사재판을 통하여 해결할수 있게 되어 있는 것이다.

이상의 민사청구절차는 가해자의 공무집행여부, 피해자의 성격등에 의하여 그해결절차가 각각 상이한 형태를 갖추고 일정한 형식에 따라 손해를 배상하게 되어 있어 이를 Formula Concept 에 의한 해결방법이라고도 칭하여 지고 있는 제도인 것이다.

다음에 그 둘째 유형에 속하는 것은 기타의 대부분의 협정들로서, 이들 제협정은 상술한 첫째의 유형의 경우와 같이 통일된 청구해결절차는 찾아볼수 없는 미·비 협정이라든가 미·에치오피아 혹은 미·리비아 협정등이라 할수 있을 것이다.

미·에치오피아 협정의 경우는 모든 정부 재산의 손해는 상호 포기하고 기타의 모든 청구는 미국의 법규에 의거하여 해결하게 되어 있는가 하면, 미·리비아 협정에서는 공무집행중의 행위로 인한 정부 및 개인재산의 손해는 미국의 법규에 따라 해결하고 기타의 모든 민사사건에 대하여는 "비비아"가 그들의 법규에 의거, 즉, 민사재판을 통하여 해결하게 되어 있다.

미·비협정은 공무, 비공무의 구별없이 개인의 재산에 대한 손해는 미국정부가 공정하고 합리적인 배상을 지불하여야 한다는 내용으로 규정되어 있을 정도로서 극히 모호한 점이 많이 남아있는 협정이라 할것이다.

그외에 우리의 이목을 끄는 것은 미국과 "아이스랜드"간의 협정으로서 기지외에서의 비공무중의 행위를 제외하고는 정부재산에 대한 청구는 포기하고 개인재산에 대하여는 공무, 비공무의 구별없이 "아이스랜드" 법규에 의거 "아이스랜드"당국이 해결하되 그형식은 첫째의 유형중 공무중 제삼자에 대한 손해의 해결방법과 유사하게 되어 있으며,

또한 독일의 경우는 "나토"협정에 대한 보충협정에서 정부재산에 대하여는 그특수성에 따라 청구권을 포기하는등의 세부운영절차가 규정되어 있는 예도 있는바 이는 첫째 유형의 한 변칙이라 할수 있을 것이다.

이상 각국의 선례를 통하여 민사청구문제에 관한 협정내용을 볼때, 첫째 유형에 속하는 협정은 그내용이 상당히 복잡하며 운영하는데 있어 당사국간의 고도의 협조를 필요로 하는 것이라 하겠으나, 피해자, 특히 접수국 국민의 권익을 최대한으로 보호하는 동시에 파견국에 대하여도 그리 불리하지 않은 제도임을 알수 있는 것이며, 둘째번 유형에 속하는 협정은 대개 파견국의 법규를 위주로 하는 제도로 요약될수 있으며 접수국의 법익이 부당히 침해당하게 될 우려가 많은 제도라 할것이다.

5. 노무조항

현재 미군에 고용되고 있는 노무자는 3만여명에 달하고 있다. 따라서 여기서는 고용주로서의 미군이 이들에 대한 모집 고용, 급여 해직등 고용조건 및 그들의 보호 및 복지를 위한 조건과 기타 노무자의 권리에 관하여 접수국인 우리나라의 노동법 기타 관계 법령을 어느 정도로 준수해야 할것인가 하는 문제가 야기되는 것이다.

여기서 몇가지 문제점을 들어보자면 첫째로 우리나라 노동관계 법규에 의하면 노동관계 당사자간에 분쟁이 야기될시 이를 해결하기 위하여 법정에 소송을 제기할수 있게 되어 있다. 그러나, 미군이 관련된 분쟁 해결에 있어서도 미군이 피고로서 법정에 출도해야 될 것이냐 하는 문제를 들수 있다. 그러나 각국의 선례를 보면 미군이 주권국가로서 직접 법정에 출도하는

에는 찾아볼수 없음으로 국제선례에 따라 분쟁을 해결하는 어떤 절차가 마련되어야 할것이다. 둘째로 미군에 종사하는 노무자가 우리법에 규정된 모든 권리를 당연히 향유하여야 될것이나 미군이 우리나라의 방위라는 중대하고도 특수한 사명을 수행하기 위하여 주둔하고 있는 만큼 동사명의 수행에 지장을 초래할 정도로 쟁의권을 포함한 노무자의 권리가 존중되어야 할것인가의 문제를 들수 있다.

각국의 선례를 보면 분쟁해결에 있어서 미·일협정, 나토협정등과 같이 표면상 접수국의 법령에 따르게 되어 있는 형태가 있는가 하면 미국·리비아 협정과 같이 주둔군의 군사상 사명에 지장이 없는한 대체적으로 접수국의 법령에 따르게 되어 있는 형태도 있다.

이상 형사재판관할권, 민사청구권 및 노무조항등 협정의 중요조항이 지니고 있는 문제점을 고찰하여 보아 알수 있듯이 쉽사리 해결되기 어려운 원칙적인 문제가 개재되고 있다. 그러나, 한·미양국이 양국간에 맺어지고 있는 전통적인 우호관계의 증진을 위한 대국적 견지에서 호양의 정신으로 문제점을 극복한다면 현안인 교섭이 멀지않은 장래에 타결될 것으로 확신하여 마지 않는 바이다.

0275

각국의 관할권 포기에 관한 통계

기간 : 1962. 12. 1 - 1963. 11. 30
괄호내 수자는 전년도인 61. 12. 1 - 62. 11. 30까지의 통계

1. NATO 협정 제국

국가명	접수국의 관할권에 속하는 범죄건수		포기건수		관할권포기율 (퍼센트)	
Belgium	56	(42)	56	(20)	100	(47.6)
Canada	401	(415)	19	(21)	4.7	(5.0)
Denmark	5	(2)	3	(1)	60.0	(50.0)
France	4,625	(4,454)	3,928	(3,841)	84.9	(86.2)
Germany *	6,188		5,512		89.0	
Greece	45	(36)	36	(35)	80.0	(97.2)
Italy	271	(305)	163	(100)	60.1	(32.7)
Luxembourg	43	(26)	10	(3)	23.2	(11.5)
Netherlands	247	(119)	247	(119)	100.	(100.)
Norway	4	(1)	0	(1)	0.	(100.)
Portugal	0	(0)	0	(0)	-	-
Turkey	116	(95)	54	(6)	46.5	(6.3)
U. K.	1,640	(2,037)	144	(345)	8.7	(16.9)
Total	13,641	(7,532)	10,172	(4,492)	74.5	(59.6)

* 독일은 1963년 7월 1일에 NATO-SOFA 의 당사국이 되었음.

0276

2. 기타 협정 제국

국가명	접수국의 관할권에 속하는 범죄건 수		포기건수		관할권포기율 (%)	
Australia	1	(0)	0	(0)	0	(-)
Iceland *	105	(0)	9	(0)	8.5	(-)
Japan	3,433	(3,191)	3,090	(2,906)	90.0	(91.6)
Morocco	42	(33)	20	(18)	47.6	(54.5)
New Zealand	29	(23)	28	(22)	96.5	(95.6)
Nicaragua	0	(1)	0	(0)	-	(0)
Philippines	67	(85)	52	(77)	77.7	(90.5)
Spain	122	(16)	99	(10)	81.1	(62.5)
West Indies	227	(172)	7	(4)	3.0	(2.3)
West Pakistan	1	(0)	1	(0)	100.	(-)
Total	4,027	(3,521)	3,306	(3,037)	82.0	(86.2)

* Iceland 는 NATO-SOFA 의 당사국이나 미군군대의 지위에 관한 협정은 별도로 있음.

3. 협정 미체결국

국가명	접수국의 관할권에 속하는 범죄건 수		포기건수		관할권포기율 (%	
Ascension	1	(0)	0	(0)	0	(-)
Hong Kong	13	(12)	2	(0)	15.3	(0)
Mexico	1,213	(772)	549	(143)	44.3	(18.5)
Panama	46	(140)	2	(22)	4.3	(15.7)
South Africa	0	(2)	0	(0)	-	(0)
Switzerland	0	(3)	0	(0)	-	(0)
Total	1,273	(929)	553	(165)	43.4	(17.7)

0277

별첨 :

미주둔군지위협정 교섭회의 진도표

1964. 12. 23 현재

제 목	조문교환	토의개시	부분적합의	완전합의
1. 서문	- - - -	- - - -	- - - -	- - - -
2. 용어의 정의	- - - -	- - - -	- - - -	- - - -
3. 토지 및 시설	- - - -	- - - -	- - - -	- - - -
4. 항공통제 및 항해보조시설	- - - -	- - - -	- - - -	- - - -
5. 합동위원회	- - - -	- - - -	- - - -	- - - -
6. 출입국 관리	- - - -	- - - -	- - - -	- - - -
7. 관세 업무	- - - -	- - - -	- - - -	- - - -
8. 선박 및 항공기 기착	- - - -	- - - -	- - - -	- - - -
9. 공익물 및 용역	- - - -	- - - -	- - - -	- - - -
10. 군표	- - - -	- - - -	- - - -	- - - -
11. 군사우편시설 및 군우행정	- - - -	- - - -	- - - -	- - - -
12. 예비병의 소집 및 훈련	- - - -	- - - -	- - - -	- - - -
13. 미군인, 가족 및 재산의 안전보장	- - - -	- - - -	- - - -	
14. 기상 및 기타 관련된 문제	- - - -	- - - -	- - - -	- - - -
15. 차량 및 운전면허	- - - -	- - - -	- - - -	- - - -
16. 외환 통제	- - - -	- - - -	- - - -	
17. 비세출기관의 활동문제	- - - -	- - - -	- - - -	
18. 접수국법의 준수문제	- - - -	- - - -	- - - -	- - - -
19. 형사재판 관할권	- - - -	- - - -	- - - -	
20. 청구권	- - - -	- - - -	- - - -	
21. 조세문제	- - - -	- - - -	- - - -	- - - -
22. 현지조달 문제	- - - -	- - - -	- - - -	- - - -
23. 회계절차	- - - -	- - - -	- - - -	- - - -
24. 군계약자 문제	- - - -	- - - -	- - - -	- - - -
25. 노무 문제	- - - -	- - - -	- - - -	
26. 협정의 비준, 발효 및 시행사항				
27. 협정의 개정 및 수정	- - - -	- - - -	- - - -	- - - -
28. 협정의 유효기간 및 만료사항				
29. 보건 위생 문제	- - - -	- - - -	- - - -	- - - -

0278

관리번호 1748

미주둔군지위협정 체결 교섭 현황

1965. 1. 20. 현재

1. 교섭경위
   (1) 실무자회의의 개시 (민주당) 1961.4.17.
   (2) 실무자회의의 재개 (5.16 이후) 1962.9.20.
   (3) 제 68 차 실무자회의 개최 1964.12.23.
2. 교섭현황
   (1) 총 29 개조항중 20 개조항에 완전합의함.
   (2) 중요 합의조항
      (가) 출입국관리
      (나) 관세
      (다) 조세
      (라) 군계약자
      (마) 현지조달
   (3) 중요 미합의 조항
      (가) 형사재판관할권
      (나) 민사청구권
      (다) 토지시설
3. 형사재판관할권에 관한 양국간의 차의점
   (1) 미국측 관할권 행사기관 및 피적용자의 범위
      (가) 한국 : 주한미군의 지위를 규정하는 협정임으로 미측행사기관을 "미군당국"으로 하고 피적용자의 범위를 "미군법에 복하는 모든자"로 한다.
      (나) 미국 : 미군관계 범법자중 미군법에 복하는 군인은 미군법회의에서 재판하지만 민간인 범법자를 본국으로 이송재판할수 있는길을 마련하기 위하여 미측관할권 행사기관을 "미국당국"으로, 그리고 피적용자의 범위를 "미군대구성원, 군속 및 가족"으로 한다.

0279

(2) 한국의 관할권 행사기관

(가) 한국 : 미군관계 범법자를,한국의 군법회의에 회부할 의사는 없으나 한국의 관할권 행사기관을 조문상 "대한민국의 민사당국" 으로 하려는 미측 주장은 국제법상 그 선례를 찾아볼수 없는 것으로서 이를 수락할수 없으며 "대한민국당국"으로 규정해야 한다.

(나) 미국 : 미군관계 범법자를 한국의 군법회의에 회부할수는 없음으로 한국측 행사기관을 "대한민국 민사당국"으로 해야 한다.

(3) 관할권의 포기

(가) 한국 : (1) 미국당국이 한국당국이 행사할 관할권의 포기를 요청하면 한국당국은 관할권을 행사함이 특히 중대하다고 사료하는 사건을 제외하고 기타 사건에 대한 관할권을 미군당국에 포기한다.

(2) 상호 포기의 절차는 합동위원회에서 결정한다.

(나) 미국 : (1) 한국은 미국당국이 미국법에 복하는 자에 대하여 질서와 규율을 유지할 주된 책임이 있음을 시인하고 모든 제 1 차 관할권을 일단 미국당국에 포기하여야 하며

(2) 한국당국은 한국의 안전, 강간 및 고의적 살인에 관련된 특별한 사건에 있어서만 특수한 사정을 이유로 한국이 관할권을 행사함이 특히 중대하다고 사료할시는 15일이내에 미국당국에 통고한다.

0280

(3) 관할권 행사당국 결정에 의문이 제기
될 때에는 한국관계당국과 주한미국
외교사절간에 협의가 이루어질 기회가
부여되어야 한다.

(4) 공무집행중 범죄

(가) 한국: (1) 미군법무관이 지휘관을 대신하여
발행한 공무집행 증명서는 반증이
없는 한 관할권 결정을 위한 사실의
충분한 증거가 되며

(2) 한국검찰청장은 반증이 있다고 사료
하는 경우 합동위원회에 회부하며
양측 합의에 의하여 결정되어야 한다.

(나) 미국: (1) 소속미군의 권한있는 당국이 발행한
공무집행증명서는 관할권 결정을 위한
사실의 충분한 증거가 되며

(2) 한국검찰청장이 반증이 있다고 사료
하는 예외적인 경우 한국관계관 및
주한미국외교사절간에 재심되어야 하며
미국당국이 수정하지 않는한 증명서는
유효하다.

(5) 피의자의 신병 구금

(가) 한국: (1) 특수한 경우 한국당국이 신병을 구금
할 적당한 사유가 있다고 인정할
때를 제외하고는 모든 사법절차 진행
중 및 한국당국이 요청할때가지 미국
당국이 신병을 구금하며

(2) 한국의 안전에 관한 피의자의 신병은
한국당국이 구금하며 구금 사정의
적당여부는 한국당국이 결정한다.

(나) 미국: (1) 모든 사법절차가 끝나고 한국당국이
신병의 인도를 요청할때까지 미국당국
이 피의자를 구금하며

0281

(2) 한국의 안전에 관한 피의자의 신병은 한국당국이 구금하되 구금사정의 적당 여부에 관하여 양국간에 상호 합의가 이루어 져야 한다.

(6) 피의자의 권리

(가) 한국: 피의자의 권리중 한국법률이 보장하고 있는 권리는 협정에 중복 규정할 필요가 없다.

(나) 미국: 모든 피의자의 권리는 조문에 보장되어야 한다.

4. 민사청구권

(가) 한국: 재산의 소유자 및 손해행위의 성질에 따라 아래와 같이 구분하여 해결한다.
(NATO, U.S.-Japan 및 U.S.-Australia 와 같은 제도)

(1) 공무집행중 군대재산에 대한 손해

(가) 상호포기한다.

(2) 공무집행중 기타정부재산에 대한 손해

(가) $800 이상의 손해는 상호 포기한다.

(나) 상기 금액을 초과하는 손해는 중재인에 의하여 해결하며 아래와 같은 비준에 의거 양국정부가 분담한다.

(ㄱ) 미국측에만 책임이 있을시: 미국 85퍼센트, 한국 15퍼센트

(ㄴ) 한.미공동책임 혹은 책임한계를 정할수 없을때: 한국 50퍼센트, 미국 50퍼센트.

(3) 공무집행중 제3자에 대한 손해

(가) 한국당국이 한국법에 의거하여 처리하며 아래와 같은 비준에 의하여 양국정부가 분담한다.

0282

(ㄱ) 한국측에만 책임이 있을시 :
미국 85퍼센트, 한국 15퍼센트
(ㄴ) 한 · 미공동책임 혹은 책임한계를
정할수 없을때 :
한국 50퍼센트, 미국 50퍼센트
(4) 비공무중의 손해
(가) 한국당국이 모든 정상을 참작하여
손해배상 청구를 심사, 배상금을 사정
하여, 미국당국에 통보.
(나) 미국당국이 손해배상지불 여부 및
금액을 결정.
(다) 청구자가 미국당국의 결정에 만족
하였을시 배상금 지불.
(라) 청구자는 미국당국의 결정에 불만이
있을때에는 한국민사재판을 할수 있다.

(나) 미국 : 원칙적으로 미국법에 따라 아래와 같이 해결
한다.
(주한미군의 현행제도를 계속하는 것과
거의동일)
(1) 공무집행중 군대재산에 대한 손해
(가) 상호 모기한다.
(2) 공무집행중 기타 정부재산에 대한 손해.
(가) $1,400 이하의 손해는 상호 모기한다.
(나) 상기 금액을 초과하는 손해는 미
청구국법에 의거 피청구국 당국이 해결.
(3) 공무집행중 제3자에 대한 손해
(가) 미국당국이 미국법에 의거 처리.
(4) 비공무중의 손해
(가) 미국당국이 호의로 참작하여 배상금을
결정 지불할수 있다.
(나) 피해자는 민사재판을 할수 있다.

0283

5. 노무조달

(1) 고용방법

(가) 한국 : 고용주는 가능한 한 한국정부의 원조를 얻어 고용한다.

(나) 미국 : 고용주는 피용인을 직접 채용, 관리하되 가능할때 한국정부의 채용원조를 활용한다.

(2) 고용조건

(가) 한국 : 대한민국법에 일치하여야 한다.

(나) 미국 : 군사상 필요한 때를 제외하고 한국법령과 관행에 준거한다.

(3) 파업권

(가) 한국 : 한국법에 의거하여 허용한다.

(나) 미국 : 한국군 고용원과 동일한 파업권을 갖는다. (결과적으로 불허하는 것임)

(4) 분쟁해결절차

(가) 한국 : 노동청에서 조정하고, 실패시 합동위원회에서 조정한다.
한국법에 규정된 냉각기간이 지나면 파업을 용인한다.

(나) 미국 : 노동청에서 조정하고, 실패시 합동위원회에서 조정한다. 분쟁이 조정절차에서 취급되는 기간중 파업을 용인하지 않고 파업하는 자는 파면한다.

6. 토지 시설보상

(가) 한국 : 미군이 사용하는 토지시설중 사유재산에 대하여는 한국의 재정상태를 고려하여 미국이 보상의 책임을 져야 한다.

(나) 미국 : 미군이 사용하는 토지시설중 사유재산에 대하여 미국은 보상을 할수 없으며 과거 미국이 보상을 한 선례도 없다.

보통문서로 재분류(1966. 12. 31)

0284

미주둔군지위협정 체결 교섭현황

(1965.2.9 현재)

1. 교섭경위
   (1) 실무자회의 개시(민주당) 1961.4.17
   (2) 실무자회의 재개(5.16 이후) 1962.9.20
   (3) 제 ~~65~~ 72 차 실무자회의 개최 1965. ~~1.25~~ 3.2
2. 교섭현황
   (1) 총 29개조항중 20개조항에 완전합의.
   (2) 중요합의조항
      (가) 출입국관리
      (나) 관세
      (다) 조세
      (라) 군계약자
      (마) 현지조달
   (3) 중요미합의조항
      (가) 형사재판관할권
      (나) 민사청구권
      (다) 노무조달
3. ~~형사재판관할권에~~ 중요 미합의 조항에 관한 양국간의 차의점
   (1) 형사재판관할권
      (가) 관할권의 포기
         (ㄱ) 한국:
            (1) 한국은 미국당국이 미군법에 복하는 자에 대하여 질서와 규율을 유지할 주된 책임이 있음을 시인하고,
            (2) 한국당국은 미군당국이 요청하면 관할권을 행사함이 특히 중대하다고 결정하는 사건을 제외한 기타 사건에 대한 관할권을 미군당국에 포기한다.
            (3) 한국당국의 결정에 대하여 미군당국이 반대를 제기할 경우 미국외교사절은 한국당국과 협의할 기회가 부여된다.

0285

~~한국당국은 그러한 경우 미국의 이해 관계를 적절히 고려한다.~~

(ㄴ) 미국 :

(1) 한국은 미국당국이 미국법에 복하는 자에 대하여 질서와 규율을 유지할 주된 책임이 있음을 시인하고 모든 관할권을 미국당국에 포기하며,

(2) 한국당국은 한국의 안전, 강간 및 고의적 살인에 관련된 특별한 사건에 있어서 미국당국과 협의후 한국이 관할권을 행사함이 중대하다고 사료할 때에는 미국당국에 통고하여 포기를 철회할 수 있다.

(3) 관할권 행사당국에 관하여 의문이 있을 경우에는 미국외교사절은 한국 당국과 협의할 기회가 부여된다.

(나) 공무집행중 범죄

(ㄱ) 한국 :

(1) 미군법무관이 발행한 공무집행증명서는 관할권 결정을 위한 충분한 증거가 되며,

(2) 반증이 있다고 사료하는 예외적인 경우 외교교섭을 통하여 재심되며 합의되지 않는한 증명서는 유효하나 한국이 제기하는 이의에 대하여 미국당국은 충분한 고려를 하여야 한다.

(ㄴ) 미국 :

(1) 권한있는 미국당국이 발행한 공무집행 증명서는 관할권 결정을 위한 충분한 증거가 되며,

0286

(2) 반증이 있다고 사료되는 예외적인 경우 외교교섭을 통하여 재심되며 합의되지 않는한 증명서는 유효하다.

(다) 피의자의 재판전 신병구금

(ㄱ) 한국:

(1) 한국당국이 신병을 구금할 적당한 사유가 있는 특수한 경우를 제외하고 모든 사법절차진행중 미군당국이 신병을 구금하며,

(2) 한국의 안전에 관한 피의자의 신병은 한국당국이 구금하며 구금사정의 적당 여부는 한국당국이 결정한다.

(ㄴ) 미국:

(1) 모든 사법절차 진행중 미국당국이 신병을 구금하며,

(2) 한국의 안전에 관한 피의자의 신병은 한국당국이 구금하되 구금사정의 적당 여부에 관하여 한·미양국간의 합의가 있어야 한다.

(라) 피의자의 권리

(ㄱ) 한국:

(1) 미국이 요구하는 피의자의 권리를 원칙적으로 전부 협정상에 열거하되,

(2) 한국의 사법제도에 위배되는 권리는 수정 또는 삭제하여야 한다.

(ㄴ) 미국:

(1) 미국이 요구하는 피의자의 권리는 미국회와 국민의 지대한 관심사임으로 이를 전부 협정상에 열거규정하여야 한다.

0287

(2) 노무조달

(가) 고용조건

(ㄱ) 한국 : 별도로 합의되지 않는한 대한민국 법에 준거한다.

(ㄴ) 미국 : 군사상 필요할때를 제외하고 한국법령과 관행에 준거한다.

(나) 쟁의권

(ㄱ) 한국 : 한국법에 의거 허용한다.

(ㄴ) 미국 : 한국군 고용원과 동일한 정도로 쟁의권을 갖는다.
(결과적으로 불허하는 결과가 됨)

(다) 분쟁해결

(ㄱ) 한국 : 노동청에서 조정하고 실패시 합동위원회에서 조정하며 한국법에 규정된 냉각기간이 지나면 쟁의행위를 용인한다.

(ㄴ) 미국 : 노동청에서 조정하고 실패시 합동위원회에서 조정한다. 분쟁이 조정절차에서 취급되는 기간중 쟁의행위를 용인하지 않으며 이에 위반하는 자는 파면한다.

(3) 민사청구권

(ㄱ) 한국 : 나토, 미일협정등의 예에 따라 재산의 소유자(국유 혹은 사유의 여부) 및 손해행위의 성질(공무집행중 여부)에 의거 한국법의 적용을 위주로 하는 제도를 채택하여야 한다.

(ㄴ) 미국 : 미국대외소청법에 의한 현행 주한미군 소청제도를 계속하여야 한다.

0288

1965. 3. 10
및 본은 청와대 주 ○○에 수교

19

주둔군지위협정 체결 교섭 방안
(대통령 각하 방미자료 작성을 위한 연구)

가 1. 고섭경위

1, 가. 6.25 동란이란 긴급사태 하에서 1950.7월 12일 부득이 전시하의 잠정적인 협정으로서 주한미군에게 배타적인 재판관할권을 허용하는 소위대전협정이 체결된 이래 주한미군의 지위를 규정하는 주둔군지위협정을 체결하기 위한 우리측의 교섭은 1953년 8월 7일당시 이승만 대통령과 "덜레스" 미국무장관이 한·미상호 방위조약 가조인시 동협정 체결을 위한 교섭을 조속한 시일내에 개시할 것에 합의함으로서 시작되었다. 그후 한국정부는 미국측에 포괄적협정, 사항별 개별협정(또는 참전국 별 협정체결)등 미국측의 입장과 사정을 고려하여 강력한 교섭을 꾸준히 전개하였으나 미국측은 여러가지 구실로서 우리측 제의에 응하지 않았던 것이다.

2, 나. 그러나 우리정부의 적극적인 교섭결과로 미국측은 드디어 교섭개시에 응하여 1961년 4월 17일 제 1차실무자 교섭회의를 개최하였으나 제 2차 실무자회의를 가진후 미국측의 요청으로 교섭이 연기되어 오던중 5.16 군사혁명으로 일단 중단된바 있었다.

3, 다. 혁명후 우리정부는 파주사건을 위시한 각종 미군관계 범죄사건의 접종을 계기로 하여 협정체결을 위한 교섭 재개를 미국측에 강력히 요구하여 양국은 드디어 1962년 9월 20일 제 1차실무자회의를 재개함에 이르렀다.

나 2. 교섭현황

가. 교섭재개 이래 한·미양국은 1965년 3월 2일까지 72차에 달하는 실무자교섭회의를 개최하였으며 그간 29개 토의항목중 20항목에 완전합의를 보았으며 7개 항목에 대하여 토의를 계속중에 있고 2개항목에 대하여서는 상금 초안을 교환하지 않고 있다.

0289

나. 현재 토의중에 있는 미합의 조항중 우리에게 가장 중요하며 한·미간에 의견차이가 현각한 문제로서는 1) 형사재판관할권, 2) 민사청구권 및 3) 노무조달등 3개 조항을 들수 있으며 지금까지 초안을 교환하지 못한 조항은 협정의 비준, 발효 및 시행사항과 협정의 유효기간 및 만료사항에 관한 조항들로서 협정체결의 절차상의 문제에 불과한 것이다.

3. 중요미합의 조항에 대한 양측의 입장

가. 형사재판관할권 조항

형사재판관할권 조항에 있어서는 그핵심이라고 할수 있는 재판관할권의 포기문제를 위요하고 한·미간의 의견이 가장 대립되고 있는바, 우리측은 한국이 제1차적 관할권을 갖게 되는 범죄에 대한 관할권 포기 여부에 관한 재량권을 어디까지나 한국당국이 갖도록 하여야 하며 한국의 안전에 대한 범죄, 살인, 강간, 강도 및 기타 중요한 고의적인 범죄와 상기 각종 범죄의 공범죄 및 미수죄에 대하여 한국정부가 재판관할권을 행사함이 특히 중요하다고 인정하는 경우를 제외하고 기타 범죄에 대한 관할권만을 포기할수 있도록 되어야 한다는 입장을 취하고 있으며,

미국측은 한국이 당연히 행사하여야 할 제1차 관할권에 속하는 모든 범죄에 대한 재판권을 일단 그들에게 자동적으로 포기한 연후, 한국의 안전에 대한 범죄, 고의적 살인죄 및 강간죄로서 한국당국이 관할권을 행사함이 특히 중요하다고 인정하는 경우에 한하여 미측에 관할권 포기의 철회를 요청하여야 한다는 입장을 취하고 있다.

나. 민사청구권 조항

민사청구권 조항에 있어서는 공무집행중에 일어나는 정부재산(군대가 소유 및 사용하는 재산은 제외)에 대한 손해와 정부 이외의 제3자에 대한 모든 손해에 대한 배상문제가 가장 중요한 문제로서

0290

한국측은 미국이 다른나라와 맺은 주요 주둔군 지위협정에 규정된 공통된 해결방법에 따라 한국정부가 손해배상금의 일부 혹은 그 반액을 부담하고,

(1) 정부 재산에 대한 손해에 있어서는 한·미 양국이 합의에 의하여 선출한 한국국적을 갖인 1명의 중재인의 결정에 따라 해결하고,

(2) 제3자에 대한 모든 손해에 대하여서는 한국 정부가 미국정부를 대신하여 한국법에 따라 해결할 것을 주장하고 있으며,

미국측은 상기한바 모든 손해를 미국의 대외 소청법에 따라 미국당국이 일방적으로 해결할 것을 주장하고 있다.

3. 다. 노무조달 조항

현재 노무 조달 조항중에서 가장 중요한 미해결 문제는 한국인 노무자들에 대한 파업권의 인정 여부인바,

한국측은 원칙적으로 그들에게 근로자의 기본권인 파업권을 인정할 것을 주장하고 있으며,

미국측은 사실상 파업권을 일체 인정하지 않는다는 입장을 취하고 있다.

4. 현안문제에 대한 일괄적인 해결책

가. 상기 3개조항중의 중요한 미해결 사항에 대하여 미국측에게 아래와 같은 우리측 입장을 일괄적으로 제시함으로서 정치적인 배려를 촉구한다:

1. (1) 형사재판관할권 조항

관할권의 포기에 관한 규정은 한국측 주장대로 관할권 포기여부에 관한 재량권을 한국당국에 (부여)함으로서 해결한다.

2. (2) 민사청구권 조항

공무집행중에 일어나는 정부 및 제3자에 대한 손해배상 절차~~에 관한 한국측 안을~~ (를 비롯하여 한국측이 제안한 해결방법을) 미국이 수락한다.

0291

3. (3) 노무조달 조항

제 1 안 : 우리주장대로 파업권을 미국이 인정한다.

제 2 안 : 미군에 고용된 한국인 노무자를 그들이 종사하고 있는 직무별로 파업을 할수 있는 자와 할수없는 자로 각각 구분 규정한다.

제 3 안 : 파업권에 관한 일체의 규정을 협정문에 두지않음으로서 파업권에 관한 한 협상태를 묵인한다.

4 5. 고섭방안

1. 가. 4월말까지 실무자급 교섭에서 모든 현안문제를 해결하고 5월 대통령 각하 방미시에 조인한다.

2. 나. 상기 "가"항이 불가능할시 5월 대통령 각하 방미시 중요문제에 대한 일괄적 타결을 하고 6월에 서울에서 조인한다.

3.

0292

Status of Forces Negotiations

May 15, 1965

C O N T E N T S

P.S. Underlined portions of the Korean Drafts are modifications proposed by the Korean negotiators at the 77th (May 6, 1965) and 78th Session (May 7, 1965).

0293

Status of Forces Negotiations

On the occasion of the state visit of President Park to the United States, the Government of the Republic of Korea would like to call the attentioh of the United States to the current negotiations for the long-pending Status of Forces Agreement.

It is recalled that when the United States armed forces re-entered Korea in 1950, after their brief withdrawal therefrom in 1949, not as occupation forces, but as forces responding to the call of the Security Council Resolution, the so-called Taejon Agreement was concluded between the two Governments under the prevailing conditions of warfare, thereby giving to the United States exclusive criminal jurisdiction over their military personnel.

However, especially in the light of subsequent U.S. conclusion of such agreements with other countries since the armistice of 1953, it has been an ardent desire of the people and Government of the Republic of Korea to conclude an agreement, which would be based on generally accepted international precedents and mutual respect, and which would replace Taejon Agreement.

- 1 -

0294

In the meantime, as you are well aware, the Korean Government has recently achieved significant progress toward the eventual normalization of relations between the Republic of Korea and the neighboring Japan which together with the Status of Forces Negotiations has been one of the two major pending issues of the previous regimes of the Korean Government, and both Governments are now looking foreward the day on which the final agreement would pass through the National Assembly.

In this respect, however, the Korean Government wishes to point out the fact that due to the deep-rooted anti-Japanese feelings among the Korean populace resulting from oppressive rule in the past, however successfully we may conclude the negotiations with Japan, the Government is most likely to face a series of crisis when the outcome of the negotiations is brought to the National Assembly for consent. In fact, as you well know, the Government has already been undergoing difficulties caused by sporadic student demonstrations and agitation campaign staged by the opposition parties.

In the light of the above circumstances, it is imperative for the Government to conclude the long pending negotiations based on the acceptable grounds to the Korean people.

0295

Both the Government of the Republic of Korea and the Government of the United States have made considerable progress since the resumption of the SOFA negotiations on September 20, 1962. However, there still exist considerable differences of views regarding the key issues of such articles on Criminal jurisdiction, Labor procurement and Civil Claims, and the solution of which depends mainly upon political consideration on the part of the United States Government.

The Korean Government, therefore, firmly believe that it is time for both Governments to review their position with respect to major remaining problems and to exert their utmost efforts toward the speedy and successful conclusion in the shortest possible time, thereby further contributing to the enhancement of the traditionally friendly relations existing between the two countries.

Criminal Jurisdiction Article

With the above-mentioned considerations in mind, the Korean Government wishes to outline briefly its positions regarding one of the most important issues on which the ultimate solution of the entire Agreement hinges, that is, the waiver of primary right to exercise jurisdiction.

It has been our basic position that in solving the problems of key issues of Criminal Jurisdiction Article such standard wordings as those accepted in the Status of Forces Agreement with Japan and NATO countries should also be adopted in the text of the forthcoming Agreement. To be more specific, the position of the Korean Government has been that they would waive in as many cases as other countries do under their very simple SOFA except when they determine that it is particular importance that jurisdiction be exercised by the authorities of the Republic of Korea, whereas the U.S. Government has held the position that the primary right to exercise jurisdiction of the Republic of Korea should be waived en masse to the United States authorities, with the right of recall retained by the Korean authorities.

However, the Korean Government has in the course of negotiations made some major concessions to the United States regarding trial safeguards, official duty certificate, and pre-trial custody to meet practically all of the U.S. requirements as regards guarantees of a fair trial to the U.S. personnel and at the same time to enable the U.S. military authorities in Korea to perform their military mission in the most efficient manner. Furthermore, the Korean Government has made these concessions to the U.S. Government in the hope that the U.S. Government would reciprocate our concessive approach by accepting the Korean proposal regarding waiver clause.

Nevertheless, the United States side had at the 74th session, presented to the Korean side their new Agreed Minute Re Paragraph 3(b) which is similar in content with the waiver formula provided for in Article 19 of the NATO-German SOFA, which is apart from the Korean position and the acceptance of the U.S. draft at this juncture would surely result in an added burden on the Korean Government which already has handful of problems in connection with Korea-Japan Talks.

Accordingly, the Korean Government, after the most careful consideration, and with a view to reaching agreement on the most important issue of the Criminal Jurisdiction Article, and at the same time to meet the requirements of the U.S. side, has made at the 77th and 78th session their most significant concessions by accepting, in principle, but with some modifications, the draft tabled by the U.S. negotiators. The Korean Government felt that the following modifications are most essential for obtaining not only understanding of the National Assembly

0298

and the people, but also mutually satisfactory results in the actual implementation of the Agreement.

a. Regarding Paragraph 1 of the U.S. draft, the Korean negotiators had proposed the inclusion of the phrase "at the request of the United States" at the beginning of that Paragraph, because the Government believes that request for waiver should be made not en masse but in each case in order to meet the basic requirements of the Korean Government. The additional phrase is absolutely necessary to maintain its dignity as a sovereign state playing host to the United States armed forces. The provisions of Paragraph 1, therefore, should read as follow:

> "At the request of the United States, the Government of the Republic of Korea waives in favor of the United States the primary right granted to the Korean authorities under sub-paragraph (b) of paragraph 3 of this Article in cases of concurrent jurisdiction, in accordance with Paragraph 2,3,4,5,6 and 7 of this Minute."

Since the Korean Government is prepared to waive their right whenever so requested by the United States, the results would be the same regardless of which formula the United States may accept.

b. The Korean negotiators had also proposed the following additional sentence to be incorporated into the provisions of the Paragraph 4 as the last sentence

0299

of that Paragraph:

> "The recall of waiver shall be final and conclusive unless the statement for recall referred to in Paragraph 3 of this Minute is withdrawn by the Government of the Republic of Korea within a period of Twenty-one days after such statement for recall is made."

The Korean Government considers that the above sentence is necessary to eliminate possible ambiguity over the interpretation of the provisions which may arise in the actual implementation of the Agreement. It also believes that the final settlement of dis-agreement between the two Governments should not unduely be delayed.

c. Regarding Paragraph 6 of the U.S. Agreed Minute Re Paragraph 3(b), after recalling the fact that the U.S. negotiators had agreed at the 67th session to the Korean provisions, had at the 74th session substituted a new Paragraph 6 in place of that Paragraph, the Korean negotiators had proposed at the 77th session that in place of the Paragraph 6 contained in the U.S. draft, the following portion of the previous draft be adopted as Paragraph 6:

> "Trials of cases in which the authorities of the Republic of Korea waive the primary right to exercise jurisdiction and trials of cases involving offense described in Paragraph 3(a) (ii) committed against the state or nationals of the Republic of Korea

shall be held promptly in the Republic of Korea within a reasonable distance from the place where the offenses are alleged to have taken place unless other arrangements are mutually agreed upon. Representatives of the Republic of Korea may be present at such trials."

Any detailed arrangements in addition to the above provisions should be left to the deliberation by the Joint Committee.

As stated at the beginning, to meet the requirements of the United States and at the same time to be consistent with the minimum needs of the Korean Government, the Korea side is prepared to accept the U.S. proposal with minor modifications which the Korean side believes to be absolutely necessary. Moreover, the Korean Government, believing that any further delay in the conclusion of the negotiations would be in the interests of neither the Korean side nor the U.S. side, request the Government of the United States to take into full consideration the positions and related problems outlined by the Korean Government and to incorporate these modifications into the U.S. proposals, thus paving the way for an early conclusion.

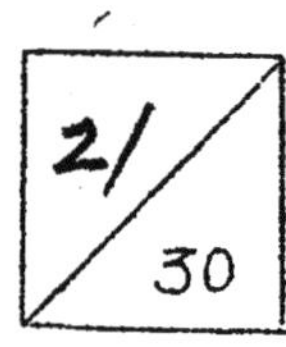

韓美間駐屯軍地位協定締結交涉資料

(刑事裁判管轄權의抛棄 및 被疑者의 裁判前 身柄拘禁條項에 關한 美側提案)

1965 年 4 月

外 務 部

0302

I. 裁判管轄权의 抛棄

合意議事錄 第3(b)項

第1項 美國이 要請하면 大韓民國政府는 裁判管轄权이 競合한 境遇에는 本條 第3項의 (b) 細項에 依하여 大韓民國當局에 賦與된 第一次的 权利를 本合意議事錄 第2, 3, 4, 5, 6, 및 7項에 따라 合衆國을 為하여 抛棄한다.

第2項 本合意議事錄 第7項에 依하여 締結될수 있는 特別한 約定에 따라 合衆國 軍当局은 本合意議事錄 第1項에 規定한 权利抛棄에 該当하는 個別的事件을 大韓民国関係当局에 通告하여야 한다.

第3項 大韓民国関係当局이 特定事件에 있어서 特殊한

事情을 理由로하여 大韓民国의 司法上의 重大한 利益이 大韓民国의 裁判管轄权의 行事를 不可避하게 한다는 意見을 가질 境遇에는 本合意議事録 第2項에 規定한 通告를 받은 날로부터 21日以内에 또는 第7項에 의거하여 締結되는 約定上의 그보다 短期間内에 合衆国의 関係軍当局에 通告를 함으로서 本合意議事録 第1項에 規定한 权利抛棄를 撤回할 수 있다.

大韓民国当局은 또한 이러한 通告를 받기에 앞서 通告書를 提出할수도 있다.

(a) 個々 特定事件의 愼重한 検討와 이러한 検討의 結果에 따를것을 條件으로, 特히 다음과 같은 事件에 있어서 上記第3項의 趣旨内에서

~2~

0304

大韓民国의 司法上의 重大한 利益이 大韓民国의 裁判管轄权 行使를 不可避하게 할수있는 것으로 한다.

(i) 大韓民国의 安全에 関한 犯罪

(ii) 사람을 죽음에 이르게한 犯罪, 強盜罪, 및 強姦罪, 但 그犯罪가 合衆国 軍隊의 構成員, 軍属, 또는 家族에 対하여 行하여진 境遇는 除外한다. 및

(iii) 上記 各 犯罪의 未遂 또는 共犯

(d) 本項의 (a)細項에서 規定한 犯罪에 関하여 関係当局은 本條 第6項에 規定된 相互間의 助力을 提供하기 爲하여 予備捜査의 着手時부터 特히 緊密한 協力을 하여야 한다.

-3-

0305

第 4 項 本合意議事錄 第3項에 따라 大韓民國關係當局이 特定事件에 對한 權利拋棄를 撤回하고 이러한 事件에 있어서 關係當局間의 討議에 있어서 諒解가 이루어지지 않을 때에는 合衆國政府는 外交經路를 通하여 大韓民國政府에 異議를 提起할 수 있다。

大韓民國政府는 大韓民國의 司法上의 利益과 合衆國의 利益을 充分히 考慮하여 外交分野에 있어서의 그의 權限을 行使하여 意見差異를 解決하여야 한다.

拋棄의 撤回는 本合意議事錄 第3項에 規定된 拋棄의 撤回를 爲한 通告가 그러한 通告 發行後 21日 以內에 大韓民國政府에 依하여 取消되지 않는 限 最終的이며 確定的이다.

第 5 項 合衆國 軍當局은 大韓民國關係當局의 同意를 얻어 搜査, 裁判 및 決定을 爲하여 合衆國에 裁判管轄權이 있는 特定刑事事件을 大韓民國法院

~4~

0306

이나 当局에 移送할 수 있다.

大韓民國関係当局은 合衆国 軍当局의 同意를 얻어 捜査, 裁判 및 決定을 위하여 大韓民国에 裁判管轄权이 있는 特定刑事事件을 合衆国 軍当局에 移送할 수 있다.

第6項 (a) 合衆国軍隊의 構成員, 軍属 또는 家族이 大韓民國内에서 大韓民国의 利益에 反하여 犯하여진 犯罪때문에 合衆国法院에 訴追되었을 境遇에는 그裁判은 大韓民國内에서 行하여야 한다.

(i) 但, 合衆国의 法律이 달리 要求하는 境遇 또는

(ii) 軍事上 緊急事態의 境遇 또는 司法上의

~5~

0307

第6項 大韓民國이 管轄权을 行使할 第一次的权利를 抛棄하는 事件의 裁判과 第3(a)(ii)項에 規定된 犯罪(公務執行中 犯罪)로서 大韓民國 또는 大韓民國國民에 対하여 犯하여 진 犯罪에 関聯된 事件에 対한 裁判은 別途의 約定이 相互 合意되지 않는 限 犯罪가 行하여 진 것으로 認定되는 場所로부터 適当한 距離内에서 即時 行하여져야 한다. 大韓民國의 代表는 그러한 裁判에 参席할 수 있다.

利益을 爲한 境遇에 合衆国軍当局이 大韓民国外에서 裁判을 行할 意図가 있는 境遇는 除外한다. 이러한 境遇에 있어서 合衆国軍当局은 大韓民国当局에 그러한 意図에 対한 意見을 陳述할수 있는 機会를 適時에 賦與하여야 하며 大韓民国当局이 陳述하는 意見에 対하여 充分한 考慮를 하여야 한다.

(b) 裁判이 大韓民国外에서 行하여진 境遇에는 合衆国軍当局은 大韓民国当局에 裁判의 場所와 日字를 通告하여야 한다. 1名의 大韓民国代表는 그裁判에 参席할 权利를 가진다. 但 그代表의 参席이 合衆国의 法院規則과 両立되지 않거나 또는 合衆国의 安全上의 必要

性으로서 同時에 大韓民国의 安全上의 必要性이 아닌 그러한 合衆国의 安全上의 必要性과 両立되지 않을 境遇는 除外한다。 合衆国当局은 訴訟의 判決과 最終的 結果를 大韓民国当局에 通告하여야 한다。

第7項 本條 및 本合意議事録의 規定을 履行함에 있어서나 輕微한 犯罪의 迅速한 處理를 위하여 合衆国軍当局과 大韓民国関係当局間에 約定이 締結될수 있다.

同 約定은 또한 通告없이하는 處理와 本合意議事録 第3項에 言及된 权利抛棄가 撤回될수있는 期間에도 미칠수 있다.

Ⅱ. 裁判前 被疑者의 身柄拘禁

本條 第5項

(a) 合衆国当局 및 大韓民国当局은 大韓民国 領域内에서 合衆国 軍隊의 構成員, 軍属 또는 그들의 家族을 逮捕함에 있어서, 그리고 다음 規定에 따라 身柄을 拘禁할 当局에 引渡함에 있어서, 相互助力하여야 한다.

(b) 大韓民国当局은 合衆国当局에 合衆国軍隊의 構成員 軍属 또는 家族의 逮捕를 即時 通告하여야 한다. 合衆国軍当局은 大韓民国当局에 大韓民國이 裁判管轄权을 行使하는 第一次的 权利를 갖는 事件에 있어서 合衆国軍隊의 構成員, 軍属, 또는 家族의 逮捕를

即時通告하여야 한다.

(c) 大韓民國이 裁判管轄权을 行使할 合衆国軍隊의 構成員, 軍属 또는 家族인 被疑者의 身柄拘禁은 그者가 合衆國의 手中에 있다면 모든 訴訟節次가 終結되고 그리고 大韓民國當局이 身柄拘禁을 要求할때까지 合衆國이 이를 行한다.

그者가 大韓民国 手中에 있다면 即時 合衆国当局에 引渡되어야 하며 모든 訴訟節次가 終結되고 그리고 大韓民国当局이 身柄拘禁을 要求할때까지 合衆国当局의 身柄拘禁下에 두어야 한다. 被疑者가 合衆國軍当局의 拘禁下에 있을境遇에 있어서 合衆國軍当局은 特定事件에 있어서 大韓民国当局이 行한 身柄拘禁引渡 要求에 對하여 好意的 考慮를 하여야

한다. 合衆國当局은 大韓民國当局의 要求를 받으면 大韓民国当局으로 하여금 被疑者에 対한 捜査와 裁判을 可能케 한다. 合衆国当局이 合衆国軍隊의 構成員, 軍属 또는 家族의 身柄拘禁을 継続함에 있어서 同当局으로부터의 助力을 要求하면, 大韓民国当局은 이 要求에 対하여 好意的 考慮를 하여야 한다

(d) 第2(c) 項에 規定된바, 全的으로 大韓民国의 安全에 対한 犯罪에 関하여 被疑者의 身柄은 大韓民国当局의 拘禁下에 두어야 한다. (2個의 諒解事項에 対한 韓美间의 合意를 條件으로 함)

~10~

0312

Revised U.S. Draft

I. Waiver of Primary Right to exercise Jurisdiction

Re Paragraph 3(b)

1. The Government of the Republic of Korea waives in favor of the United States the primary right granted to the Korean authorities under sub-paragraph (b) of Paragraph 3 of this Article in cases of concurrent jurisdiction, in accordance with Paragraph 2, 3, 4, 5, 6, and 7 of this Minute.

2. Subject to any particular arrangements which may be made under Paragraph 7 of this Minute, the military authorities of the United States shall notify the competent Korean authorities of individual cases falling under the waiver provided in Paragraph 1 of this Minute.

3. Where the competent Korean authorities hold the view that, by reason of special circumstances in a specific case, major interests of Korean administration of justice make imperative the exercise of Korean jurisdiction, they may recall the waiver granted under Paragraph 1 of this minute by a statement to the competent military authorities of the United States within a period of twenty-one days after receipt of the notification envisaged in Paragraph 2 of this

-11-

0313

Minute or any shorter period which may be provided in arrangements made under Paragraph 7 of this Minute. The Korean authorities may also submit the statement prior to receipt of such notification.

(a) Subject to a careful examination of each specific case and to the results of such examination, major interests of Korean administration of justice within the meaning of Paragraph 3 above may make imperative the exercise of Korean jurisdiction, in particular, in the following cases:

(i) Security offenses against the Republic of Korea;

(ii) Offenses causing the death of a human being, robbery, and rape, except where the offenses are directed against a member of the United States Armed Forces or the civilian component, or a dependent; and

(iii) Attempts to commit such offenses or participation therein.

(b) In respect of the offenses referred to in Subparagraph (a) of this Paragraph, the authorities concerned shall proceed in particularly close cooperation from the beginning of the preliminary investigation in order to provide the mutual assistance envisaged in Paragraph 6 of this Article.

4. If, pursuant to Paragraph 3 of this Minute, the competent Korean authorities have recalled the waiver in a specific case and in such case an understanding cannot be reached in discussions between the authorities concerned, the Government of the United States may make representations to the Government of the Republic of Korea through diplomatic channels. The Government of the Republic of Korea, giving due consideration to the interests of Korean administration of justice and to the interests of the Government of the United States, shall resolve the disagreement in the exercise of its authority in the field of foreign affairs.

5. With the consent of the competent Korean authorities, the military authorities of the United States may transfer to the Korean courts or authorities for investigation, trial and decision, particular criminal cases in which jurisdiction rests with the United States.

With the consent of the military authorities of the United States, the competent Korean authorities may transfer to the military authorities of the United States for investigation, trial and decision, particular criminal cases in which jurisdiction rests with the Republic of Korea.

6. (a) Where a member of the United States Armed Forces or civilian component, or a dependent, is arraigned before a court of the United States, for an offense committed in the Republic of Korea against Korean interests, the trial shall be held within the Republic of Korea.

(i) Except where the law of the United States requires otherwise, or

(ii) Except where, in cases of military exigency or in the interests of justice, the military authorities of the United States intend to hold the trial outside the Republic of Korea. In this event they shall afford the Korean authorities timely opportunity to comment on such intention and shall give due consideration to any comments the latter may make.

(b) Where the trial is held outside of the Republic of Korea the military authorities of the United States shall inform the Korean authorities of the place and date of the trial. A Korean representative shall be entitled to be present at the trial, except where his presence is incompatible with the rules of the court of the United States or with the security requirements of the United

States, which are not at the same time the security requirements of the Republic of Korea. The authorities of the United States shall inform the Korean authorities of the judgment and the final outcome of the proceedings.

7. In the implementation of the provisions of this Article and this agreed minute, and to facilitate the expeditious disposal of offenses of minor importance, arrangements may be made between the military authorities of the United States and the competent Korean authorities. These arrangements may also extend to dispensing with notification and to the period of time referred to in Paragraph 3 of this Minute, within which the waiver may be recalled.

II. Pre-trial Custody

Revised U.S. Draft of Paragraph 5

5. (a) The authorities of the United States and the authorities of the Republic of Korea shall assist each other in the arrest of members of the United States armed forces, the civilian component, or their dependents in the territory of the Republic of Korea and in handing them over to the authority which is to have custody in accordance with the following provisions.

(b) The authorities of the Republic of Korea shall notify promptly the authorities of the United States of the arrest of any member of the United States armed forces, or civilian component, or a dependent. The military authorities of the United States shall promptly notify the authorities of the Republic of Korea of the arrest of a member of the United States armed forces, the civilian component, or a dependent in any case in which the Republic of Korea has the primary right to exercise jurisdiction.

(c) The custody of an accused member of the United States armed forces or civilian component, or of a dependent, over whom the Republic of Korea is to exercise jurisdiction shall, if he is in the hands of the United States, remain with the United States pending the conclusion of all judicial proceedings and until custody is requested by the authorities of the Republic of Korea. If he is in the hands of the Republic of Korea, he shall be promptly handed over to the authorities of the United States and remain in their custody pending completion of all judicial proceedings and until custody is requested by the authorities of the Republic of Korea. When an accused has been in the custody of the military authorities of the United States, they shall give sympathetic consideration to any request for the transfer of custody which may be made by the authorities of the Republic of Korea in specific cases. The United States authorities will make any such accused available to the authorities of the Republic of Korea upon their request for purposes of investigation and trial. The authorities of the Republic of Korea shall give sympathetic consideration to a request from the authorities of the United States for assistance in maintaining custody of an accused member of the United States armed forces, the civilian component, or a dependent.

(d) In respect of offenses solely against the security of the Republic of Korea provided in Paragraph 2(c), an accused shall be in the custody of the authorities of the Republic of Korea. (Subject US-ROK agreement on two understandings.)

I. Waiver of Primary Right to exercise Jurisdiction

Re Paragraph 3(b)

1. At the request of the United States, the Government of the Republic of Korea waives in favor of the United States the primary right granted to the Korean authorities under sub-paragraph (b) of Paragraph 3 of this Article in cases of concurrent jurisdiction, in accordance with Paragraphs 2,3,4,5,6 and 7 of this Minute.

2. Subject to any particular arrangements which may be made under Paragraph 7 of this Minute, the military authorities of the United States shall notify the competent Korean authorities of individual cases falling under the waiver provided in Paragraph 1 of this Minute.

3. Where the competent Korean authorities hold the view that, by reason of special circumstances in a specific case, major interests of Korean administration of justice make imperative the exercise of Korean jurisdiction, they may recall the waiver granted under Paragraph 1 of this minute by a statement to the competent military authorities of the United States within a period of twenty-one days after receipt of the notification envisaged

- 1 -

0320

in Paragraph 2 of this Minute or any shorter period which may be provided in arrangements made under Paragraph 7 of this Minute. The Korean authorities may also submit the statement prior to receipt of such notification.

(a) Subject to a careful examination of each specific case and to the results of such examination, major interests of Korean administration of justice within the meaning of Paragraph 3 above may make imperative the exercise of Korean jurisdiction, in particular, in the following cases:

(i) Security offenses against the Republic of Korea;

(ii) Offenses causing the death of a human being, robbery, and rape, except where the offenses are directed against a member of the United States Armed Forces or the civilian component, or a dependent; and

(iii) Attempts to commit such offenses or participation therein.

(b) In respect of the offenses referred to in Subparagraph (a) of this Paragraph, the authorities concerned shall proceed in particularly close cooperation from the beginning of the preliminary investigation in order to provide the mutual assistance envisaged in Paragraph 6 of this Article.

4. If, pursuant to Paragraph 3 of this Minute, the competent Korean authorities have recalled the waiver in a specific case and in such case an understanding cannot be reached in discussions between the authorities concerned, the Government of the United States may make representations to the Government of the Republic of Korea through diplomatic channels. The Government of the Republic of Korea, giving due consideration to the interests of Korean administration of justice and to the interests of the Government of the United States, shall resolve the disagreement in the exercise of its authority in the field of foreign affairs. The recall of waiver shall be final and conclusive unless the statement for recall referred to in Paragraph 3 of this Minute is withdrawan by the Government of the Republic of Korea within a period of Twenty-one days after such statement for recall is made.

5. With the consent of the competent Korean authorities, the military authorities of the United States may transfer to the Korean courts or authorities for investigation, trial and decision, particular criminal cases in which jurisdiction rests with the United States.

- 3 -

0322

With the consent of the military authorities of the United States, the competent Korean authorities may transfer to the military authorities of the United States for investigation, trial and decision, particular criminal cases in which jurisdiction rests with the Republic of Korea.

6. Trials of cases in which the authorities of the Republic of Korea waive the primary right to exercise jurisdiction, and trials of cases involving offenses described in paragraph 3(a) (ii) committed against the State or nationals of the Republic of Korea shall be held promptly in the Republic of Korea within a reasonable distance from the place where the offenses are alleged to have taken place unless other arrangements are mutually agreed upon. Representatives of the Republic of Korea may be present at such trials.

7. In the implementation of the provisions of this Article and this agreed minute, and to facilitate the expeditious disposal of offenses of minor importance, arrangements may be made between the military authorities of the United States and the competent Korean authorities.

These arrangements may also extend to dispensing with notification and to the period of time referred to in Paragraph 3 of this Minute, within which the waiver may be recalled.

Agreed Minute #1 Re Paragraph 3(a) (ii)

1. Where a member of the United States armed forces or civilian component is charged with an offense, a certificate issued by competent authorities of the United States armed forces stating that the alleged offense, if committed by him, arose out of an act or omission done in the performance of official duty shall be sufficient evidence of the fact for the purpose of determining primary jurisdiction.

In those exceptional cases where the chief prosecutor for the Republic of Korea considers that there is proof contrary to a certificate of official duty, it shall be made the subject of review through discussions between appropriate officials of the Government of the Republic of Korea and the diplomatic mission of the United States in the Republic of Korea.

Agreed Minute #2 Re Paragraph 3(a)(ii)

2. The term "official duty" as used in Article ___ and the Agreed Minute is not meant to include all acts by members of the Armed Forces and the civilian component during periods when they are on duty, but is meant to apply only to acts which are required to be done as

functions of those duties which the individuals are performing. Thus, a substantial departure from the acts a person is required to perform in a particular duty usually will indicate an act outside of his "official duty." (U.S. draft proposed at the 49th meeting)

- 2 -

0326

PARAGRAPH 5

5. (a) The military authorities of the United States and the authorities of the Republic of Korea shall assist each other in the arrest of members of the United States armed forces, the civilian component, or their dependents in the territory of the Republic of Korea and in handing them over to the authority which is to have custody in accordance with the following provisions.

(b) The authorities of the Republic of Korea shall notify promptly the military authorities of the United States of the arrest of any member of the United States armed forces, or civilian component, or a dependent. The military authorities of the United States shall promptly notify the authorities of the Republic of Korea of the arrest of a member of the United States armed forces, the civilian component, or a dependent in any case in which the Republic of Korea has the primary right to exercise jurisdiction.

(c) The custody of an accused member of the United States armed forces or civilian component, or of a dependent, over whom the Republic of Korea is to exercise jurisdiction shall, if he is in the hands of the military authorities of the United States, remain with the military authorities of the United States pending the conclusion of all judicial proceedings and until custody is requested by the authorities of the Republic of Korea. If he is in the hands of the Republic of Korea, he shall, on request, be handed over to the military authorities of the United States and remain in their custody pending completion of all judicial proceedings and until custody is requested by the authorities of the Republic of Korea. When an accused has been in the custody of the military authorities of the United States, the military authorities of the United States may transfer custody to the authorities of the Republic of Korea at any time, and shall give sympathetic consideration to any request for the transfer of custody which may be made by the authorities of the Republic of Korea in specific cases. The military authorities of the United States shall promptly make any such accused available to the authorities of the Republic of Korea upon their request for purposes of investigation and trial, and shall take all appropriate measures to that end and to prevent any prejudice to the course of justice. They shall take full account of any special request regarding custody made by the authorities of the the Republic of Korea. The authorities of the Republic of Korea shall give sympathetic consideration to a request from the military authorities of the United States for assistance in maintaining custody of an accused member of the United States armed forces, the civilian component, or a dependent.

(d) In respect of offenses solely against the security of the Republic of Korea provided in Paragraph 2(c), an accused shall be in the custody of the authorities of the Republic of Korea.

Joint Communique Issued by President Park of the Republic of Korea and President Johnson of the United States, Washington, D.C., May 18, 1965

13. In the course of President Park's visit to Washington, agreement was reached in principle on major issues of a status of forces agreement. It is therefore expected that remaining issues will be resolved so that a status of forces agreement can be reached in the near future.

0350

정/리/보/존/문/서/목/록					
기록물종류	문서-일반공문서철	등록번호	930 9603	등록일자	2006-07-27
분류번호	741.12	국가코드	US	주제	
문서철명	한.미국 간의 상호방위조약 제4조에 의한 시설과 구역 및 한국에서의 미국군대의 지위에 관한 협정 (SOFA) 전59권. 1966.7.9 서울에서 서명 : 1967.2.9 발효 (조약 232호) *원본				
생산과	미주과/조약과	생산년도	1952 - 1967	보존기간	영구
담당과(그룹)	조약	조약	서가번호	--	
참조분류					
권차명	V.32 주미국대사관을 통한 교섭, 1964-65				
내용목차	1. 1964 (p.2~89) 2. 1965 (p.90~133) * 일지 : 1953.8.7 이승만 대통령-Dulles 미국 국무장관 공동성명 - 상호방위조약 발효 후 군대지위협정 교섭 약속 1954.12.2 정부, 주한 UN군의 관세업무협정 체결 제의 1955.1월, 5월 미국, 제의 거절 1955.4.28 정부, 군대지위협정 제의 (한국측 초안 제시) 1957.9.10 Hurter 미국 국무차관 방한 시 각서 수교 (한국측 제의 수락 요구) 1957.11.13, 26 정부, 개별 협정의 단계적 체결 제의 1958.9.18 Dawling 주한미국대사, 형사재판관할권 협정 제외 조건으로 행정협정 체결 의사 전달 1960.3.10 정부, 토지, 시설협정의 우선적 체결 강력 요구 1961.4.10 장면 국무총리-McConaughy 주한미국대사 공동성명으로 교섭 개시 합의 1961.4.15, 4.25 제1, 2차 한.미국 교섭회의 (서울) 1962.3.12 정부, 교섭 재개 촉구 공한 송부 1962.5.14 Burger 주한미국대사, 최규하 장관 면담 시 형사재판관할권 문제 제기 않는 조건으로 교섭 재개 통고 1962.9.6 한.미국 간 공동성명 발표 (9월 중 교섭 재개 합의) 1962.9.20~1965.6.7 제1-81차 실무 교섭회의 (서울) 1966.7.8 제82차 실무 교섭회의 (서울) 1966.7.9 서명 1967.2.9 발효 (조약 232호)					

마/이/크/로/필/름/사/항				
촬영연도	*롤 번호	화일 번호	후레임 번호	보관함 번호
2006-11-23	I-06-0069	09	1-133	

0001

1. 1964

0002

기 안 용 지

자체 통제		기안처	미주과 강석재	전화번호	근거서류접수일자
	과장	국장	차관	장관	
	1/8				
관계관 서명					
기안 년월일	1964. 1. 8	시행 년월일		보존 년한	정서기장
분류 기호	외정미 722.2	전체 통제	1966 통제관 종결		
경유 수신 참조	주 미 대 사			발신	장 관
제목	미 주둔군지위 협정 체결교섭 촉진				

1. 미 주둔군지위협정체결을 위한 실무자교섭회의 미국측 수석대표인 주한 미대사관 정치담당 참사관 Philip C. Habib 씨는 1월 18일 본국협의차 귀국하는 주한 유엔군 및 미8군 총사령관 Howze 대장과 동도 귀국하여 약 10일간 본국에서 체류할것이라 함.

2. Habib 참사관의 귀국으로 본국정부와 주한 미군지위협정에 관한 협의가 있을것이라 예상되는바 이번 기회에 별첨 "미주둔군지위협정 체결에 관한 참고 및 지시사항"에 따라 미국무성당국과 교섭 촉진을 위한 적극적인 외교활동을 전개하고 그결과를 보고하시기 바랍니다.

유첨: 미주둔군지위협정 체결에 관한 참고 및 지시사항 1부. 끝.

보통문서로 재분류(1966. 12. 31)

1966. 12. 31.에 예고문에 의거 일반문서로 재분류됨

0003

승인서식 1-1-3 (11-00900-03) (195mm×265mm16절지)

64-3-1

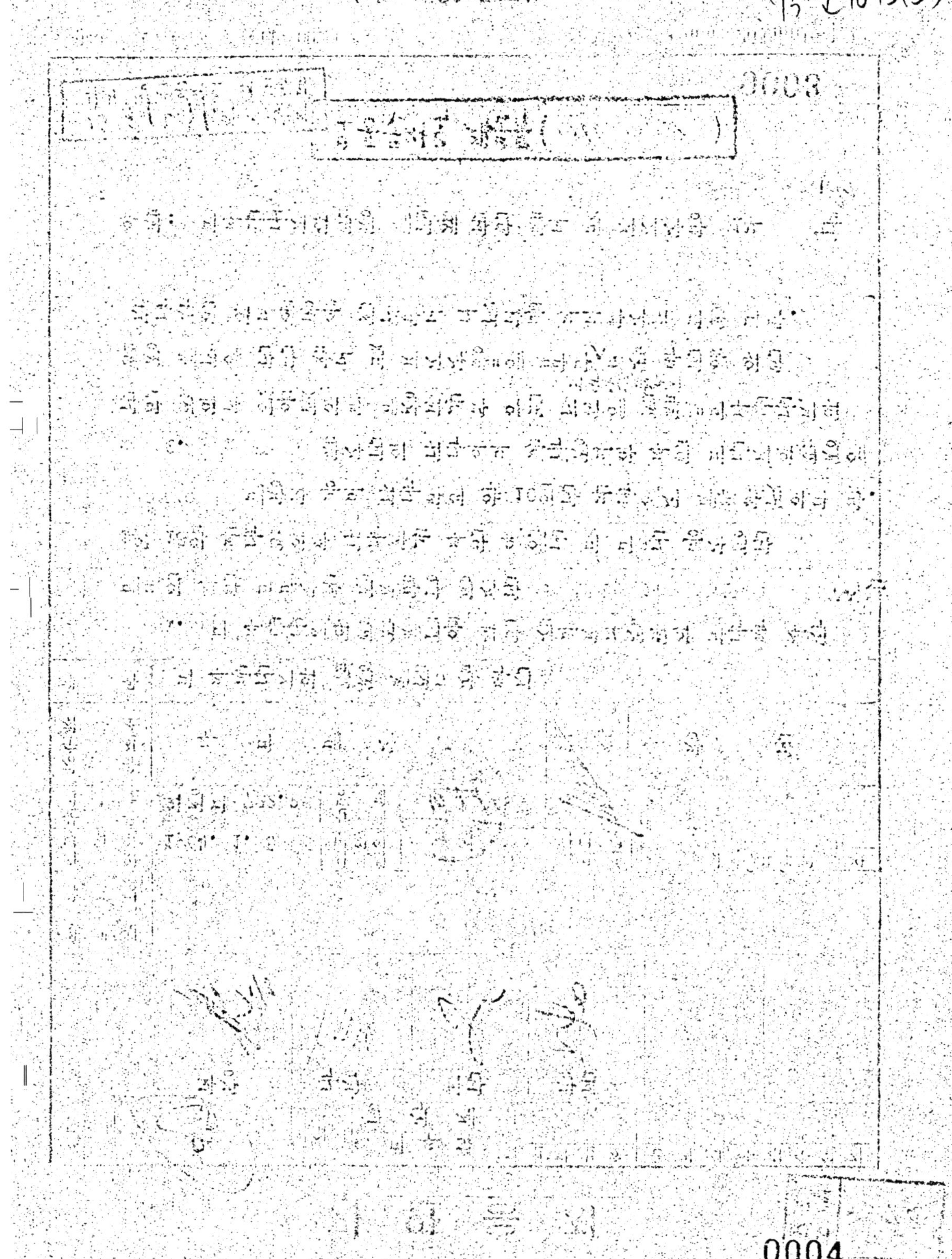

0004

미주둔군지위협정체결에 관한 참고 및 지시사항

1. 교섭 방침:

미 주둔군 지위협정은 주한 미국군대의 법적지위와 아울러 주둔군에 관한 복잡한 제반 행정상의 문제를 협정으로 규제하여 한미양국간의 유대강화와 우호관계의 증진을 기할것을 목적으로 하고 있다. 특히 교섭에 있어서 우리측 실무교섭자들은 접수국의 이익을 최대한도로 보장하기 위하여 미국이 선진제국과 체결한 "나토"협정 및 미일협정의 형태와 내용을 기준으로 하고 또한 우리나라의 현실적인 특수사정을 반영케하여 한미양국에 상호 만족스러운 협정을 체결할 방침하에 가능한 노력을 경주하고 있다.

2. 교섭 현황:

한미양국은 1962. 9. 6. 미주둔군지위협정체결을 위한 실무자 교섭회의 재개에 합의하는 공동성명서를 발표하고 1962. 9. 20. 제1차 교섭회의를 개최한 이래 1963. 12. 27. 현재 37차에 걸친 회의를 가진바 있다. 양국 실무교섭자는 협정에 포함될 주요제목으로 29개 항목에 달하는 조항을 채택하고 교섭을 추진하여 왔는바 교섭 진전현황은 아래와 같다.

가. 현재까지 완전합의에 도달한 조문 (13개 조문)

협정 서문

용어의 정의

합동 위원회

출입국 관리

선박 및 항공기의 기착

예비병의 소집 및 훈련

기상 업무

차량 및 운전면허

0005

16

0006

접수국 법규의 존중

위생 및 보건조치

항공통제 및 항해보조시설

조세

협정의 개정

나. 현재 토의중인 조문 (11개 조문)

토지 시설

관세 업무

공익물 및 용역

군표

군사우편

미군인 가족 및 재산의 안전

외환관리

비세출자금 기관

청구권

현지조달

군 계약자

다. 토의 예정 조문 (5개 조문)

형사재판 관할권

계약상의 분쟁

노무

협정의 비준 및 발효 시행사항

협정의 유효기간 및 만료사항

(별첨 일람표 참조)

3. 문제점:

현재까지 양국 실무교섭자들은 상호 신뢰와 존중의 정신하에 진지한 교섭을 계속하여 왔으며 미국측도 상당한 성실성을 표시하여 왔었다. 그간의 교섭경위로 보아 현재 토의중에 있는 대부분의 조문은 지엽적인 기술적 사항을 조정한다면 불원 합의될 가망이 0007

64-3-2 미원 113-15

0008

였으나 특히 토지시설 및 청구권조문과 아직 토의에 들어가지 않은 형사재판관할권 문제는 난제로 예상되며 합의에 이르기까지에는 한미 양국의 신축성있는 교섭태도와 미국측의 협조가 요망되는 바임. 난제로 예상되는 전기한 제문제점에 관한 양국입장의 차이점을 부기한다면 대략 아래와 같다.

가. 토지시설 문제

토지시설문제에 있어서 보상문제를 제외한 기타사항은 기이 완전 합의를 보았다. 보상문제에 관하여 우리측은 미국군대가 사용중인 토지시설가운데 사유재산에 대한 보상만은 미국정부가 책임질것을 요구하고 있는데 반하여 미국측은 이러한 우리측 요구에 절대 응할수 없다는 입장을 취하고 있다.

나. 청구권 문제

우리측은 미국군인들의 공무집행중인 작위와 불작위 및 비공무집행중의 불법행위로 인한 제3자에 대한 손해에 대하여서는 대한민국의 법율에 따라 보상할것을 주장하고 있는데 반하여 미국측은 미국의 대외 소청법에 의거 보상한다는 입장을 취하고 있음.

다. 형사재판 관할권 문제

우리측은 그간 교섭회의를 통하여 누차 본조문의 초안 교환을 미국측에 요구하였으나 미국측은 아직 준비가 안되었다는 이유로 이를 지연시켜왔음. 청구권에 관한 조문초안으로 미루어 보아 본조문에 관한 미국측의 초안도 아국측 초안과는 상당한 거리가 있을것으로 예상됨.

4. 미 국무성당국과의 교섭요강 (지시 사항)

협정체결 교섭의 촉진을 위하여 다음과 같은 지시사항을 시달하오니 미국무성 당국과 적극적인 교섭을 전개할것.

0009

64-7-4

64-3-2

0010

가. 전합 문제점에서 기술한 제조문에 있어서의 양측 입장의 차이에관하여 우리측 입장을 수락하도록 강력히 요구할것.

나. 형사재판 관할권 문제를 비롯한 기타 토의예정 조문의 초안을 가능한 한 조속히 제출하도록 촉구할것.

다. 형사재판 관할권 문제는 토지시설에 관한 보상문제와 청구권조문과 아울러 우리측으로서 비상한 관심을 갖고 중요시하고 있는 조문인 만큼 미국측의 초안 제안에 앞서 이러한 우리측 견해를 시사하여 미국측의 충분한 고려를 종용하도록 할것.

라. 협정체결을 위한 실무자교섭이 재개된지 1년3개월이란 기간이 경과하였으며 또한 그간 우리정부가 입헌정부로 이양한 현재에 있어서 우리국민들의 주둔군지위협정 체결에 관한 관심이 점고하고 있음을 지적하고 조속한 시일내로 교섭을 완료할수 있도록 미국측의 적극적인 협조를 촉구할것.

5. 기타 사항

과거 및 앞으로의 협정체결 실무자 교섭회의의 회의록 및 양측의 조문초안을 추송하겠아오니 본부에서 추진중인 주둔군지위 협정체결을 위한 실무자 교섭회의의 진전 현황을 항상 파악하여 미 국무성 당국과 긴밀한 접촉을 유지하여 교섭촉진을 위한 가능한 지원을 하시기 바랍.

0011

64-3-5

64-3-2 (5)

0012

대한민국 외무부

발신전보

긴 급

번호: WUS-0166

일시: 201226

수신인: 주 미 대사

1. 주둔군지위협정 체결 미국측 수석대표인 "하비브" 참사관은 "하우즈"대장 귀국편으로 본국방문차 18일 이곳을 출발 19일 1900시에 와싱톤 도착예정이라 함.

2. 이에 관하여 1.8.자 외구미722.2호 " 미주둔군지위협정 체결 교섭 촉진"공한으로 지시한바와 같이 미국무성당국과 적극 교섭을 전개하시기 바람.

3. 본부에서도 "러스크"장관 방한시에 이문제를 제기하여 협의할 예정임을 알림. (외구미) 끝

장 관

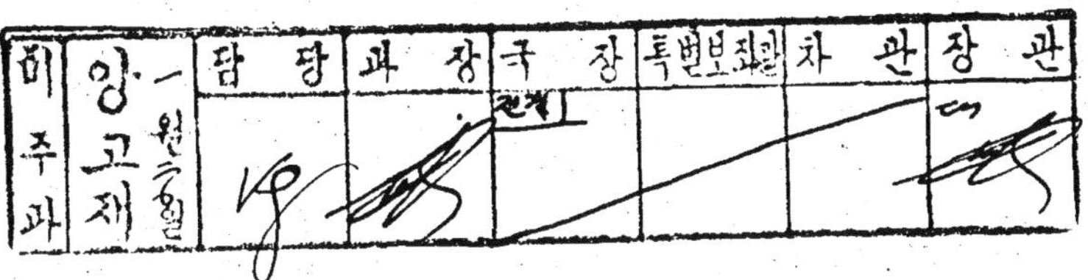

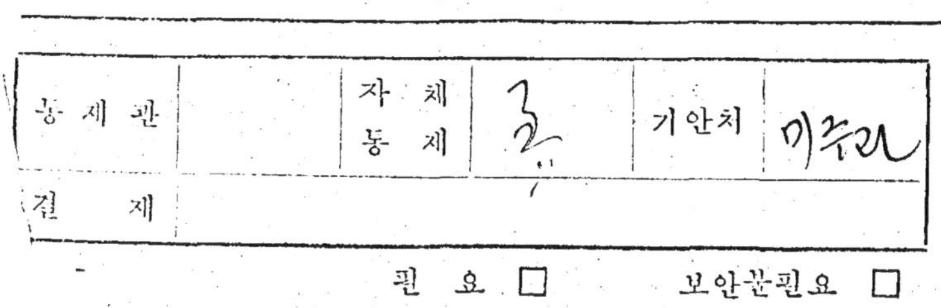

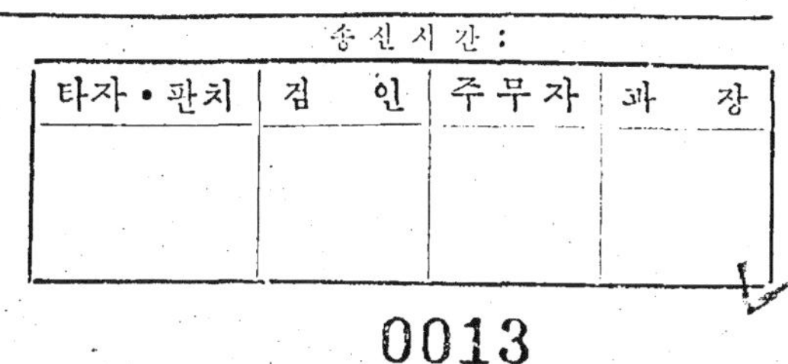

필요 ☐ 보안필요 ☐

0013

대한민국 외무부

착신암호전보

번 호: USW-0179

일 시: 201840

수신인: 장 관

발신인: 주 미 대 사

관리번호 1413

대: WUS -0160

금 20 일 국무성 한국과에서 말하는바에 의하면미주둔군 지위협정의 형사재판 관할권에대한 조약문안을 러스크장관 방한에 대비하여 금주내로 주한미대사관에 송부되리라함. 동문안의 내용은 미일 행정협정의 해당조항과 대체로 유사한것이라함.

(주미정)

예고: 조안 재시시 재분류.

미주과	양고재	일 월 일	담 당	과 장	국 장	특별보좌관	차 관	장 관

비서	✓	통상		중정		재무	
국제	6	문서		경기		조달	
정보	✓	의전		국방		농림	
방교		총무		상공			

외 신 과

검 인 

수신시간: 0014

1964 JAN 21 AM 10 50

기 안 용 지

자체 통제	외무부 통제관	기안처	미주과 이근팔	전화번호	근거서류접수일자
	과장	국장	차관	장관	
관계관 서명					
기안 년월일	1964. 1. 28.	시행 년월일		보존 년한	정서 기장
분류 기호	외구미 722.2	전체 통제			
경유 수신 참조	주 미 대 사		발신	장 관	
제목	미주둔군지위협정 체결교섭 촉진				

1. 외구미 722.2 호 지시에 관련된 사항입니다.

2. 미주둔군지위협정 체결실무자교섭회의 회의록 및 한미 양측의 조문초안을 송부하오니 교섭 진전의 현황을 항상 파악하여 미국무성당국과의 접촉에 자하시기 바랍니다.

3. 장차 실무자회의가 진행됨에 따라 새로 교환되는 조문초안 및 회의록을 수시 송부하겠읍니다.

4. 동 회의록은 주둔군지위협정이 체결되면 본부에서 보존코저 하오니 사용 및 보관에 만전을 기하시기 바랍니다.

유 첨: 미주둔군지위협정 체결 교섭실무자회의 회의록 1부 및 한미양측 조문초안 각 1부식. 끝.

1966.12.31 에 예고문에 의거 일반문서로 재분류됨

1966.12.31.

승인양식 1-1-3 (1112-040-016-018) (190mm×260mm16절지)

0015

3. 미주둔군지위협정체결

미주둔군지위협정 체결을 위한 한.미간의 실무자 교섭회의는 1962 년 9 월 20 일에 제 1 차 회의가 소집된이래 1963 년 12 월 17 일 현재 제 36차의 걸친회의를 가진바 있으며 , 29개 주요항목중 완전합의에 도달한것이 13개 조문, 토의중이거나 부분적인합의를 본것이 11개 조문, 그리고 앞으로 토의 예정에 있는것이 5 개 조문으로 되어있는것으로 아는데 현재까지 양국의 실무교섭자들은 성의를 가지고 상호 진지하게 교섭하여 온결과 상당한 진첩을 거두었으며 앞으로 남아있는 다소 복잡한 주요문제에 있어서도 양측 초안에 게재되어있는 거리점을 상호간에 단축시켜 조속한 시일내에 완전합의를보고 체결을 볼수있도록 최대의 노력을 경주할것을 보략합니다.

參考事項.

1. 他国의 交涉期間

NATO …. 2年 (1951.6.19 서명)

美日協定 …. 2年 (1952.2.28 發効)

1年半 (改正)

美中協定 … 6年間 繼續中. (1957. 以來)

美比協定 … 改正交涉中.

2 重要條文.

1) 土地 및 施設

2) 労務

3) 刑事裁判管轄權

4) 請求權 問題

0016

미 주둔군지위협정 체결 교섭은 주한 미군대의 법적 지위와 아울러 주둔군에 관한 복잡한 제반 행정상의 문제사항을 협정으로 규제하여 한미간의 유대강화와 우호관계 증진을 목적으로 하고 있으며 특히 교섭에 있어서 우리측 교섭자들은 접수국으로서의 우리의 이익을 최대한도로 보장하기 위하여 미국이 선진제국과 체결한 "나토" 협정 및 미일간의 협정을 기준형태로 하고 또한 우리나라의 현실적인 특수사정을 반영케하여 한미양국에 상호 만족스러운 협정체결을 기획하고 최선의 노력을 경주하고 있다.

1. 교섭현황

한미간 실무자 교섭회의는 1962. 9. 20일 제1차 회의를 개최하고 1963. 12. 27일 현재 37차에 걸친 회의를 가진바 있으며 그 진전상황을 당초 협정에 포함하기로 예정한바 있는 29개 항목에 달하는 주요조문별로 본다면 다음과 같다.

가. 완전합의에 도달한 조문 (13개 조문)

협정 서문

용어의 정의

합동 위원회

출입국 관리

선박 및 항공기의 기착

어비역의 소집 및 문면

기상업무

차량 및 운전면허

0017

접수국의 법규 존중

위생 및 보건조치

항공통제 및 항해보조 시설

조세

협정의 개정

나. 토의중이며 부분적 합의를 본 조문 (11개 조문)

토지시설

관세 업무

공익물 및 용역

군표

군사우편

미군인 가족 및 재산의 안전

화폐통제

비세출자금기관

청구권

현지 조달

군 계약자

다. 토의 예정조문 (5개조문)

형사재판 관할권

계약상의 분쟁

노무

협정의 비준, 발효 및시행사항

협정의 유효기간 및 만료사항

0018

2. 전망

현재까지 양국 실무교섭자들은 상호 신뢰와 존중의 정신하에 진지한 교섭을 계속하여 상당한 성과를 거두었다. 현재까지의 교섭경위로 보아 부분적 합의를 본 대부분의 조문은 지엽적인 기술적 사항을 조정하게 된다면 완전 합의를 볼수 있을 가망이 많으며 아직 토의에 들어가지 않은 남어지 5개조문을 포함해서 주요재목 전반에 걸친 교섭을 단시일내에 완결하기 위하여 계속 노력을 경주하고 있다. 현재까지와 또한 앞으로에 있어서 교섭에 있어서 난점이 있는것으로 예상되는 조문은 토지시설, 군표, 청구권 및 형사재판관할권 등 4개 조문인바 완전합의에 이루기까지 한미양국의 교섭자들은 상호 신축성있는 교섭태도로서 상호 조안에 있는 거리점을 단축시켜 조속한 시일내로 교섭의 완결을 위해 노력을 계속 경주할 방침이다.

3. 참고 사항

참고로 미국이 체결한 타국과의 협정 교섭에 요한 시일을 살펴본다면 "나토"협정에 2년, 최초의 미일협정에 2년, 동협정 개정에 1년반, 미중협정은 상금 6년째 계속중이며 또한 미비간의 기지협정 수정교섭도 오랜기간 현안으로 상금도 진행중에 있으며 이러한 점을 볼때 그간 우리교섭자들이 짧은기간에 불구하고도 한미간의 주둔군지위협정체결 교섭에 있어서 많은 성과를 거두었다고 할수 있겠다.

1966,12,7에 예고문에 의거 일반문서로 재분류됨

보통문서로 재분류(1966.12.31)

0019

미 주둔군 지위 협정 체결 교섭

1. 주요 사업명: 미 주둔군 지위 협정 체결 교섭

2. 주요계획내용:

미 주둔군지위 협정 체결 교섭은 주한미국군대의 법적 지위와 아울러 주둔군에 관한 복잡한 제반 행정상의 문제사항을 협정으로 규제하여 한미간의 유대강화와 우호관계 증진을 목적으로 하고 있으며 특히 교섭에 있어서 우리측 실무 교섭자들은 접수국으로서의 우리의 이익을 최대한도로 보장하기 위하여 미국이 선진 제국과 체결한 "나토" 협정 및 미일간의 협정의 형태를 기준으로 하고 또한 우리나라의 현실적인 특수사정을 반영케하여 한미양국에 상호 만족스러운 협정체결을 기획하고 최선의 노력을 경주하고 있다.

3. 추진 현황:

한미간 실무자 교섭회의는 1962. 9. 20 제1차 회의를 개최하고 1963. 12. 5 현재 36차에 걸친 회의를 가진바 있으며 그 진전상황을 당초 협정에 포함하기로 채택한바 있는 29개 항목에 달하는 주요 조문별로 본다며는 아래와 같다.

가. 완전 합의에 다달한 조문 (13개 조문)

서문

용어의 정의

합동 위원회

출입국 관리

선박 및 항공기의 기착

예비병의 소집 및 훈련

0020

기상 업무

차량및 운전 면허

접수군의 법규 존중

위생 및 보건조치

항공통제 및 항해보조 시설

조세

협정의 개정

나. 토의중이거나 부분적인 합의를 본 조문 (11개 조문)

토지시설

관세 업무

공익물 및 용역

군표

군사우편

미군인 가족 및 재산의 안전

화페 통제

비세출 자금 기관

청구권

현지 조달

군 계약자

다. 토의 예정 조문 (5개 조문)

형사 재판 관할권

계약상의 분쟁

노무

협정의 비준, 발표 및 시행사항

0021

협정의 유효기간 및 만료사항

(별첨 일람표 참조)

4. 문제점:

현재까지 양국 실무교섭자들은 상호 신뢰와 존중의 정신하에 진지한 교섭을 계속하여 상당한 성과를 거두었다. 현재까지의 교섭경위로 보아 부분적 합의를 본 대부분의 조문은 지엽적인 기술적 상항을 조정하게 된다면 완전 합의를 볼수 있을 가망이 많으며 아직 토의에 들어가지 않은 남어지 5개 조문을 포함해서 주요제목 전반에 걸친 교섭을 단시일내에 완결하기 위하여 계속 노력중에 있으나 특히 토지시설, 근로, 청구권 및 재판관할권의 4개조문은 양측 초안에 상당한 거리가 있음으로 완전 합의에 이루기 까지에는 한미 양국의 신축성있는 교섭태도와 아울러 상당한 교섭기간이 필요하리라 전망된다.

보통문서로 재분류(1966.12.31)

1966.12.31.에 예고문에 의거 일반문서로 재분류됨

0022

기 안 용 지

자체 통제	외무사무관 손일훈	기안처	미주과 김내성	전화번호	근거서류접수일자
	과장	국장		차관	장관
	(서명)	(서명)			(서명)
관계관 서명					
기안 년월일	1964. 2. 27	시행 년월일		보존 년한	정서 기장
분류 기호	외구미 722.2-	전체 통제			
경유 수신 참조	주미대사			발신	외무부 장관
제목	주둔군지위협정체결을 위한 교섭				

1. 1964. 2. 14일 개최된 한.미행정협정체결을 위한 실무자 교섭 회의에서 형사재판관할권에 관한 양측의 초안을 교환한바 있어 각 1 부를 송부하오니 검토에 자하시기 바랍니다.

2. 동조항에 관한 미측안은 그 기본태도에 있어 1950년 각서의 형식으로 교환된 "대전협정"의 형태를 견지하고 있는것으로서 우리국민의 주권을 인정하고 있는지에 대한 미국측의 저의를 의심하지 않을수 없는것이며, 미국측이 이와같은 태도를 버리고 한국국민의 기대에 어긋나지 않는 성실성을 표시하지 않는한 앞으로의 교섭 진전은 거의 기대하기 곤난한 것이라 예상하고 있읍니다.

3. 미국무성당국자와 접촉하여 상기한바와 여히 우리의 실망을 표시하고, 더욱 미국측의 성실성 있는 태도를 표시하도록 적극 교섭하시고 그 반응을 보고하시기 바랍니다.

유 첨 : 1. 형사재판관할권 조항에 관한 양측안 1 부.

0023

승인서식 1-1-3 (11-00900-03) (195mm×265mm16절지)

2. 제 40, 41 및 42 차 회의록 1 부.

3. 군계약자 조항에 관한 아국측 수정안 1 부. 끝

~~예고문 : 일반문서로 재분류 (협정체결후)~~

1964년 9월 29일 미주과 직권으로 예고문 재분류

0024

공통서식 1—1 (을) (16절지)

형사재판 관할권에 대한 한국측안과

미국측안과의 대조표

Korean Draft	U.S. Draft
1. Subject to the provisions of this Article:	1. Subject to the provisions of this Article,
(a) the military authorities of the United States shall have the right to exercise within the Republic of Korea criminal and disciplinary jurisdiction conferred on them by the law of the United States over the members of the United States armed forces and the civilian components.	(a) the authorities of the United States shall have the right to exercise within the Republic of Korea all criminal and disciplinary jurisdiction conferred on them by the law of the United States over members of the United States armed forces or civilian component, and their dependents.

미국당국이 그 법에 따라서 대한민국 내에서 형사상 및 징계상의 재판권을 행사할수 있는 대상자를 규정하고 있는바1)한국측안은 군당국이라고 명시하였고 미국측은 미합주국 당국이라고만 규정하고 있으며(2) 한국측은 그 대상자를 미군 및 군속에 국한시키고 있으나 미국측은 그들의 가족까지 포함시키고 있다.

Korean Draft	U.S. Draft
(b) the authorities of the Republic of Korea shall have jurisdiction over the members of the United States armed forces, the civilian component, and their dependents with respect to offenses committed within the territory of the Republic of Korea and punishable by the law of the Republic of Korea.	(b) the civil authorities of the Republic of Korea shall have the right to exercise jurisdiction over the members of the United States armed forces or civilian component, and their dependents, with respect to offenses committed within the territory of the Republic of Korea and punishable by the law of the Republic of Korea.

한국당국이 대한민국 영역내에서 범하고 또한 대한민국 법률에 의하여 처벌할수 있는 범죄에 대하여 미군, 군속 및 그들의 가족에 대한 재판권을 갖이고 있음을 규정하고 있는바 미측안은 한국의 민간 당국이라고 명백히 규정하고 있을뿐 거이 같은 구정이라고 할수 있음.

0025

2.(a) The military authorities of the United States shall have the right to exercise exclusive jurisdiction over members of the United States armed forces and the civilian components with respect to offenses, including offenses relating to its security, punishable by the law of the United States, but not by the law of the Republic of Korea	2.(a) The authorities of the United States shall have the right to exercise exclusive jurisdiction over members of the United States armed forces or civilian component, and their dependents, with respect to offenses, including offenses relating to its security, punishable by the law of the United States, but not by the law of the Republic of Korea.

미국당국이 대한민국 법률에 의하여서가 아니고 미국 법률에 의하여 처벌할수있는 안전에 관한 범죄를 포함한 범죄에 대하여 배타적인 재판권을 행사할수있는 범위(대상자)를 규정하고있는바, (1) 한국측안은 미군당국이라고 명백히 규정하고 있으며 (2) 대상자에 대하여 한국측안은 미군과 군속만을 규정하고 있으나 미국측안은 그들의 가족까지 포함시키고 있음이 상이하다

(b) The authorities of the Republic of Korea shall have the right to exercise exclusive jurisdiction over members of the United States armed forces, the civilian component, and their dependents with respect to offenses, including offenses relating to the security of the Republic of Korea, punishable by its law but not by the law of the United States.	(b) The authorities of the Republic of Korea shall have the right to exercise exclusive jurisdiction over memebers of the United States armed forces or civilian component, and their dependents, with respect to offenses, including offenses relating to the security of the Republic of Korea, punishable by its law but not by the law of the United States.

한국당국이 미국법률에 의하여서가 아니고 대한민국 법률에 의하여 처벌할수있는 대한민국의 안전에 관한 범죄에 대하여 배타적인 재판권을 행사할수 있는 대상자를 미군, 군속 및 그들의 가족을 규정하고 있는것으로서 양측안이 다 같다.

0026

(c) For the purpose of this paragraph and of paragraph 3 of this Article a security offense against a State shall include:

(i) treason against the State;

(ii) sabotage, espionage or violation of any law relating to official secrets of that State, or secrets relating to the national defense of that State.

(c) For the purpose of this paragraph and of paragraph 3 of this Article, a security offense against a State shall include:

(i) treason against the State;

(ii) sabotage, espionage or violation of any law relating to the national defense of that State.

본항과 본조 3 항의 적용상 국가의 안전에 관한 범죄의 범위를 규정하고 있는것으로서, (1) 한국측안은 국가에 대한 반역죄 파괴, 간첩행위 또는 국가의 공무상 및 당해국가의 국방상 기밀에 관한 법령의 위반을 들고 있는데 반하여(2) 미국측안은 한국측안의 범위에서 공무상 기밀을 제외한것이 상이하다.

3. In cases where that right to exercise jurisdiction is concurrent the following rules shall apply;

(a) The military authorities of the United States shall have the primary right to exercise jurisdiction over members of the United States armed forces or the civilian component in relation to:

(i) offenses solely against the property or security of the United States, or offenses Solely against the person or property of another member of the United States armed forces or the civilian component or of a dependent;

3. In cases where the right to exercise jurisdiction is concurrent the following rules shall apply;

(a) The authorities of the United States shall have the primary right to exercise jurisdiction over members of the United States armed forces or civilian component, and their dependents, in relation to:

(i) Offenses solely against the property or security of the United States, or offenses soleley against the person or property of another member of the United States armed forces or civilian component or

0027

(ii) offenses arising out of any act or omission done in the performance of official duty <u>provid that such act or omission is directly related to the duty. The question as to whether offenses were committed in the performance of official duty shall be decided by a competent district public prosecutor of the Republic of Korea. In case the offender's commanding officer finds otherwise, he may appeal from the prosecutor's decision to the Miniter of Justice within ten days from the receipt of the decision of the prosecutor, and the decision of the Miniter of Justice shall be final.</u>

of a dependent;

(ii) offenses arising out of any act of omission done in the performance of official duty;

재판권을 행사할 권리가 경합할 경우에 미국당국이 어떤 법죄에 대하여 어떤자를 제 1 차적으로 재판할수 있는가를 규정하고 있는것으로서 ,(1) 한국측안은 미군당국이라고 명확히 규정하고 있으며 미국측안은 다만 미국 당국이라고만 규정하고 있으며, (2)대상자에 대하여 한국측안은 미군과 군속만을 규율하고 있으나 미국측안은 그들의 가족까지 포함시키고 있으며,(3) 범죄에 대하여 한국측안은 전혀 미국의 재산 또는 안전에 관한 범죄 또는 전혀 미합중국 국대의 구성원, 군속 또는 가족의 신체 또는 재산에 관한 범죄와 공적 직무의 수행중에 행하여진 작위 또는 부작위로 인하여 발생된 범죄로서 이러한 작위와 부작위는 직무에 직접적인 관계를 갖을것을 조건으로 하고 있으며, 이러한 범죄가 공적 직무 수행과정에서 발생한것이냐의 여부는 관할 한국 지방 검찰청 검사가 결정하고 당해범죄인의 지휘관이 상이한 견해를 갖이고 있을경우에는 이러한 검사의 결정에 대하여 동 결정을 접수한지 10 일이내에 법무부장관에게 항변할수 있으며 법무부장관의 결정은 최종적이라고 규정하고 있음에 반하여 , 미국측안은 상기 작위 또는 부작위가 직무와 직접적인 관계를 갖이고 있어야 함을 규정하지도 않고 범죄가 공적직무의 수행중에 범해졌느냐의 여부를 결정할수 있는자를 결정하지도 않았을뿐만 아니라 항변권자의 규정이나 이의 절차를 규정하고 있지 않음이 상이하다.

0028

(b) In the case of any other offenses the authorities of the Republic of Korea shall have the primary right to exercise jurisdiction.	(b) In the case of any other offense, the authorities of the Republic of Korea shall have the primary right to exercise jurisdiction.

기타의 경우에 있어서는 대한민국이 제 1 차적인 재판관할권을 갖이고 있음을 규정하고 있는것으로서 양측안이 동일하다.

(c) If the State having the primary right decides not to exercise jurisdiction, it shall notify the authorities of the other State as soon as practicable. The authorities of the State having the primary ritht shall give sympathetic consideration to a request from the authorities of the other State for a waiver of its right in cases where that other State considers such waiver to be of particular importance.	(c) If the State having the primary right decides not to exercise jurisdiction, it shall notify the authorities of the other State as soon as practicable. The authorities of the State having the primary right shall give sympathetic consideration to a request from the authorities of the other State for a waiver of its right in cases where that other State considers such waiver to be of particular importance.

제 1 차적 재판관할권을 갖이고 있는국가가 재판권을 행사하지 않을것을 결정한때는 가급적 속히 타방국가에 이를 통고하고 제 1 차적 권리를 갖는국가 당국은 타방 국가가 그 권리의 포기를 특히 중요하다고 인정하는 경우에는 그 타방 국가 당국으로 부터 그 권리 포기의 요청이 있으면 그 요청에 대하여 호의적인 고려를 할것을 규정하고 있는것으로서 양측안이 동일하다.

0029

4. The foregoing provisions of this Article shall not imply any right for the military authorities of the United States to exercise jurisdiction over persons who are nationals of or ordinarily resident in the Republic of Korea, unless they are members of the United States armed forces.

4. The foregoing provisions of this Article shall not imply any right for the authorities of the United States to exercise jurisdiction over persons who are nationals of or ordinary resident in the Republic of Korea, unless they are members of the United States armed forces.

미국 당국이

본조의 전기 규정은 미국당국이 대한민국 국민 또는 대한민국에 통상적으로 거주하는 자에 대한 재판권을 행사할 권리를 갖고 있음을 의미하지 않으며 단 이들이 미국군대의 구성원인 경우에는 이로 부터 제외하고 있음을 규정하고 있는것으로서 양측안이 동일하나 단지 한국측 안은 미군당국이라고 명확이 규정하고 있으며 미측안은 단지 미국 당국이라고만 규정하고 있을뿐이다.

5.(a) The military authorities of the United States and the authorities of the Republic of Korea shall assist each other in the arrest of members of the United States armed forces, the civilian component, or their dependents in the territory of the Republic of Korea and in handing them over to the authorities which is to exercise jurisdiction in accordance with the above provisions.

5.(a) The authorities of the United States and the authorities of the Republic of Korea shall assist each other in the arrest of members of the United States armed forces, the civilian component, or their dependents in the territory of the Republic of Korea and in handing them over to the authority which is to have custody in accordance with the following provisions.

양국당국이 대한민국의 영역내에서 미국군대의 구성원 군속 또는 그 가족의 체포 및 재판권을 행사할 당국에 이들을 인도하는데 관하여 상호 원조하여야하는 근거 절차에 관하여 한국측안은 전기 규정에 따라서 재판권을 행사할 당국이라고 규정하고 있으며 미측안은 하기 규정에 따라 보호권을 갖고 있는 당국이라고 규정하고 있을뿐 동일하다.

0030

(b) The authorities of the Republic of Korea shall notify the military authorities of the United States of the arrest of any member of the United States armed forces, the civilian component, or their dependents.

(b) The authorities of the Republic of Korea shall notify promptly the authorities of the United States of the arrest of any member of the United States armed forces, or civilian component, or a dependent.

한국당국은 미군 구성원, 군속 및 그들의가족의 체포를 미군당국에 통고할것을 규정하고 있는것으로서 양측안이 동일하고 미국측안이 단지 신속히 통고하여야 한다고 규정함이 상이할뿐이다.

(c) The military authority of the United States shall immediately notify the authority of the Republic of Korea of the arrest of a member of the United States amred forces, the civilian component, or a dependent, unless the United States authority has the right to exercise exclusive jurisdiction over such a person.

(c) The custody of an accused member of the United States armed forces or civilian component, or of a dependent, over whom the Republic of Korea is to exercise jurisdiction shall, if he is in the hands of the United States, r remain with the United States pending the conclusion of all judicial proceedings and until custody is requested by the authorities of the Republic of Korea. If he is in the hands of the Republic of Korea, he shall be promptly handed over to the authorities of the United States and remain in their custody pending completion of all judicial proceedings and until custody is requested by the authorities of the Republic of Korea. The United States authorities will make any such accused available

0031

to the authorities of the Republic of Korea upon their request for purposes of investigation and trial. The authorities of the Republic of Korea shall give sympathetic consideration to a request from the authorities of the United States for assistance in maintaining custody of an accused member of the United States armed forces, the civilian component, or a dependent.

본항에서 한국측안은 미국당국이 군대구성원 군속 및 가족에 대한 배타적인 재판권을 갖고 있지 않은한 이들의 체포를 한국 당국에 통고하여야 한다고 규정하고있음에 반하여, 미측안은 이들이 이 미군의 예하에 있으면 이들의 소송이제기되기전 그리고 한국당국이 요청하지 않는한 미군당국이 이들을 억류하여야하고 만일 이들이 한국의 예하에 있다면 그들의 소송이 제기되ㅈ

(d) Ah accused member of the United States armed for the civilian component or a dependent over whom the Republic of Korea is to exercise jurisdiction shall, if he is in the hands of the United States, be under the custody of the United State. Upon presentation of a warrant issued by a judge of the Republic Korea he shall be handed over immediately to the Korean Authorities.

6

0032

6.(a) The authorities of the Republic of Korea and the military authorities of the United States shall assist each other in the carrving out of all necessary investigations into offenses, and in the collection and production of evidence including the seizure and, in proper case, the handing over of objects connected with an offense. The handing over of such objects may, however, be made subject to their return within the time specified by the authority delivering them.

6.(a) The authorities of the United States and the authorities of the Republic of Korea shall assist each other in the carrying out of all necessary investigations into offenses, and in the collection and production of evidence, including the seizure and, in proper cases, the handing over of objects connected with an offense. The handing over of such objects may, however, be made subject to their return within the time specified by the authority delivering them.

(b) The authorities of the Republic of Korea and the military authorities of the United States shall notify each other of the disposition of all cases in which there are concurrent rights to exercise jurisdiction.

(b) The authorities of the United States and the authorities of the Republic of Korea shall notify each other of the disposition of all cases in which there are concurrent rights to exercise jurisdiction.

0033

7.(a) A death sentence shall not be carried out in the Republic of Korea by the military authorities of the United States if the legislation of the Republic of Korea does not provide for such punishment in a similar case.

7.(a) A death sentence shall not be carried out in the Republic of Korea by the authorities of the United States if the legislation of the Republic of Korea does not provide for such punishment in a similar case.

(b) The authorities of the Republic of Korea shall give sympathetic consideration to a request from the military authoirites of the United States for assistance in carrying out a sentence of imprisonment pronounced by the military authorities of the United States under the provisions of this Article within the territory of the Republic of Korea.

(b) The authorities of the Republic of Korea shall give sympathetic consideration to a request from the authorities of the United States for assitance in carrying out a sentence of imprisonment pronounced by the authorities of the United States under the provisions of this Article within the territory of the Republic of Korea. The authorities of the Republic of Korea shall also give sympathetic consideration to a request from the authorities of the United States for the custody of any member of the United States armed forces or civilian component or a dependent, who is serving a sentence of confinement imposed by a court of the Republic of Korea. If such custody is released to the authorities of the United States, the United States shall be

0034

obligated to continue the confinement of the individual in an appropriate confinement facility of the United States until the sentence to confinement shall have been served in full or until release from such confinemet shall be approved by competent Korean authority.

8. Where an accused has been tried in accordance with the provisions of this Article either by the authorities of the Republic of Korea or the military authorities of the United States and has been acquitted, or has been convidted and is serving, or has served, his sentence or has been pardoned, he may not be tried again for the same offense within the territory of the Republic of Korea by the authorities of the other State. However, nothing in this paragraph shall prevent the military authorities of the United States from trying a member of its forces for any violation of rules of discipline arising from an act or omission which constituted an offense for which he was tried by the authorities of the Republic of Korea.

8. Where an accused has been tried in accordance with the provisions of this Article either by the authorities of the United States or the authorities of the Republic of Korea and has been acquitted, or has been convicted and is serving, or has served, ~~his served,~~ his sentence, or his sentence has been remitted or suspended, or he has been pardoned, he may not be tried again for the same offense within the territory of the Republic of Korea by the authorities of the other State. However, nothing in this paragraph shall prevent the authorities of the United States from trying a member of its armed forces for any violation of rules of discipline arising from an act or omission which constituted an offense for which he was tried by the authorities of the Republic of Korea.

0035

9. Whenever a member of the United States armed forces, the civilian component or a dependent is prosecuted under the jurisdiction of the Republic of Korea he shall be entitled:

(a) to a prompt and speedy trial;

(b) to be informed, in advance of trial, of the specific charge or charges made against him;

(c) to be confronted with the withneses against him;

(d) to have compulsory process for obtaining withnesses in his favor, if they are within the jurisdiction of the Republic of Korea;

(e) to have legal representation of his own choice for his defense or to have free or assisted legal representation under the conditions prevailing in the Republic of Korea;

(f) If he considers it necessary, to be provided with the services of a competent interpreter; and

(g) to communicate with a representative of the Government of the United States and to have such a representative present at his trial.

9. Whenever a member of the United States armed forces or civilian componant or a dependent is prosecuted under the jurisdiction of the Republic of Korea he shall be entitled:

(a) to a prompt and speedy trial;

(b) to be informed, in advance of trial, of the specific charge or charges made against him;

(c) to be confronted with the withesses against him;

(d) to have compulsory process for obtaining withesses in his favor, if they are within the jurisdiction of the Republic of Korea;

(e) to have legal represenatation of his own choice for his defense or to have free or assisted legal representation under the conditions prevaling for the time being in the Republic of Korea;

(f) if he considers it nesessary, to have the services of a competent interpreter; and

(g) to communicate with a

0036

representative of the Government of the United States and to have such a representative present at his trial.

10.(a) Regularly constituted military units or formation of the United States armed forces shall have the right to police any facilities or areas which they use under Article IV of this Agreement. The military police of such forces may take all appropriate measures to ensure the maintenance of order and security within such facilities and areas.

10.(a) Regualarly constituted military units or formations of the United States armed forces shall have the right to police any facilities or areas which they use under Article __ of this Agreement. The military police of such forces may take all appropriate measures to ensure the maintenance of order and security within such facilities and areas.

0037

(b) Outside these facilities and areas such military police shall be amployed only subject to arrangements with the authorities of the Republic of Korea and in liaison with those authorities and in so far as such employment is necessary to maintain discipline and order among the members of the United States armed forces.

(b) Outside these facilities and areas, such military police shall be employed only subject to arrangements with the authorities of the Republic of Korea and in liaison with those authobities, and in so far as such employment is necessary to maintain discipline and order among the members of the United States armed forces, <u>or ensure their security.</u>

11. <u>In the event of hostilities to which the provisions of Article II of the Treaty of Mutual Defense apply, the provisions of this Agreement pertaining to criminal jurisdiction shall be immediately suspended and the authorities of the United States shall have the right to exercise exclusive jurisdiction over members of the United States armed forces, the civilian component, and their dependents.</u>

0038

12. The provisions of this Article shall not apply to any offenses committed before the entry into force of this Agreement. Such cases shall be governed by the provisions of the Agreement between the United States of America and the Republic of Korea effected by an exchange of notes at Taejon, Korea on July 12, 1950.

0039

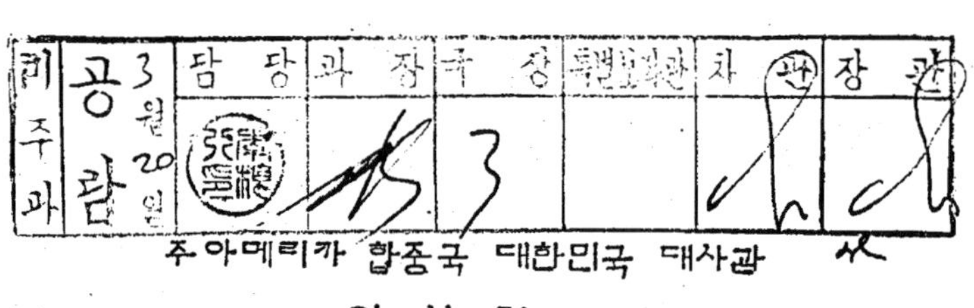

주아메리카 합중국 대한민국 대사관

위 싱 턴

주미정 722.2-461 1964. 3. 12.

수 신 : 외무부장관

제 목 : 주둔군 지위협정 체결을 위한 교섭 (64. 3. 14)

대 : 외구미 722.2-119(1964.2.28. 자)

대호 지시에 따라 금 3 월 12 일 윤석헌 공사는 국무성 동아국장 베이론씨를 방문하고, 최근 서울에서 교환된 형사재판관할권에 관한 미측 협정초안에 대한 정부의 태도를 오지 별첨과 같이 표명하였음을 보고 합니다.

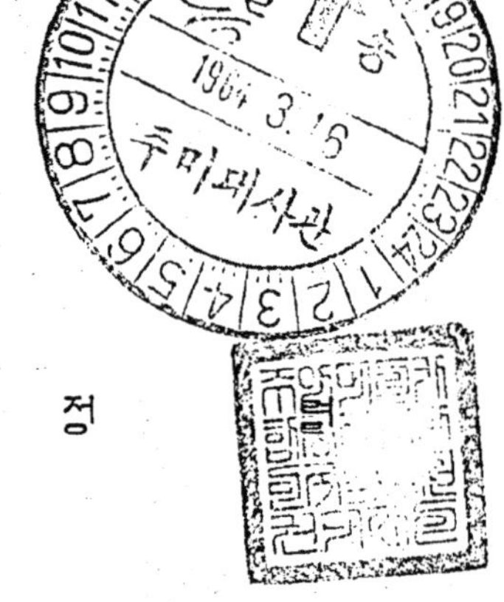

유 첨 : 고화오지

주 미 대 사 김 정

1964년 9월 29일 미주과장 직권으로 예고문 재분

0040

64-3-31

64-3-11 (4)

미국문 118-14(4)

0041

윤공사와 베이콘 동아국장간의 교화 요지

1964. 3. 12. 하오 3 시

(노리드 한국과장 및 공로명 3등서기관 동석)

윤공사 :

10 년을 끌어온 행정협정이 현재 그 체결을 위하여 서울에서 양국의 실무자들에 의하여 교섭이 진행되고 있는것은 다행한 일이나, 금번 서울에서 교환된 형사재판관할권에 관한 미측초안을 검토하고 우리정부는 그 내용에 대하여 실망하고 있는바 물론 자세한 점은 교섭당사자간에 논의될 것이나, 특히 agreed minute 초안내용은 협정본조문 내용을 실질적으로 무효화 하는 것임을 지적하고 양국민간의 유대와 우호관계로 보아, 또한 장기적인 양국간의 이익을 위하여서 행정협정은 이미 확립된 나토나 일본과의 협정의 형태를 따르기를 바라며 조속한 시일내에 합의에 도달하기를 희망한다고 함.

베이콘 국장 :

미국도 조속한 시일내에 합의에 도달하기를 원하며 금번 초안은 이러한 합의에 도달하기 위한 시도이라고 말하고, 한국정부와 한국민의 우의에 대하여서는 사의를 표한다고 말하였음. 그리고 동국장은 미국국회와 군은 다 같이 미국군인이 미국 시민으로서 헌법에 보장된 개인의 기본적인 권리가 군법정에 있어서 보장 되는데 관심을 갖고 있으며 이러한 점에서 용어 하나하나에도 세심한 주의를 기우렸다고 설명함.

0042

6(ㄹ)-31

64-3-11 미문 78-14

0043

윤공사 :

금번 미초안에 표현된 상술문제점은 교섭상의 방략으로서 제시된 것으로 보며, 서울의 교섭당사자간에 있어서 합리적인 협정에 도달될것을 확신한다. 또한 양국민 특히 우리국민의 미군에 대한 우호적 감정이 절대적이니 만치 나토 및 일본 형태로 협정을 체결하여도 미군에 대한 보호는 충분하며, 일본에서 발생한 Girard case 가 어떻게 해결되지에 대하여는 우리도 잘알고 있다고 함.

베이콘 국장 :

쌍방의 초안에 반영된 견해의 차는 그것을 상대방이 중요시하고 강조하는 입장을 반영하는 것으로 우선 간주하기를 희망한다.

윤공사 :

행정협정이 과거 10 년을 끌어 오는 동안 대소의 사건들이 발생하였으나, 금번 형사재판관할권에 관한 협정은 여사한 사건의 처리과정을 규정하므로서 불필요한 오해와 공산주의자들의 선동재료 제공을 사전에 방지할수 있을것으로 보는 바 이점에 특히 유의하기를 바란다고 하였음.

베이콘 국장 :

서울의 교섭당사자들이 이것이 북괴공산주의자들의 선동과 선전의 재료가 될수 있다는 점에 유의할 것으로 믿으며 또한 미국정부로서는 여사한 대소의 불상사를 사전에 방지하도록 미군 시설에 대하여 한국정부가 충분한 보안조치를 강구하여 주므로서 미국의 전투능력에 상실을 초래하지 않도록 하여 주기를 희망

0044

64-3-37

64-3-11 미원 178-14

0045

한다고 하였음.

윤공사 :

그점에 관하여서는 우리정부와 현지 미군당국이 신중히 연구하고 있으며 최상의 방지책을 강구할 것으로 믿으며 거듭 국무성은 한국정부의 서상한 견해를 미국정부내에 반영시키므로서 단시일내에 상호 만족한 합의에 도달하기를 희망한다고 함.

베이콘 국장 :

그점에 대하여서는 서울의 미측 교섭단에게 알려 조속한 합의를 촉구하겠다.

0046

64-3-30

64-3-11 협정문 78-14(4)

0047

대한민국 외무부

착신전보

번 호: USW-0419

ORD.
종 별

일 시: 031800

수신인: 장관

발신인: 주미대사

참조: 구미국장

1. WUS-0398 호 1 항에서 요청한 자료는 다음 파우치편에 송부함.
2. WUS-0346 및 WUS-0398 호 2 항에서 요청한 NATO SOFA 회의록의 정확한 책자명과 발행인명을 알려주시기바람.
3. SNEE AND PYE'S SOFA: CRIMINAL JURISDICTION 에 의하면 PAPERS OF WORKING GROUP 이 NATO SOFA 의 회의록 MS-R (51) 1-26, MS-D (51) 1-34, MS (J)-R (51) 1-9-- 을 구성한다는바 국무성 및 국방성과 접촉하였던바 CLASSIFIED 되어 있다는 이유로 입수할수 없으며 또한 NATO SOFA 의 교섭경위의 상당 부분이 수락된것으로 믿어지는 84 차 하원 외무분과위원회의 증언록도 절판되어있음. 동증언록의 이름은 아래와같사오니 국내의도서관에 있으면 참고하시기 바람.

STATUS OF FORCES AGREEMENT, U.S. CONGRESS, HOUSE, COMMITTEE ON FOREIGN AFFAIRS, HEARING BEFORE THE COMMITTEE ON FOREIGN AFFAIRS, HOUSE OF REPRESENTATIVES, 8TH CONGRESS, 1ST AND 2ND SESSION, ON HOUSE JOINT RESOLUTION 309.

4. 상기 3 항의 회의록은 미국외의 NATO 상대국에서 알아보는것도 일안으로 사료되옵기 첨언합니다. (주미정)

1964 APR 4 AM 11 31

구 미 국

수신시간:

비서	통상	중정	재무
정무	문서	경기	조달
정보	의전	국방	농림
방교	총무	상공	주미 0

검 인:

외신과

0048

대한민국 외무부

번호: WUS-0414
일시: 041450

발신전보

종 별

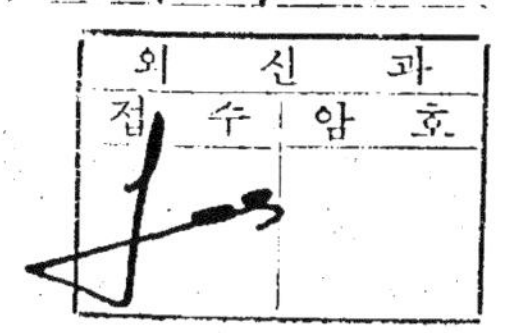

수신인: 주 미 대 사

참조: 박근 참사관

대: USW— 0419.

1. 대호 2항에서 문의하신 내용은 국방성의 Brig. Gen. Lawrence J. Fuller, Office of the Judge Advocate General, Department of Army, Washington 25,DC에게 문의하시기 바람.

2. 해인은 당지에서 SOFA 미측교섭단의 Key Member 로서 약 1 년간 근무 후 준장으로 승진 약 2 주일 전에 본성으로 전임되어 앞으로 계속 본성에서 한국과의 SOFA 문제를 다루게 될 것이며 해인의 견해여하는 우리와의 교섭 내용에 실질적인 영향을 미칠 것으로 보임.

3. WUS — 0346, 및WUS — 398호 2 항의 정보는 해인이 제공해 준 것임.

4. 대호 3 항에서 언급하신 외무분과위원회 증언록은 당부에서 찾아 볼 수 없으며 귀관 도서실 자료를 조사해 주시기 바람.

5. 대호 4항의 자료는 해당공관에 조회중이나 상금 회답이 없는바 귀대사관에서 입수하여 주시기 바람. (외구미)

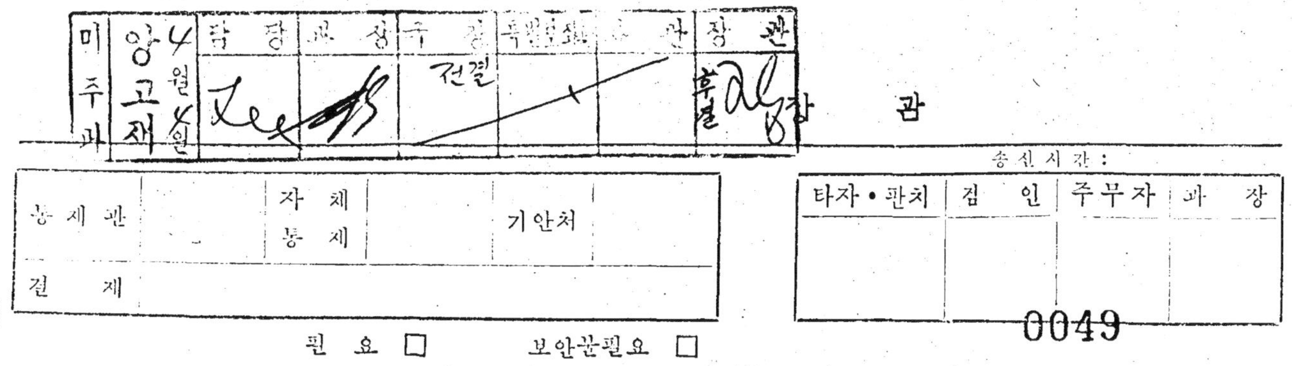

미주과	양고재 4월 4일	담당	과장	국장	차관	장관
				전결		

장 관

송신시간:

통제관		자체 통제		기안처	
결 제					

타자•판치	검 인	주무자	과 장

0049

필 요 ☐ 보안필요 ☐

Foreign Minister's Greetings
on the occasion of visit of the
U.S. National War College Delegation
April 15th, 1964 - 4:30 P.M.

General Griswold, Faculty and Student Members of the Natinnal War College:

It is a great pleasure for me to have you visit us today and to have a short remarks before you, honored guests from the United States National War College.

On behalf of the Republic of Korea, I would like to take this opportunity to extend to you our warmest welcome.

Coincidentally, I was fortunate to have served my Government in Washington for three years and was able to visit the National War College on several occasions.

As a matter of fact, we were to present the foreign diplomatic relations matter to you but decided to expand further to cover other related subject matters pertaining our Government's policies at the present juncture.

Briefly speaking, our Government is confronted with the following urgent problems: first, regarding

0050

our unification question; secondly, with reference to our relations with the Free Nations and the neutralist countries and how best we could cooperate with them in stemming the growth and expansion of the Communist Korean puppet regime; thirdly, the vital economic-diplomatic coordination, whereby we may attain self-sufficiency.

Amidst all these perplexing problems before us, there are also the Korea-Japan normalization question as well as the United States-Republic of Korea Status-of-Forces matter.

Regarding the Korea-Japan normalization talks which was carried out, on-and-off for the last ten years without any concrete results, but during the recent month or so, the talks were urgently pushed with determination, resulting in the Student demonstrations against the talks being held in Tokyo. Certain section of the citizens group as well as from the opposition parties were adamant in their opposition to holding the Talks with Japan. However, our Government's policy was to continue with the present Talks with Japan in order to bring the necessary normalization status with our nearest neighboring country.

0051

SUK 10 a

The American-Korean relations with reference to the Status-of-Forces question, the problem is not as acute as the Korea-Japan Talks, but if it continues to drag along further without any definite terms, it too may cause the Korean citizens to use it for an item of discussion and might bring about similar student demonstrations as it did few years back. Therefore, in bringing about stronger and firmer relationship between our two Countries, it is urgently necessary that the present talks between us must quickly be resolved to the satisfaction to the parties concerned.

Due to time limitation, I shall not dwell any longer on above subject matters. However, due to our most close and friendly relationship between Korea and the United States, there are many terms which we both fully agree and yet at times we are faced with certain disagreements which could be brought to satisfactory solution, all with the constructive thought uppermost in our minds for the general welfare of our people.

Our Government and citizens among many other countries, particularly feel closest to the United States and the good Americans as a member of one family.

0052

I assure you that you will feel such atmosphere during your visit in Korea, however, brief it may be.

I hope the briefing which is to follow my remarks will benefit you to certain degree in your subsequent evaluations of your tour as member of the National War College. Should there be any questions in your mind, I shall be delighted to answer them. I trust that your visit to Korea will assist as well as guide each of you in your future considerations with question pertaining the Republic of Korea.

In closing, on behalf of my Government, I wish each of you for a pleasant sojourn and safe and memorable return to your respective stations back in Washington.

Thank you.

0053

대 한 민 국 외 무 부

번 호: WUS-0839

발 신 전 보

종 별

일 시: 101800

외 신 과	
접 수	암 호

수 신 인: 주 미 대 사

UPI 통신(워싱톤, 9일발)에 의하면 미국방성은 지난 8일 미국이 각국과 체결한 주둔군 지위협정의 운영상황과 한국 및 중국과의 교섭 진행상황에 관하여 의회에 보고하였다고 하는바, 동 보고 내용(가능하면 FULL TEXT)을 조속히 조사 보고하시기 바람. (미주)

장 관

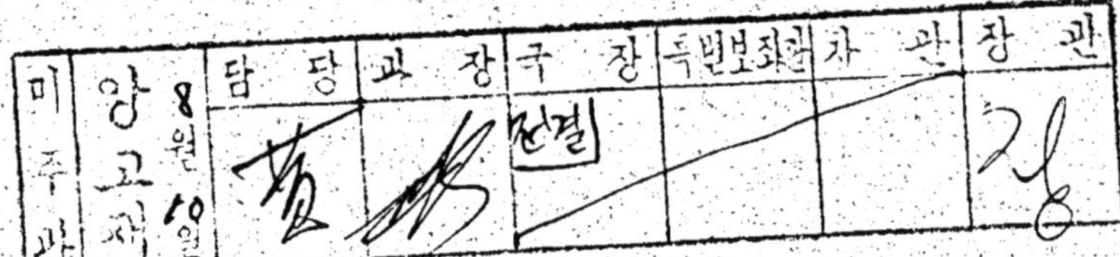

미주과	앙 고 재	8월 10일	담 당	과 장	국 장	특별보좌관	차 관	장 관
					전결			

송 신 시 간 :

통 제 관		자 체 통 제		기안처	
결 재					

타자 • 판치	검 인	주 무 자	과 장

필 요 ☐ 보안불필요 ☐

0054

대한민국 외무부

착신암호전보

번 호: USW-0841
일 시: 111120

종 별

수신인: 외무부장관 귀하

발신인: 주미대사

1/2

국방성 관계관이 비공식 개인적 의견이라고 하면서 모든 군대지위 협정재판 관할권 문제는 다음의 세가지점을 가장 중요한 골자로 간주하고 있다고 하므로 보고하오니 참고하시기 바람.

1. WAIVER FORMULA
2. FINALITY OF DUTY CERTIFICATE BY COMMANDING OFFICER
3. RIGHT TO PRETRIAL CUSTODY. (구미)

1964년 9월 29일 미주과장 직권으로 예고문 재분류

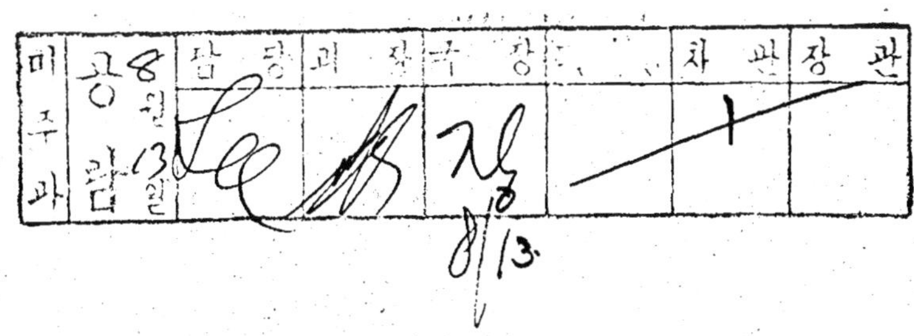

AUGUST 12 PM 4:00
수신시간:

비서	√	통상		중정		재무	
구미	0	문서		경기		조달	
정보	√	의전		국방		농림	
방교		총무		상공			

외신과

검인

0055

1964년 8월 15일 개최될 이동원 외무부장관·Brown 주한 미대사 간 회담 자료 (1964.8.13. 작성)

IV. Status of Forces Agreement

1. Since the resumption in September 1962 of the current negotiations for an agreement covering the status of the United States armed forces in Korea, the negotiators of the Republic of Korea and the United States have held sixty sessions and reached to full agreements on twenty articles out of twentynine articles. However, there still remain important issues to be solved.

2. It need not reiterate the sincere desire of the Korean people for an early conclusion of such an agreement in order to seek reasonable and equitable solution of many problems arising from the stationing of the troops in Korea. It is also to be noted that the Korean populace has shown an increased concern over the progress of the present negotiations. The Korean Government, therefore, would like to urge the United States Government to render its fullest cooperation possible so as to arrive at the conclusion of the said agreement at an earliest possible date.

3. In particular, the Korean Government desires to complete discussions, as soon as practicable, on all the important articles. Regarding the subject of criminal jurisdiction article, the Korean Government is prepared to render its every possible cooperation to accomodate the requirements of the military authorities of the United States in the implementation of the said article. However, as far as the wording of the text is concerned, the Korean Government firmly maintains its position that such standard language as those accepted in other status of forces agreements should also be adopted in the text of the forthcoming agreement. The Korean Government further requests that, with regard to

0056

a pending issue of compensation to the owners of private facilities and areas used by the United States armed forces, the Government of the United States, taking into account current financial difficulties of the Korean Government, would bear the compensation with sympathetic understanding.

0057

EMBASSY OF THE REPUBLIC OF KOREA
WASHINGTON, D. C.

주미정 772.2-1328 1964. 8. 11.

수 신 : 외무부 장관
참 조 : 미주과장
제 목 : 주둔군 지위협정 관계 증언록

1. 1964.8.10.일자 전문 WUS - 0839호에 대한 응신입니다.

2. 1964.8.7.일 Senate Armed Services Committee 에서 미국이 각국과 체결한 주둔군 지위협정에 관하여 국방성 관계관이 보고한 원문(사본)을 별첨 송부하오니 참고하시기 바랍니다. 끝

미주과	공람 8월 21일	담당	과장	국장		차관	장관
		Lee	(서명)	(서명)	(서명)	(서명)	

유첨물 : 국회에서 행한 증언록 사본 1부

주 미 대 사 김 정 

0058

STATEMENT OF BENJAMIN FORMAN
ASSISTANT GENERAL COUNSEL, DEPARTMENT OF
DEFENSE BEFORE A SUBCOMMITTEE OF THE
SENATE ARMED SERVICES COMMITTEE
AUGUST 7, 1964

Mr. Chairman, we appreciate the opportunity to appear before you to report on the operation of the criminal jurisdictional provision of the NATO Status of Forces Agreement and similar arrangements throughout the world. This presentation, which is the 11th of an annual series, reviews the operation of these jurisdictional arrangements for the period December 1, 1962, through November 30, 1963.

The operation of these arrangements continues to remain generally satisfactory. As mentioned last year, trial delays in some countries have had some adverse effects upon morale. Our efforts to alleviate these situations are continuing and some progress has been made.

The rate at which foreign authorities granted waivers of their primary right to exercise jurisdiction over U. S. military personnel increased from that of the preceding reporting period - from 59.93 percent to 70.45 percent. The rate among NATO countries increased from 58.64 percent to 71.47 percent. A great portion - although not all - of these percentage increases is due to the coming into force on 1 July 1963 of the German Supplementary Agreement to the

0059

NATO Status of Forces Agreement. The German Agreement provides for an automatic waiver of jurisdiction in all cases, subject only to a recall in cases of exceptional importance to the German Government.

In May 1963 a new Status of Forces Agreement entered into force with Australia. Its criminal jurisdictional provisions are similar to those of the NATO Status of Forces Agreement.

Negotiations on a Status of Forces Agreement with the Republic of Korea are continuing. Negotiations are also in progress with the Republic of China.

As you know, civilian employees and dependents overseas are not amenable to trial by U. S. courts for most offenses. Some commanders have reported that this situation has produced adverse effects upon morale and discipline. We do, of course, retain the right to impose administrative and disciplinary sanctions upon civilians. These include dismissal or suspension from employment, withholding or denial of privileges, and return to the United States. The fact that foreign authorities continue to grant waivers in many cases involving civilians indicates that these sanctions are frequently adequate. However, there is often a reluctance by foreign authorities to concern themselves with offenses in which only Americans are involved.

Brigadier General Hodson will now present a more detailed account for the reporting period.

2

0060

STATEMENT BY

BRIGADIER GENERAL KENNETH J. HODSON

ASSISTANT JUDGE ADVOCATE GENERAL FOR MILITARY JUSTICE

ON

FOREIGN CRIMINAL JURISDICTION

BEFORE A

SUBCOMMITTEE OF THE

COMMITTEE ON ARMED SERVICES

UNITED STATES SENATE

1964

Not for Publication until
Released by the Armed Services
Committee, United States Senate

0061

SUMMARY

I will briefly summarize my report.

I refer to Chart A, which includes world-wide figures including NATO SOF countries, as well as a separate breakout for NATO SOF. During the period 1 December 1962 through 30 November 1963, 19,017 United States military and civilian personnel and their dependents were charged with offenses subject to the primary or exclusive jurisdiction of foreign courts throughout the world (12,713, or more than 63%, were traffic offenses).

Of the 19,017 persons so charged, 17,861 were military persons. In these military cases foreign authorities waived their right to exercise jurisdiction in 12,584 cases, for a world-wide waiver rate of 70.45%. This figure is 14.94% greater than that of the previous reporting period and is the highest waiver rate ever obtained. The waiver percentages in this report pertain solely to military personnel because, as a result of the 1960 Supreme Court decisions concerning the lack of court-martial jurisdiction over civilians in time of peace, we normally do not request waivers in cases involving civilian personnel or dependents.

Civilians 1,156

Chart A also reflects that of the 19,017 cases subject to foreign jurisdiction, 4,652 were tried by foreign courts (3,068, or more than 65%, were traffic offenses). Foreign courts acquitted 196 accused, an overall acquittal rate of 4.21%. Reprimands or fines were imposed in 4,138 cases and confinement in 306, of which 199 sentences were suspended and 107 were not suspended. Appeals were pending in 104 cases at

0062

the end of the reporting period. These figures include completed trials of cases which were pending at the close of the previous reporting period.

Chart B indicates the number and types of offenses subject to foreign jurisdiction for the current reporting period. The figures for the previous reporting period are shown for comparison purposes. This chart shows that the number of offenses subject to foreign jurisdiction increased from 12,291 in the preceding period to 19,017 for the current reporting period. This sharp increase resulted from the inclusion for the first time of offenses committed by military personnel in the Federal Republic of Germany, where the NATO-SOFA, as modified by the German Supplementary Agreement, became effective on 1 July 1963. Prior to this date the United States had exclusive jurisdiction over military personnel in Germany.

Chart C discloses the number and length of unsuspended sentences to confinement. Again, last year's figures are shown for comparison. The longest unsuspended sentence to confinement reported during the current period was a ten-year sentence adjudged by a Japanese court against a Marine for the offenses of arson, robbery causing injury, and larceny.

Chart D illustrates the number of individuals confined in foreign prisons. The report of 63 individuals in confinement at the close of the current reporting period is in line with previous years although higher than the record low reported at the close of the previous reporting period. Unlike the increase in number of offenses subject to foreign jurisdiction, the increased number of persons confined was not brought about by the assumption of jurisdiction by the Federal Republic of Germany.

Under title 10, United States Code, section 1037, appropriated funds may be used to pay certain expenses incurred in the defense of qualified

United States personnel before foreign courts (i.e., those amenable to court-martial jurisdiction under the Uniform Code of Military Justice). During the current period, a total of $59,266.84 was expended in 296 cases as compared with $63,769.47 in 284 cases during the previous reporting period. The average cost per case decreased from $224.54 to $200.22.

It has been previously reported to the Committee that the Kinsella v. Singleton series of Supreme Court decisions had the effect of removing civilian employees and dependents from the category of personnel who may benefit under title 10, United States Code, section 1037, and that legislation to broaden the scope of existing law to reinstate the coverage for such persons has not yet been enacted by Congress.

In conclusion, no United States commander has reported that jurisdictional arrangements have measurably affected the accomplishment of his mission. Accordingly, the Department of Defense considers present status of forces arrangements to be workable and satisfactory.

EXERCISE OF CRIMINAL JURISDICTION BY TRIBUNALS OF NATO COUNTRIES SINCE THE VARIOUS EFFECTIVE DATES OF THE NATO STATUS OF FORCES AGREEMENTS (THROUGH 30 NOVEMBER 1963)

	CASES SUBJECT TO FOREIGN JURISDICTION											
	1953	1954	1955	1956	1957	1958	1959	1960	1961	1962	1963	Total
Belgium (effective Aug 23, 1953)	1	20	7	16	24	127	129	42	18	42	56	482
Canada (effective Sep 27, 1953)	2	312	505	528	477	493	312	558	327	415	401	4130
Denmark (effective June 27, 1955)	-	-	0	0	0	1	0	1	5	2	5	14
France (effective Aug 23, 1953)	267	2600	3172	3981	3829	4323	4236	4133	3936	4454	4625	39556
Germany (effective Jul 1, 1963)	-	-	-	-	-	-	-	-	-	-	6188	6188
Greece (effective Jul 26, 1954)	-	0	0	0	22	36	30	34	30	36	45	233
Italy (effective Jan 21, 1956)	-	-	-	86	374	586	432	235	216	305	271	2505
Luxembourg (effective Jul 23, 1954)	-	0	27	34	36	31	71	38	18	26	43	324
Netherlands (effective Aug 23, 1953)	2	5	11	69	104	129	111	171	188	119	247	1156
Norway (effective Aug 23, 1953)	0	1	2	5	1	6	6	7	3	1	4	36
Portugal (effective Dec 22, 1955)	-	-	0	0	0	0	0	0	0	0	0	0
Turkey (effective June 17, 1954)	-	12	18	36	54	55	53	50	103	95	116	592
United Kingdom (effective Jan 13, 1954)	-	492	1235	2735	2783	2410	2365	1946	1966	2037	1640	19609
TOTAL	272	3442	4977	7490	7704	8197	7745	7015	6810	7532	13641	74825

	CASES TRIED											
	1953	1954	1955	1956	1957	1958	1959	1960	1961	1962	1963	Total
Belgium (effective Aug 23, 1953)	1	0	2	2	1	0	4	7	2	2	7	28
Canada (effective Sep 27, 1953)	0	249	426	406	372	453	293	329	307	397	382	3614
Denmark (effective June 27, 1955)	-	-	0	0	0	0	0	1	1	1	2	5
France (effective Aug 23, 1953)	21	283	439	471	445	479	423	539	556	617	733	5006
Germany (effective Jul 1, 1963)	-	-	-	-	-	-	-	-	-	-	349	349
Greece (effective Jul 26, 1954)	-	0	0	0	0	3	2	1	2	3	5	16
Italy (effective Jan 21, 1956)	-	-	-	64	126	138	86	101	86	124	103	828
Luxembourg (effective Jul 23, 1954)	-	0	6	17	27	11	46	43	14	14	41	219
Netherlands (effective Aug 23, 1953)	0	1	0	1	0	0	0	0	0	0	0	2
Norway (effective Aug 23, 1953)	0	0	1	3	1	6	4	6	1	3	2	27
Portugal (effective Dec 22, 1955)	-	-	0	0	0	0	0	0	0	0	0	0
Turkey (effective June 17, 1954)	-	8	12	22	43	38	39	41	64	96	87	450
United Kingdom (effective Jan 13, 1954)	-	271	1225	2208	2124	1961	1843	1668	1658	1672	1519	16149
TOTAL	22	812	2111	3194	3139	3089	2740	2736	2691	2929	3230	26693

	CONFINEMENT NOT SUSPENDED											
	1953	1954	1955	1956	1957	1958	1959	1960	1961	1962	1963	Total
Belgium (effective Aug 23, 1953)	0	0	0	0	0	0	0	1	0	0	1	2
Canada (effective Sep 27, 1953)	0	6	0	0	5	1	2	3	6	1	4	28
Denmark (effective June 27, 1955)	-	-	0	0	0	0	0	0	0	0	1	1
France (effective Aug 23, 1953)	15	31	28	42	28	30	14	26	35	40	33	322
Germany (effective Jul 1, 1963)	-	-	-	-	-	-	-	-	-	-	8	8
Greece (effective Jul 26, 1954)	-	0	0	0	0	2	0	0	1	1	0	4
Italy (effective Jan 21, 1956)	-	-	-	9	3	2	4	2	6	6	5	37
Luxembourg (effective Jul 23, 1954)	-	0	0	1	3	1	0	0	0	3	0	8
Netherlands (effective Aug 23, 1953)	0	1	0	0	0	0	0	0	0	0	0	1
Norway (effective Aug 23, 1953)	0	0	0	0	0	2	3	5	0	3	2	15
Portugal (effective Dec 22, 1955)	-	-	0	0	0	0	0	0	0	0	0	0
Turkey (effective June 17, 1954)	-	0	1	2	2	5	7	2	6	7	8	40
United Kingdom (effective Jan 13, 1954)	-	6	31	35	34	12	21	18	5	10	6	178
TOTAL	15	44	60	89	75	55	51	57	59	71	68	644

NOTE: Figures for 1954 through 1963 run from December 1 of preceding year through November 30 of the stated year.

0065

EXPENDITURES IN IMPLEMENTATION OF 10 U.S.C. 1037

1 December 1962 - 30 November 1963

Country	No. of Cases	Counsel Fees	Bail	Court Costs and Other Expenses	Net Total Paid During Period
Bermuda					
Air Force	2	$ 6,655.32	$-------	$-------	$ 6,655.32
Canada					
Air Force	1	231.97	-------	10.52	242.49
Ecuador					
Army	1	100.00	-------	10.00	110.00
France					
Army	66	5,863.96	-------	659.66	6,523.62
Air Force	4	915.94	-------	-------	915.94
Germany					
Army	2	554.16	-------	-------	554.16
Greece					
Air Force	1	250.00	-------	50.00	300.00
Hong Kong					
Navy	1	175.25	(87.63)	-------	175.25
Iceland					
Navy	1	145.00	-------	-------	145.00
I[illegible]					
Army	1	664.00	-------	-------	664.00
Italy					
Army	27	2,680.63	-------	-------	2,680.63
Navy	5	811.19*	-------	-------	811.19
Air Force	1	40.26	-------	-------	40.26
Japan					
Army	6	600.00	-------	295.22	895.22
Navy	19	4,838.89	-------	1,100.51	5,939.40
Air Force	54	8,300.00	-------	283.22	8,583.22
Mexico					
Army	5	2,000.00	-------	40.00	2,040.00
Panama					
Army	27	500.00	(9,400.00)	762.36	1,262.36
Philippines					
Navy	2	567.01	-------	-------	567.01
Air Force	5	713.90	-------	414.40	1,128.30
Spain					
Army	3	272.17	-------	-------	272.17
Switzerland					
Army	2	-------	-------	115.90	115.90
Turkey					
Army	17	5,166.67	-------	267.28	5,433.95
Navy	[illegible]1	1,333.33	-------	-------	1,333.33
Air Force	28	7,365.43	(333.33)	171.57	7,532.00
United Kingdom					
Air Force	14	4,341.12	-------	-------	4,341.12
Total	296	$55,086.20	($9,820.96)**	$4,180.64	$59,266.84

*Includes expenditure in one civil case.
**No bail forfeited during reporting period.

0066

SUMMARY OF EXERCISE OF CRIMINAL JURISDICTION WORLDWIDE BY FOREIGN TRIBUNALS OVER UNITED STATES PERSONNEL

DECEMBER 1, 1953 THROUGH NOVEMBER 30, 1963

	CASES SUBJECT TO FOREIGN JURISDICTION											CASES TRIED														
	1954	1955	1956	1957	1958	1959	1960	1961	1962	1963	Total	1954	1955	1956	1957	1958	1959	1960	1961	1962	1963	Total	1954	1955	1956	1
Worldwide	7416	10249	14394	13971	13659	12909	11516	11707	12291	19017	127129	1475	3142	4437	4980	4263	4070	4163	4254	4375	4652	39811	77	120	108	

0067

SUMMARY OF EXERCISE OF CRIMINAL JURISDICTION WORLDWIDE BY FOREIGN TRIBUNALS OVER UNITED STATES PERSONNEL

DECEMBER 1, 1953 THROUGH NOVEMBER 30, 1963

FOREIGN JURISDICTION						
8	1959	1960	1961	1962	1963	Total
59	12909	11516	11707	12291	19017	127129

CASES TRIED										
1954	1955	1956	1957	1958	1959	1960	1961	1962	1963	Total
1475	3142	4437	4980	4263	4070	4163	4254	4375	4652	39811

CONFINEMENT NOT SUSPENDED										
1954	1955	1956	1957	1958	1959	1960	1961	1962	1963	Total
77	120	108	124	96	100	117	114	98	107	1061

0068

TABLE IV

STATISTICAL HIGHLIGHTS FOR NATO-SOFA COUNTRIES

COUNTRY	CASES SUBJECT TO LOCAL JURISDICTION	CASES WAIVED OR DROPPED	CASES PENDING FROM PREVIOUS YEAR	CASES TRIED	ACQUITTALS
BELGIUM	56 (42)	56 (20)	9 (6)	7 (2)	0 (2)
CANADA	401 (415)	19 (21)	0 (3)	382 (397)	0 (2)
DENMARK	5 (2)	3 (1)	0 (0)	2 (1)	0 (0)
FRANCE	4,625 (4,454)	3,928 (3,841)	134 (138)	733 (617)	39 (19)
GERMANY*	6,188	5,512	14	349	9
GREECE	45 (36)	36 (35)	1 (3)	5 (3)	4 (1)
ITALY	271 (305)	163 (100)	203 (122)	103 (124)	37 (33)
LUXEMBOURG	43 (26)	10 (3)	16 (7)	41 (14)	5 (2)
NETHERLANDS	247 (119)	247 (119)	0 (0)	0 (0)	0 (0)
NORWAY	4 (1)	0 (1)	0 (3)	2 (3)	0 (0)
PORTUGAL	0 (0)	0 (0)	0 (0)	0 (0)	0 (0)
TURKEY	116 (95)	54 (6)	39 (46)	87 (96)	41 (47)
UNITED KINGDOM	1,640 (2,037)	144 (345)	110 (90)	1,519 (1,672)	31 (55)

*Became a party to NATO-SOFA on 1 July 1963.

TABLE V

SUMMARY OF DATA ON THE EXERCISE OF CRIMINAL JURISDICTION BY FOREIGN TRIBUNALS IN NON-NATO COUNTRIES WHERE A JURISDICTIONAL AGREEMENT EXISTS FOR PERIOD 1 DECEMBER 1962 - 30 NOVEMBER 1963

COUNTRY	CASES SUBJECT TO LOCAL JURISDICTION	CASES WAIVED OR DROPPED	CASES PENDING FROM PREVIOUS YEAR	CASES TRIED	ACQUITTALS
AUSTRALIA	1 (0)	0 (0)	0 (0)	1 (0)	0 (0)
AZORES	74 (97)	73 (98)	0 (4)	1 (3)	0 (1)
ECUADOR*	1 (0)	1 (0)	0 (0)	0 (0)	0 (0)
GREENLAND	0 (1)	0 (0)	1 (0)	0 (0)	0 (0)
ICELAND**	105 (0)	9 (0)	11 (0)	97 (0)	0 (0)
JAPAN	3,433 (3,191)	3,090 (2,906)	48 (46)	340 (283)	0 (1)
MOROCCO	42 (33)	20 (18)	11 (14)	17 (18)	4 (5)
NEW ZEALAND	29 (23)	28 (22)	0 (0)	1 (1)	0 (0)
NICARAGUA	0 (1)	0 (0)	0 (0)	0 (1)	0 (1)
PHILIPPINES	67 (85)	52 (77)	20 (16)	13 (4)	7 (2)
SPAIN	122 (16)	99 (38)	5 (34)	13 (7)	1 (0)
WEST INDIES (Antigua, Bermuda, Eleuthera, The Bahama Islands)	227 (172)	7 (4)	2 (2)	219 (170)	9 (6)
WEST PAKISTAN	1 (0)	1 (0)	0 (0)	0 (0)	0 (0)

* MAAG and Mission Agreement - Not of general application.

** While Iceland is signatory to NATO-SOFA, the effective agreement governing the status of U. S. forces in Iceland is T.I.A.S. 2295.

0070

TABLE VI

SUMMARY OF DATA ON THE EXERCISE OF CRIMINAL JURISDICTION BY FOREIGN TRIBUNALS IN COUNTRIES WHERE NO JURISDICTIONAL AGREEMENT EXISTS FOR PERIOD 1 DECEMBER 1962 - 30 NOVEMBER 1963

COUNTRY	CASES SUBJECT TO LOCAL JURISDICTION	CASES WAIVED OR DROPPED	CASES PENDING FROM PREVIOUS YEAR	CASES TRIED	ACQUITTALS
ASCENSION	1 (0)	0 (0)	0 (0)	1 (0)	0 (0)
HONG KONG	13 (12)	2 (0)	0 (0)	11 (12)	0 (0)
IRAN	1 (4)	3 (9)	3 (11)	1 (3)	1 (0)
MEXICO	1,213 (772)	549 (143)	3 (3)	665 (628)	6 (0)
PANAMA	46 (140)	2 (22)	6 (6)	39 (118)	1 (12)
SOUTH AFRICA	0 (2)	0 (0)	0 (0)	0 (2)	1 (0)
SWITZERLAND	0 (3)	0 (0)	3 (0)	3 (0)	0 (0)

0071

STATEMENT OF BRIGADIER GENERAL KENNETH J. HODSON
ASSISTANT JUDGE ADVOCATE GENERAL FOR MILITARY JUSTICE
TO A SUBCOMMITTEE OF THE ARMED SERVICES COMMITTEE
OF THE UNITED STATES SENATE - 1964

EXERCISE OF CRIMINAL JURISDICTION - WORLD

Mr. Chairman:

Before I discuss specific statistics pertaining to the exercise of criminal jurisdiction over United States personnel by foreign tribunals throughout the world, I wish to call your attention to the fact that the percentage of military waivers obtained both world-wide and in NATO countries has increased from an average of 59% in the previous four reporting periods to 70.45% for the current period. In other words, in more than seven out of every ten incidents, foreign authorities deferred their primary right of jurisdiction to the exercise of jurisdiction by U. S. military authorities. The majority of cases which were tried by foreign tribunals involved traffic offenses.

My remarks concerning the exercise of jurisdiction over United States personnel in each individual country will, for the most part, consist of tables reflecting the statistical highlights for that country. These highlights have been extracted from the detailed, country by country, statistical analysis of the exercise of foreign jurisdiction which is appended to the Department of Defense report.

[Chart A - Exercise of Criminal Jurisdiction by Foreign Tribunals over United States Personnel - 1 December 1962 - 30 November 1963]

I now refer to Chart A. Note that the NATO-SOF figures shown in the right-hand columns are included in the world-wide figures shown on the left. During the period 1 December 1962 through 30 November 1963,

0072

19,017 United States military and civilian personnel and their dependents were charged with offenses subject to the primary or exclusive jurisdiction of foreign courts throughout the world (12,713 of these offenses were traffic offenses).

Of the 19,017 persons so charged, 17,861 were military persons. In the military cases foreign authorities waived their primary right to exercise jurisdiction in 12,584 cases for a world-wide waiver rate of 70.45%. Throughout this report the waiver percentages given pertain solely to military personnel because, as a result of the 1960 Supreme Court decisions concerning the lack of court-martial jurisdiction over civilians in time of peace, we no longer request waivers in cases involving civilian personnel or dependents. However, in the 1,156 cases in which civilians and dependents were charged with offenses, 742 accused were released to the United States for disposition.

In addition to the 5,277 cases involving military personnel and 414 cases involving civilian personnel (including dependents) in which jurisdiction was reserved by foreign governments, there were 581 military and 58 civilian cases pending trial at the end of the previous reporting period. In these 6,330 reserved cases charges were dropped in 716 military and 65 civilian cases (total 781), trial remained pending at the close of the current reporting period in 823 military and 72 civilian cases (total 895), and in one civilian case, bond was forfeited and no trial was held. Waiver of jurisdiction was obtained in one case which had been pending trial at the close of the previous reporting period.

Foreign courts tried 4,652 offenses (3,068 were traffic offenses) and acquitted 196 accused, an overall acquittal rate of 4.21% compared to 4.57% for the previous reporting period. Of the 4,652 cases, 334

0073

trials were of civilians or dependents and resulted in 311 final convictions, 27 acquittals and 12 appeals from conviction or acquittal. (These figures also include the final disposition of appeals pending at the end of the previous reporting period.) Fines were adjudged in 259 of these 311 cases (214 traffic offenses). In 16 cases the punishment involved only a reprimand. Suspended sentences to confinement were given 27 civilian offenders while nine received unsuspended sentences to confinement.

Military personnel were tried in 4,318 cases with 4,133 resulting in conviction and 169 in acquittal. Appeals were pending in 92 cases at the close of the current reporting period. Fines were adjudged in 3,837 cases (2,658 traffic offenses) while in 26 offenses only a reprimand was imposed. Suspended sentences to confinement were given 172 offenders while 98 received unsuspended sentences ranging in length from one day to ten years. It should be noted that these figures reflect results of trials during the period and include cases in which appeals were pending at the close of the previous period.

[Chart B - Types of Offenses]

Chart B shows that the total number of alleged offenses subject to foreign jurisdiction increased from 12, 291 in the preceding period to 19,017 for the current reporting period. This sharp increase is the result of the inclusion for the first time of offenses committed by military personnel in the Federal Republic of Germany, where the jurisdictional provisions of NATO-SOFA, as modified by the German Supplementary Agreement, became effective on 1 July 1963. Prior to this date the United States had retained exclusive jurisdiction over military personnel in Germany.

3

0074

[Chart C - Unsuspended Sentences to Confinement Imposed on United States Personnel by Foreign Courts]

Chart C shows that there were 107 cases in which a sentence to confinement was not suspended compared to 98 such cases in the previous reporting period. There were 114 such cases in the 1961 report. The longest unsuspended sentence to confinement reported during the current period was a ten-year sentence adjudged by a Japanese court against a Marine for the offense of arson, robbery causing injury, and larceny. The longest unsuspended sentence given a civilian (dependent) was four years' confinement for murder, also adjudged by a Japanese court.

[Chart D - United States Personnel in Confinement Pursuant to Sentences of Foreign Courts]

Chart D illustrates the number of individuals confined in foreign prisons. The total of 63 individuals in confinement at the close of the reporting period is in line with previous figures reported although higher than the record low of 36 reported at the close of the last reporting period. Three civilians (dependents) were among those in confinement at the close of the reporting period.

EXERCISE OF CRIMINAL JURISDICTION IN NATO STATUS OF FORCES COUNTRIES

I will now discuss various statistics pertaining to the exercise of criminal jurisdiction over United States personnel by countries signatory to the North Atlantic Treaty Organization Status of Forces Agreement.

[Chart A - Exercise of Criminal Jurisdiction by Foreign Tribunals over United States Personnel - 1 December 1962 - 30 November 1963]

The number of alleged offenses subject to the jurisdiction of NATO countries increased from 7,532 during the previous period to 13,641 in the current period (9,428 of which were traffic offenses). As I have indicated, this sharp increase was due to the inclusion of 5,993 alleged committed in Germany by military personnel since 1 July 1963, the date when the NATO-SOFA, as modified by the German Supplementary Agreement, entered into force governing the jurisdictional status of United States military personnel in Germany.

NATO countries waived their right to exercise jurisdiction in 9,471 or 71.47% of the military cases (compared to 58.64% in the previous reporting period). In addition, a total of 90 civilians and dependents were released to the United States for disposition. Charges were dropped in 610 cases and trial remained pending in 766 at the close of the current reporting period. The 3,230 trials of United States personnel resulted in 166 acquittals, 2,831 sentences to fines or reprimands, 163 suspended sentences to confinement, and 68 unsuspended sentences to confinement (compared to 71 unsuspended sentences for the previous period). These sentence figures include cases in which appeals were pending at the close of the previous period. There were 77 appeals pending at the close of the 1962-1963 reporting period.

I should like to insert in the record at this point two cumulative tables on the exercise of criminal jurisdiction in NATO countries and world-wide since 1953:

[Table I - Exercise of Criminal Jurisdiction by Tribunals of NATO Countries Since the Various Effective Dates of the NATO Status of Forces Agreements (through 30 November 1963)]

0076

/Table II - Summary of Exercise of Criminal Jurisdiction Worldwide by Foreign Tribunals over United States Personnel, 1 December 1953 to 30 November 1963/

I would also like to place in the record a statement detailing the world-wide expenditures in implementation of title 10, United States Code, section 1037, during the current reporting period. Under this statute, the United States may pay certain expenses incident to the defense of qualified United States personnel tried by foreign courts (i.e., those amenable to court-martial jurisdiction under the Uniform Code of Military Justice).

/Table III - Expenditures in Implemention of 10 U.S.C. 1037, 1 December 1962 - 30 November 1963/

During the current period, $59,266.84 was expended in 296 cases, compared to $63,769.47 in 284 cases during the previous reporting period. The average cost per case decreased from $224.54 to $200.22.

In previous years it has been reported to the Committee that the Kinsella v. Singleton series of Supreme Court decisions had the effect of removing civilian employees and dependents from the category of personnel who may benefit under title 10, United States Code, section 1037, and that legislation to broaden the scope of existing law to reinstate the coverage for such persons was before the Congress. This legislation has not been enacted. At the present time such legislation is not included in the Department of Defense legislative program.

To demonstrate our experience in each of the countries in which the NATO Status of Forces Agreement is in effect, I shall place in the record a table (Table IV) which contains statistical highlights. /Table IV - Statistical Highlights for NATO-SOFA Countries/

0077

For comparison, the figures in parenthesis are for the reporting period, 1 December 1961 - 30 November 1962.

The two NATO countries where the largest number of offenses occurred were France and the Federal Republic of Germany.

FRANCE

During the reporting period France continued to waive jurisdiction in most of the cases involving military personnel. There were 4,625 cases subject to French jurisdiction (3,818 traffic offenses) compared to 4,454 cases during the last reporting period. There were also 134 cases carried over for the previous reporting period. Waivers of jurisdiction were obtained in 3,869 or 85.84% of the 4,507 military cases subject to French jurisdiction. Of the 733 persons tried, 39 were acquitted, 576 were fined or reprimanded, 91 received suspended sentences to confinement, and 33 received unsuspended sentences to confinement, ranging from 15 days to one sentence of three years. There were 20 appeals pending at the end of the current reporting period.

GERMANY

Until 1 July 1963, when the NATO-SOFA, as modified by the German Supplementary Agreement, became effective between the United States and Germany, United States military presence in the Federal Republic of Germany was governed by the Bonn Conventions. The Bonn Conventions gave the United States exclusive criminal jurisdiction over its military personnel. When the new agreement came into effect, Article VII of the NATO Status of Forces Agreement, supplemented by an automatic waiver arrangement, became the controlling agreement. In all concurrent jurisdiction cases in which Germany has the primary right to exercise jurisdiction, Germany has granted an automatic waiver of that primary right. This waiver is subject to recall if German authorities, within a three-week period, decide that by reason of the circumstances of the case "major considerations of German administration of justice make imperative the exercise of German jurisdiction". During the period 1 July 1963 to 30 November 1963, 6,188 offenses were subject to German jurisdiction. (3,530 were traffic offenses). German authorities recalled their waiver of jurisdiction in 20 of the 5,105 cases involving concurrent jurisdiction offenses. No waivers were received in 888 other cases involving military personnel as these cases consisted for the most part of minor traffic offenses over which Germany has exclusive jurisdiction, e.g., parking offenses. These latter cases resulted in charges being dropped in 366 cases while 208 convictions resulted in the same number of fines. There were 312 of those minor offense cases awaiting trial at the close of the reporting period.

GREECE AND THE NETHERLANDS

In Greece and the Netherlands the United States operates under supplemental agreements to the NATO Status of Forces Agreement whereby both countries have agreed to waive their primary right to exercise jurisdiction at the request of the United States except in cases of particular importance to the host country. The Netherlands did not reserve jurisdiction in any of 247 cases which arose during the reporting period; Greece reserved jurisdiction in 10 of 45 cases in which they had primary jurisdiction. In other NATO countries, the waiver of jurisdiction is governed by the NATO Status of Forces Agreement under which requests for waiver are given "sympathetic consid[illegible]tion".

ICELAND

The NATO Status of Forces Agreement does not control the jurisdictional status of United States personnel stationed in Iceland; however, a bilateral treaty with Iceland (T.I.A.S. 2295, signed 8 May 1950) contains similar provisions. During the current reporting period United States personnel were charged with 105 offenses (44 traffic violations). No waivers of jurisdiction were granted. Charges were dropped in nine cases. All of the cases tried resulted in fines or reprimands only.

EXERCISE OF CRIMINAL JURISDICTION IN NON-NATO COUNTRIES
WHERE WE HAVE A JURISDICTIONAL AGREEMENT

To relate to you our experiences in each of the non-NATO countries where we have a jurisdictional agreement, I shall place in the record a table (Table V) which contains statistical highlights. /Table V - Summary of Data on the Exercise of Criminal Jurisdiction by Foreign Tribunals in non-NATO Countries Where a Jurisdictional Agreement Exists/ For comparison, the figures in parenthesis are for the prior reporting period, 1 December 1961 - 30 November 1962. A Status of Forces Agreement with Australia went into effect on 9 May 1963. Its criminal jurisdiction provisions are similar to the criminal jurisdiction provisions of the NATO-SOFA. Only 1 case, a traffic offense, was reported from Australia where United States military presence involves relatively small forces.

9

0080

JAPAN

Of the non-NATO countries, the largest number of cases arose in Japan. There were 3,433 cases subject to Japanese jurisdiction of which 2,775 were traffic offenses.

Our jurisdictional arrangements with Japan continue to operate effectively. The waiver rate remains exceptionally high, waivers having been granted in 2,448 (89.11%) of the 2,747 alleged offenses by military personnel subject to Japanese jurisdiction. Of the total of 340 cases tried, 274 trials resulted in fines, 29 resulted in suspended sentences to confinement, and 29 resulted in unsuspended sentences to confinement.

SPAIN

During the reporting period, 122 cases involving United States personnel occurred in Spain, and there were five pending from the previous period. Waiver of jurisdiction was asked and granted in 94 cases. There were 13 trials which resulted in one acquittal and 12 fines.

Last year it was reported that United States Army Private James B. Wagner, RA 12 588 064, had confessed to the murder and robbery of a Spanish national in November 1962. Because he was not stationed in Spain a waiver request was denied. At the close of the reporting period no trial had taken place because of delays obtained by defense counsel.

NON-NATO COUNTRIES WHERE WE DO NOT HAVE A JURISDICTIONAL AGREEMENT

To show you our experience in countries where we do not have a jurisdictional agreement, I shall place in the record a table (Table VI)

0081

which contains statistical highlights. /Table VI - Summary of Data on the Exercise of Criminal Jurisdiction by Foreign Tribunals in Countries Where no Jurisdictional Agreement Exists7 For comparison, the figures in parenthesis are for the prior reporting period, 1 December 1961 - 30 November 1962.

MEXICO AND PANAMA

In the countries where we have no jurisdictional agreements, the largest number of offenses were committed in Mexico and Panama. Of the 665 trials in Mexico, all but 26 were for such minor offenses as drunk and disorderly, breach of the peace, and traffic violations. In Panama, of the 39 cases tried, one resulted in acquittal, 31 resulted in fines, two resulted in suspended sentences to confinement, and four resulted in unsuspended sentences to confinement, one for eight months and the others for six months each.

CONCLUSION

In conclusion, no United States commander has reported that jurisdictional arrangements have measurably affected the accomplishment of his mission. Accordingly, the Department of Defense considers present status of forces arrangements to be workable and satisfactory.

EXERCISE OF CRIMINAL JURISDICTION BY FOREIGN TRIBUNALS OVER U S PERSONNEL 1 DEC 1962-30 NOV 1963

CHART A

WORLD

NATO SOF

	WORLD	NATO SOF
TOTAL CASES	19,017	13,641
MILITARY CASES	17,861	13,250
WAIVERS OBTAINED MILITARY	12,584 70.45%	9,471 71.54%
CASES TRIED	4,652	3,230
ACQUITTED	196 4.21%	166 5.14%
FINE OR REPRIMAND	4,138 88.95%	2,831 87.65%
CONFINEMENT SUSPENDED	199 4.28%	163 5.05%
CONFINEMENT NOT SUSPENDED	107 2.30%	68 2.11%

TOTAL CASES, MILITARY CASES: SUBJECT TO JURISDICTION

0083

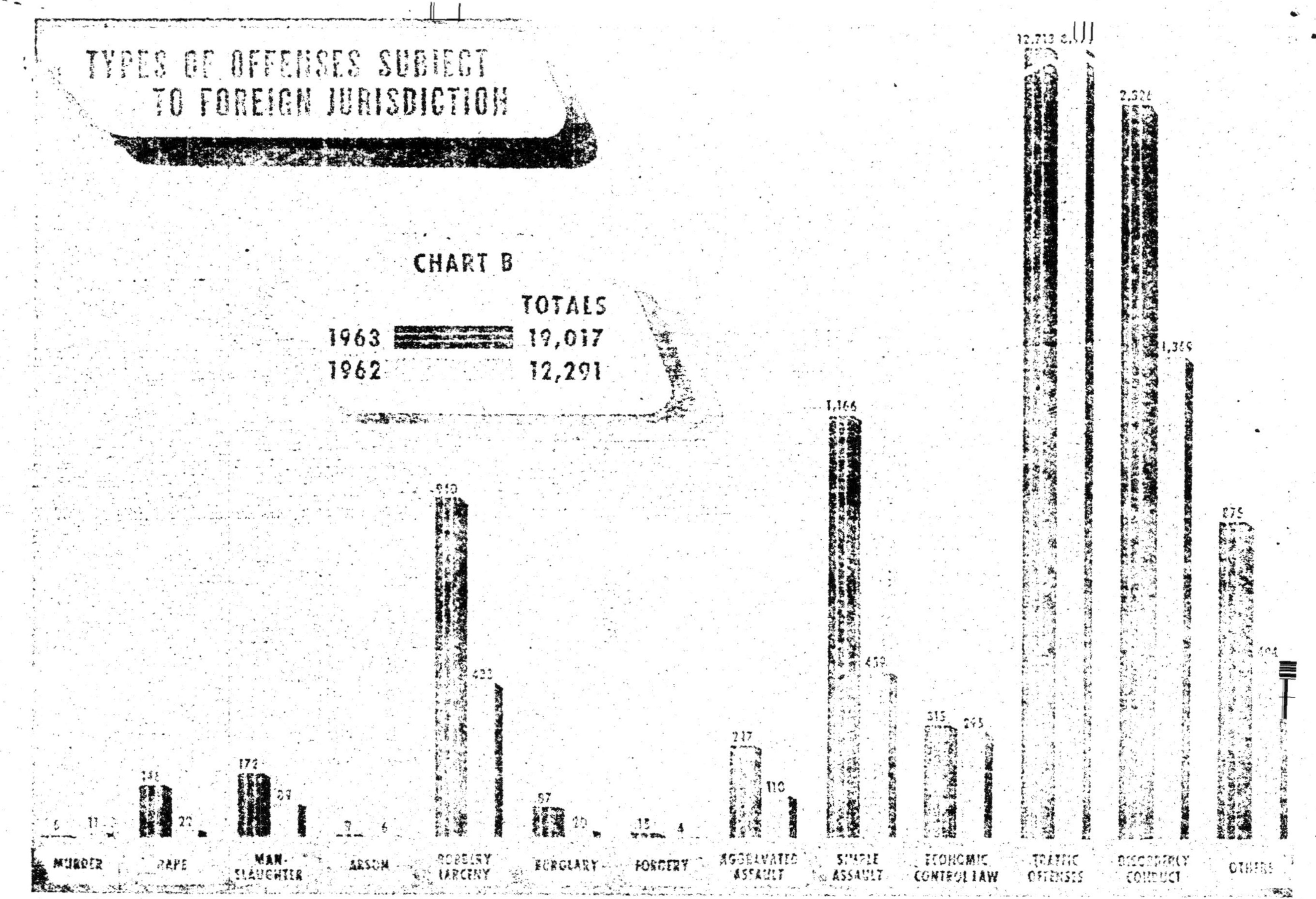
TYPES OF OFFENSES SUBJECT
TO FOREIGN JURISDICTION
CHART B
TOTALS
1963 19,017
1962 12,291
MURDER
RAPE
MAN-SLAUGHTER
ARSON
ROBBERY LARCENY
BURGLARY
FORGERY
AGGRAVATED ASSAULT
SIMPLE ASSAULT
ECONOMIC CONTROL LAW
TRAFFIC OFFENSES
DISORDERLY CONDUCT
OTHERS

0084

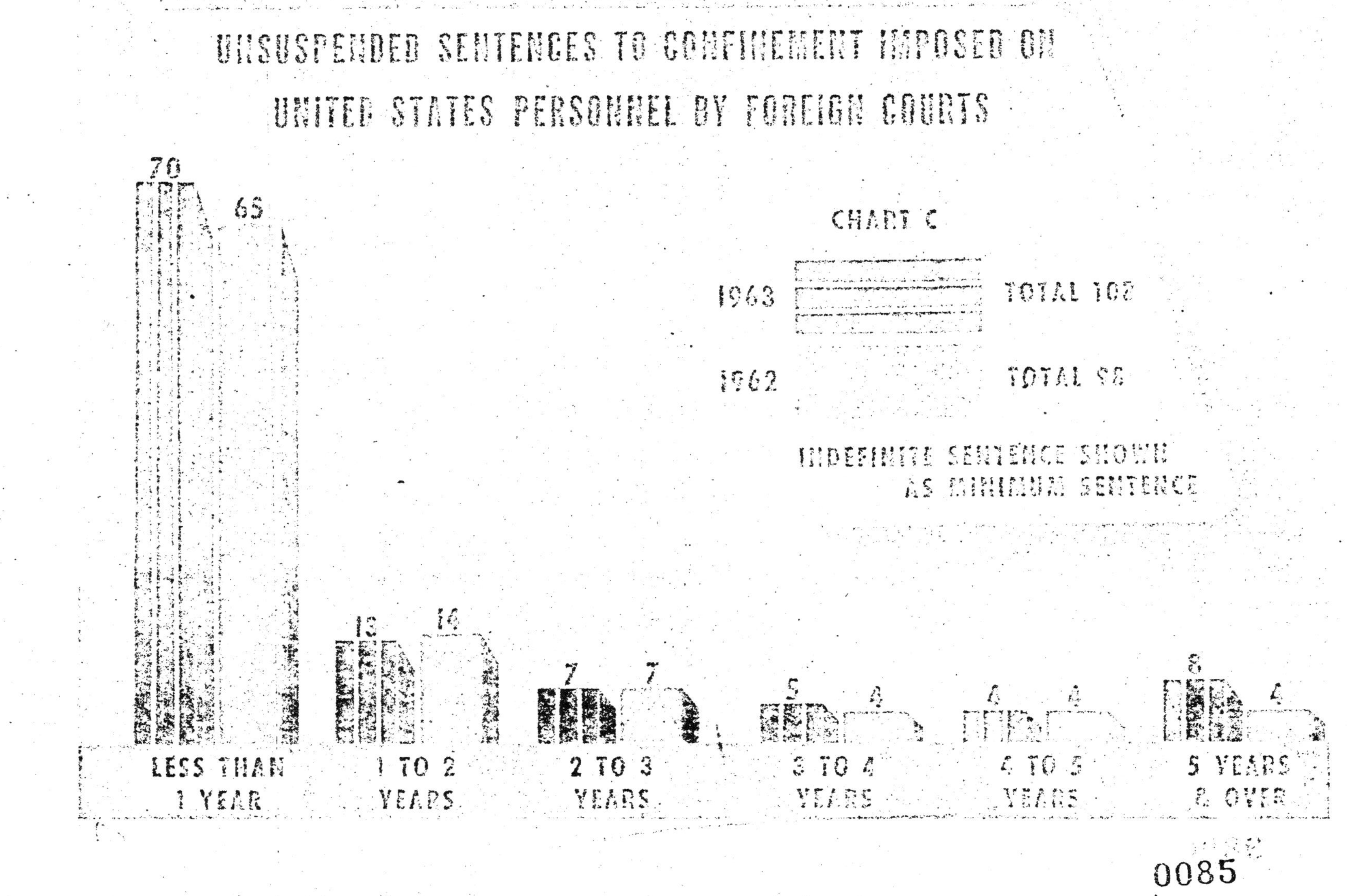
UNSUSPENDED SENTENCES TO CONFINEMENT IMPOSED ON
UNITED STATES PERSONNEL BY FOREIGN COURTS
CHART C
1963
TOTAL 107
1962
TOTAL 98
INDEFINITE SENTENCE SHOWN
AS MINIMUM SENTENCE
70
65
13
14
7
7
5
4
4
4
8
4
LESS THAN
1 YEAR
1 TO 2
YEARS
2 TO 3
YEARS
3 TO 4
YEARS
4 TO 5
YEARS
5 YEARS
& OVER
0085

U. S. PERSONNEL IN CONFINEMENT PURSUANT TO SENTENCES OF FOREIGN COURTS

CHART D

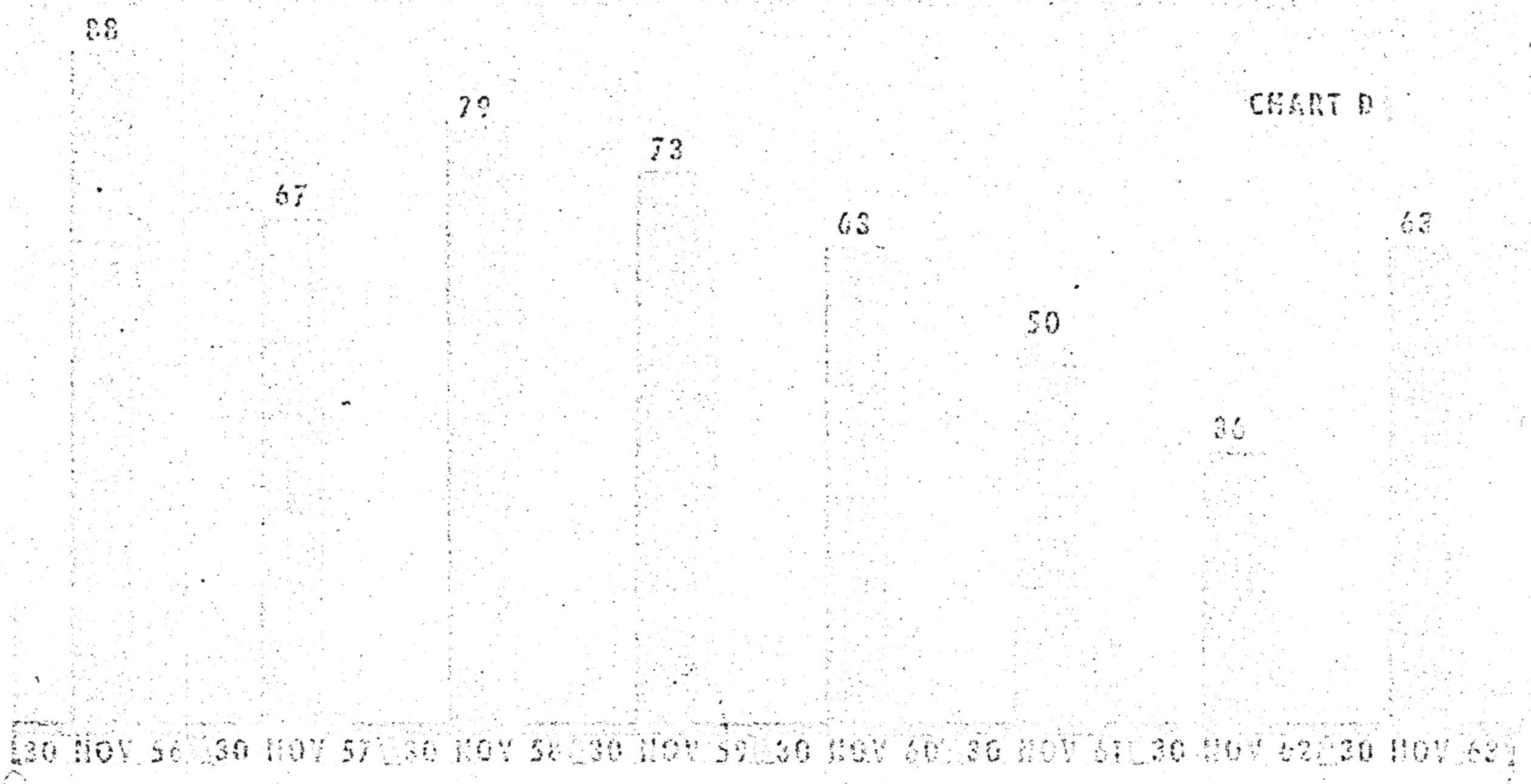

30 NOV 56	30 NOV 57	30 NOV 58	30 NOV 59	30 NOV 60	30 NOV 61	30 NOV 62	30 NOV 62
88	67	79	73	63	50	36	63

0086

대한민국 외무부

번호: WUS-0966

일시: 281020

발신전보

수신인: 주 미 대사

1. 이장관은 9. 18. 개최된 Brown 미대사와의 회담에서 한.미간 주둔군지위협정 체결 교섭의 조속한 타결을 위하여 다음과 같이 미측의 적극적인 협조를 촉구하였음:

   (가) 한.미간의 긴밀한 관계에 비추어 양국간의 SOFA 가 다른 국가와의 SOFA 와 비교하여 차의가 있거나 또는 불리할 수는 없으며

   (나) 한국이 제시한 초안을 기초로 하여 조속히 합의를 볼 수 있도록 미측이 협조하여 주기 바란다.

2. Brown 미대사는 이장관의 발언에 동의하면서 상방이 한국측 초안을 기초로 토의할 것이며 미측도 최대한도의 양보를 할 용의가 있음을 밝히고 회담시일 내에 합의할 수 있도록 노력하겠다고 다짐하였음.

3. 이장관은 Bundy 차관보의 내한 시에도 미측의 협조를 요청할 예정이니 귀관은 사전에 Bundy 차관보 또는 부재시에는 국무성관계관에게 상기 회담 내용을 주지시키고 동 협정의 조속한 체결을 촉구한 후 그 결과를 지급 보고하시기 바람.

4. 형사재판관할권에 대한 양측의 입장은 1964. 5.22. 자 외구미 722.2-299 호 지시공한 및 회의록을 참조하시압. (외구미) 끝

장 관

0087

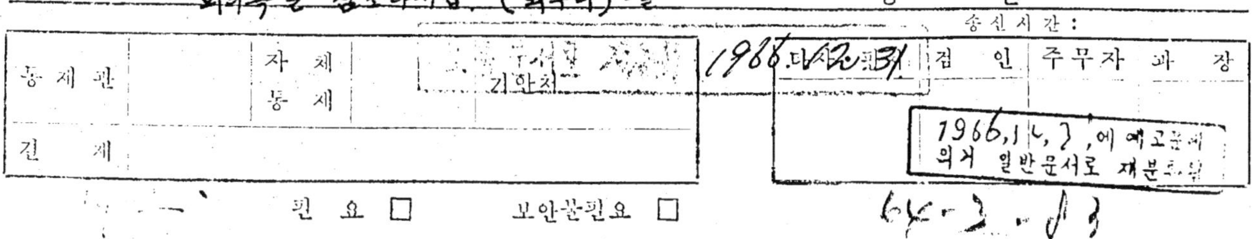

1966.12.31.에 예고문에 의거 일반문서로 재분류됨

4 - 3 - 31 (1)

0088

대한민국 외무부

발신전보

번호: WUS-1079
일시: 311305

외 신 과	
접 수	암 호
	C6

수신인: 주미대사 대리

HAMILTON H. HOWZE 장군은 10.29. 미군 방송 AFKN 의 " COMMANDER'S TIME "프로에서 다음과 같이 방송한바 있음으로 참고하시고 미국무성 및 국방성 관계관과 접촉하여 우리 정부는 년내에 교섭이 타결되기를 희망하고 있음을 강조하시고 형사재판관할권, 민사청구권 및 노무조항의 미해결점에 대한 미측의 성의를 촉구하신후 그 결과를 보고하시기 바람.

"HOPE FOR AN EARLY CONCLUSION OF THE ROK-US STATUS OF FORCES AGREEMENT WAS EXPRESSED THIS EVENING BY GENERAL HAMILTON H. HOWZE, COMMANDER, US FORCES KOREA.

GENERAL HOWZE, APPEARING ON THE AMERICAN FORCES KOREA NETWORK TELEVISION PROGRAM "COMMANDER'S TIME", SAID "THE PROCESS IS TAKING A LONG TIME, PARTLY BECAUSE THE COMPLICATIONS OF IT ARE CONSIDERABLE."

HE NOTED, HOWEVER, THAT TENTATIVE AGREEMENT HAS ALREADY BEEN REACHED ON A LARGE NUMBER OF ARTICLES, AND THAT ONLY GOVERNMENT RATIFICATION IS NECESSARY TO PUT THEM INTO EFFECT.

"THERE ARE STILL," HE ADDED, "SOME UN-NEGOTIATED, UNSETTLED POINTS, WHICH ARE NOW IN ACTIVE PROCESS OF NEGOTIATION. I HOPE WE CAN GET PAST THEM WITHIN THE NEXT FEW MONTHS." (외구미)

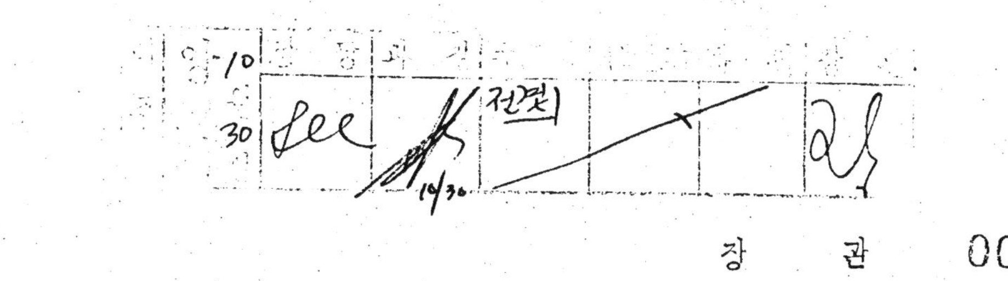

장 관 0089

송신시간:

통제관		자체 통제		기안처	
결재					

타자•판치	검 인	주무자	과 장

필요 ☐ 보안불필요 ☐

U.S. ARMY U.S. NAVY U.S. AIR FORCE
UNITED STATES FORCES KOREA
INFORMATION SECTION news release
PHONE YONGSAN 3290/3113/3223/3814 APO 301

Release Number: 10-196
By Ens. John M. Hurley

FOR RELEASE AT 8 PM, THURSDAY, OCT. 29: (ALREADY RELEASED TO TOKYO)(T)

2ND COMMANDER'S TIME

SEOUL, KOREA, October 29, 1964 (US Forces Korea) - - Hope for an early conclusion of the ROK-US Status of Forces Agreement was expressed this evening by General Hamilton H. Howze, Commander, US Forces Korea.

General Howze, appearing on the American Forces Korea Network television program "Commander's Time", said "The process is taking a long time, partly because the complications of it are considerable."

He noted, however, that tentative agreement has already been reached on a large number of articles, and that only government ratification is necessary to put them into effect.

"There are still," he added, "some un-negotiated, unsettled points, which are now in active process of negotiation. I hope we can get past them within the next few months."

Appearing with General Howze were Navy Chief Petty Officer Joseph R. Crotty of Newton, N.J., (Naval Advisory Group) and Army First Sgt. Edgar A. Aufill of Socorro, N.M. (1st Cavalry Div.)

General Howze, when asked about the Vietnamese situation, replied: "I've got to answer that question not as an informed military man, but simply as any American citizen who is interested in the problem."

After pointing out the capabilities of US military leaders and government officials in Vietnam, he summarized. "The very character of what we might call the US team in Vietnam orders very well for a successful conclusion. How soon, we don't know.

"Ultimately, I believe the determination of the US to bring off a su successful conclusion is probably going to bear fruit. There is no way in which one can confidentially, without fear of any possible contradiction, predict a completely successful solution. And that is an iron struggle and, therefore, we should recognize that there are some uncertainties involved. On the other hand, I repeat what I've already said, I think that a successful conclusion is in the cards. How soon, we don't know."

"Commander's Time" is a weekly feature on both AFKN radio and television.

- 30 -

0090

대한민국 외무부

착신암호전보

번 호: USW-1111

일 시: 041900

종 별

수 신 인: 외무부장관

발신인: 주미대사 대리

대: WUS-1079

대호로 지시하신건 국무성 FEAREY 동북아국장과 접촉한 결과 아래와같이 보고함.

가. 동국장은 아국정부의 입장과 지대한 관심을 잘이해하겠다고 말하고 미국정부로서 최선의 노력을 다하여 군대지위협정을 최단시일내에 체결하고저 노력하겠다고 하였음.

나. 특히 동국장은 미국정부로서도 한일문제 해결을 앞두고 한미간의 군대지위협정을 완결하는것이 매우 좋은일이라고 생각하고있으며 한미 양국간의 전통적인 우호관계로보아 극복못할 난관이 없을것으로 생각하고있다고 하였음.

(구미)

예고: 67.12.31. 일반문서로

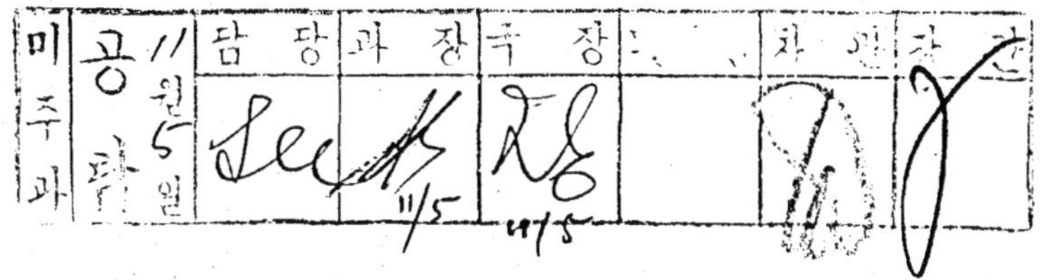

미주과	공람 11월 5일	담당	과장	국장		차관	장관

비서	✓	통상		중정		재무	
정무		문서		경기		조달	
정보	✓	의전		국방		농림	
방교		총무		상공		구미	0

외 신 과

검 인

1967. 8. 10. 에 예고문에 의거 재분류 함

1967 NOV 5 PM 2 09

0091

조선일보 '64. 11. 25.

「하우즈」大將歸國

指揮官會議參席

美第8軍司令官「해밀튼·H·하우즈」大將은 24日下午 空路「워싱턴」으로 向發 歸國途上에 올랐다.

「하우즈」大將은 全美陸軍指揮官會議에 參席하기위해 이날 歸國한것으로서 오는 12月4日에 歸任한다.

0092

대한민국 외무부

번 호: WUS-1178

발신전보

일 시: 25 1940

종 별

외 신 과	
접 수	암 호
CS	

수신인: 주 미 대 사 귀하

연: WUS— 1079호 (64.10.31.)

1. Hamilton H. Howze 주한미군사령관은 11. 24. 미육군지휘관회의에 참석차 와싱톤 향발 당지를 출발하였으며 12. 4. 귀임할 것이라 함.

2. Howze 장군이 귀지 체재시 접촉하시어 우리 정부가 조속한 시일에 SOFA 체결 교섭을 타결할 것을 희망하고 있음을 지적하고 국무성 및 국방성당국에 차지를 촉구할 것을 요청하시기 바람. (외구미)

11/25 Lee 25/11

장 관

통 제 관		자 체 통 제		기 안 처	
결 재					

송신시간:

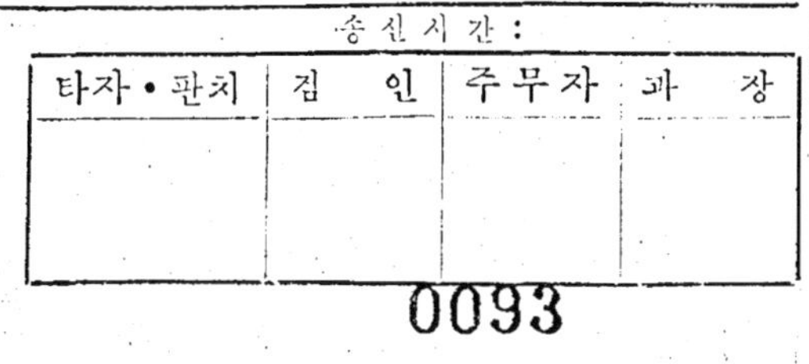

타자·판치	검 인	주무자	과 장

필 요 ☐ 보안불필요 ☐

0093

U.S. ARMY [illegible] NAVY U.S. AIR F[illegible]
UNITED [illegible] S FORCES KO[illegible]

INFORMATION SECTION **news release**

PHONE YONGSAN 3290/3113/3223/3814 APO 301

Release Number: 12-22
By: Ens. John M. Hurley

HOLD FOR RELEASE UNTIL 8 PM THURSDAY, DEC 3: (ALREADY RELEASED TO TOKYO)(T)

COMMANDER'S TIME #7

SEOUL, KOREA, December 3, 1964 (U.S. Forces Korea) - - General Hamilton H. Howze, Commander U.S. Forces Korea, expressed belief today that the north Korean communists will make no bold moves toward the Republic of Korea as a result of Red China's new atomic capability.

Speaking on the American Forces Korea Network television program "Commander's Time", General Howze said:

"The military situation has not changed at all as a result of the explosion of the Red Chinese device. The actual power in the hands of the troops has not modified merely because the Chinese exploded a small and, I understand, quite a crude experimental device.

"This is not to indicate," he cautioned, "that this event is not going to have some influence on the Far East. I think it probably shall, but I don't think it will be very great. If you recall, President Johnson said in effect, that it would not be a wise thing to overestimate the importance of this event.

"In any case," he continued, "the north Koreans are not a bit stronger than they were before that event, and they're not likely to become so for a fairly large number of years.

"The main thing that deters north Korea," he added, "is the fact that we are facing them on their southern border, and we are stronger than they are, and are likely to remain so."

- more -

0094

Appearing with General Howze on the regular Thursday night AFKN radio and television program were 1st Sgt. Harry H. Facciani, 6th Battalion, 12th Artillery, I Corps (Group) Artillery (4690 E. Gettsyburg St., Fresno, Calif.) and Storekeeper 1st Class Raymond L. Byrd, Naval Advisory Group Korea. (1932 E. 88th St. Los Angeles)

Asked about conditions in the Republic of Vietnam affecting Korea, the general replied "Should there be a disaster in Vietnam it certainly would not be good for the position of the free world throughout the Far East. However, I don't anticipate any such disaster.

"While it is the indigenous forces of south Vietnam that are fighting, and we are strictly in an advisory and support level," he explained, "I think we have too much of our own interest, too much of our talent in terms of competent commanders and advisors as well as political advisors in Vietnam to allow such a disaster to occurr."

Concerning the ROK-U.S. Status of Forces Agreement, he commented, "There will be, I am sure, an agreement which will do everything that is proper and necessary for the protection of the rights of the individual American soldier, sailor, marine or airman.

"There are," he stated, "a large number of articles beyond criminal jurisdiction, dealing with our arrangements with the ROK, regarding the purchase of commodities and sundries. I don't think there is anything fearful in the Status of Forces Agreement at all. A man who behaves himself is not going to get into trouble as a result of the signing of the agreement. Of course, it isn't signed yet, but we have hopes that it will be within a few months."

대한민국 외무부

착신암호전보

번호: ㅡ1216
일시: 021900

종별

수신인: 외무부장관

발신인: 주미 대사

본직은 금일 하오 3 시 부터 한시간동안 국무성으로 번디 극동담당차관보를 방문 (마샬그린 부차관보, 노에드 한국과장 및 박근 참사관 배석) 한.미 양국간의 현안문제에관하여 회담하였는바 그요지는 아래와 같음.

1. 대통령 각하 내외분의 STATE VISIT 문제:
본직은 먼저 존슨 대통령으로서 대통령각하 내외분이 명춘 STATE VISIT 하시는것을 원하신다면 이에 응할 뜻이 있으시다는 말씀을 전달한바 번디차관보는 자기도 이문제를 명심하고 있는바 미국정부는 대통령각하 내외분을 초청하기를 원하고있으며 가까운 장래에 구체적인 일정문제를 검토하게 될것이라고 말하였음.

2. 한일문제:
본직은 한일회담에 관하여 이른 봄 까지 한일회담을 완결 하고저하는 대통령 각하 및 한국정부 당국의 결심에는 변함이 없으며 따라서 우리정부는 진지하고 성의있는 태도로서 금번 회담 재개에 임하고있으니 만큼 회담의 성공여부는 근본적으로 일본 사또 수상 및 그의정부가 얼마나 우리측의 성의에 호응하느냐에 달려있다고 말하고 한일회담이 이번에 타결되도록 우리 정부는

비서	v	아주	√	통상	√	상공		청와대	
총무		구미	o	정기		농림		총리	
의전		정문	v	국방		조달		공보부	
여권		방교		중정		공보관			

수신시간:

검인

0096

외신과

64.12

Original은 이○○씨에게 보관 1964. 12. 4.

64-1-12(3)

0097

2

0080

정치적인 난관을 극복치않을수없을 ... 그런난관을 이유하면서도 회담의 성공적인 완결을 위하여 용감하게 노력하고있음을 지적하고 특히 회담의 타결의 시기가 춘궁기와 같은 때가될 우려가 있으니 만큼 적시에 충분한 잉여 농산물의 도입과 적절한 원조의 제공으로 국내경제 및 정국의 안정에 크게 도움 될수있을것이라는 점을 역설하였든바 동 차관보는 매우 중요한점을 지적하여 주었다고 말하고 금년의 흉작으로 예년보다 춘궁기사정이 더 심각할지도 모르지만 적시적량의 양곡제공의 중요성과 필요성을 이해한다고 말함. 계속하여 본직은 양곡도입의 적시성이 매우 중요하다고 말하고 만일 전수량을 금년내에 다 줄수가 없다면 우선 30 만 톤이라도 년말 까지 주고 내년에가서 다시 한국식량사정을 검토하여 필요한 추가량곡의 제공을 하는것도 고려할수 있는 문제라고 말한바 동 차관보는 좋은의견이라고 말하고 자기도 동감이며 신중검토 해보겠다고 함.

3. 군원이관 (MAP TRANSFER) 문제:

본직은 군원 이관 문제에관하여 그것이 한국 경제발전을 위한 정부의 노력에 가중한부담을 주고있는점을 지적하고 한국경제 사정이 더 호전될 때 까지 연기 하여줄것을 바란다고 말한바 동차관보는 이문제를 자기가 국방성에있을 때부터 취급하여와서 잘알고있다고 말하고 현시기에 있어서는 그것을 연기한다는것이 매우 곤란하다고 말하면서 특히 매년있는 미국 국회군사원조 심의시에 한국정부 만이 아직도 순수 군사물자 이외의 물자를 군사원조로 받고있는 사실을 비난 당하는바 군원이관이 정지되면 이를 변명하기가 매우 어려우며 한국 군사원조를 ... 요하게 비판당할 우려가 있다고 말함. 다만 앞으로라도 언제든지 이에 완만한 특수사정이 생겨서 ... 년 때와 같이 일시 연기한다는것을

외 신 과 0098

3

있을수 있는일이나 현재의 한국경제 능력으로서는 이만한 부담을 능히 감당할수 있으리라고 생각한다고 말하였음. 다만 내년 이후의 장기이관 계획에관하여서는 "VERY MUCH UNDER REVIEW" 라고 말하였음. 군원이관 연기가 불가능하다면 원료제공이라도 해줄수 있는지 문의한데 대하여 동차관보는 자기는 아직 들어보지 못하였다고 말하고 검토하여 보겠다고 답하였음.

4. 대한 원조문제:

본직은 대한 원액이 매년 줄어가고 있는바 우리정부의 경제개발계획의 성취를 위하여 적어도 1964 년도 미국원조액을 앞으로 수년간 계속하여 줄것을 바란다고 말하고 장기적인 경제 원조 계획을 수립 실시할 필요가 있으며 특히 한일회담 타결을 앞두고 미국원조가 삭감됨으로서 국민에게 오해나 나쁜인상을 주어서는 안될것이라고 하였든바 동차관보는 정확한 원조액을 장기적으로 보장한다는것은 어려우나 미국은 한일회국교정상화 여부에 상관없이 적절한양의 대한원조를 계속 유지할것을 다짐 하였음.

5. 농장 노무자 도입문제:

농장노무자 도입문제에 대하여 본직은 만일 미국정부가 외국농민의 도입을 허가 한다면 한국도 평등한 취급을 받기를 기대한다고 말한바 동차관보는 현재 노무성이 이문제에관한 공청회를 개최하고 있는나 이것이 미국의 국내 정치문제로 화하고있어서 새로히 한국농민 노무자를 동입하는것이쉽지않을것으로 보인다고 말하고 다만 시기를 보아서 농업노동자 훈련사업원의 형식으로 이를 추진하여보도록 하겠다고 말하였음.

0100

외 신 과

64-1.1

0101

6. 월남문제:

본직은 월남 사태에관하여 관심을 표명하고 신문지상에 보도된 제대 군인 의용군의 대량 파견운운은 정부의 정책과는 하등 관계가없는 낭설에 지나지않다고 말하였든바 동차관보는 아직도 월남정책에 대한 검토가 진행중임으로 명일이나 금요일에 대일며 대사가 귀임하게되면 우선 월남정부에 대한 필요한대책을 수행하게될것으로 생각 하는바 그결과에 대한 보고를 받은다음 내주 본직과 이문제에관하여 좀더 자세히 협의하고저한다고 말하였음.

7. 행정협정문제:

본직은 행정협정 교섭의 조속한 타결을 요구한바 동차관보는 현재 미측의 대안이 완성되었으며 곧 서울로 발송되어 교섭진전에 기여하게 될것으로 믿는다고 말하였음. (구미)

예고: 재분류 65.12.31.

0102

외 신 과

0105

0103

2. 1965

0104

대한민국외무부

착신전보

번 호:
일 시:

수신인: 장 관

발신인: 주 미 대 사

'65 2/2

장관 지시 공람 필. 1966.5.11. (원본, Bm. 안 보관)

대: 외구미 718-207

금 9일 하오 4시부터 약 40분간 본직은 국무성으로 번디 극동 담당 차관보 (미측에서 후렐 한국과장, 이규성 공사 및 임도경 서기관 동석)와 요담하였는바, 그 요지를 아래와 같이 보고함.

1. 먼저 본직은 새로 부임한 이규성 공사를 당지에 관례에 따라 번디 차관보에게 소개하였음.

Rusk 국무장관 방한 초청 2. 전주 파우치 편으로 송부하여온 장관의 러스크 국무장관 및 기타 일미 경제 각료 회담에 참석하는 미측 전 각료를 한국으로 초청하는 서한을 전달하고 이번 방일하는 기회에 꼭 한국을 방문하여 줄 것을 요청하였던바, 번디 차관보는 이 장관의 초청장을 러스크 장관에게 전달 하겠다고 약속 하면서 러스크 장관의 방일 기회는 매우 좋은 기회이며 한국 방문이 실현될 것으로 생각된다고 말하고 본 건에 관하여 곧 회답하여 주겠다고 약속 하였음.

Bundy 차관보의 방한. 3. 본직은 또한 번디 차관보의 한국 방문에 대하여 문의 하였던 아직 확실히 모르겠으나 씨에토 회의에 참가하는 기회나 또는 만일 일미 경제 각료회의에 참석하게 되는 경우에는 한국을 꼭 방문할수 있을 것이라고 말하였음.

SOFA: 4. 본직은 아국이 제의한바 있는 한미 군대 지위협정에 관하여 첫째 한국내에 저명한 언론인 학자 및 기타 유력한 인사들에게 교섭 완료한 군대 지위협정의 내용을 설명하고 의견을 문의하였던바 매우 좋지 못한 반응이 나왔으며 둘째 비율빈 및 기타 국과 미국이 체결한 군대 지위협정과 비교할때 여러가지로 불균등한 점이 있으며 세째 기타 내년 선거등을 앞두고 여러가지 국내적인 문제등이 있음으로 아국이 제의한 재교섭에 관하여 우호적인 고려를 하여

비서	아주	통상	상공	청와대
총무	구미	경기	농림	총리실
의전	정문	국방	조달	재무부
여권	방교	중정	공보관	공보부

수신시간:

검 인:

0105

줄것을 요청하였던바 번디 차관보는 지금 현재 어떻게 하여야 될 것인지 잘 모르겠으나 상당히 곤난이 (I DON'T UNDER-ESTIMATE THE DIFFICULTIES)있고 비율빈 및 기타 국가와 비교할때 각기 국가별로 사정이 다르며 한국측에서 제의한 것에 대하여 어떠한 변경을 하여야 될 것인지 검토 (WE ARE LOOKING AGAIN TO SEE IF ANY CHANGE IS NEEDED) 해 보겠으나 당장 세부적인 것은 회답할수 없으며 곧 한국 측 제의에 대한 회답을 알려 주겠다고 말하였음.

동남아 외상 회담

5. 본직은 동남아 외상회담에 관하여 미측의 비공식 견해를 타진함과 동시에 적극적으로 지지하여 줄 것을 요청하였던바 동 차관보는 처음에는 매우 성공여부를 의심했으나 이 장관의 큰 성공이라고 말한후 동 차관보의 비공식 견해는 정치 및 극동의 안보 문제는 사교적인 모임이던가 또는 각국 외상의 COURTESY CALL 을 통하여 참가하는 각국이 정치 및 극동의 안전 보장문제를 어떻게 생각하고 있는 가를 타진하여 점차적으로 토의로 이끌어가는 것이 좋을 것이라고 하면서 이동원 장관께서 동 외상 회의의 의장이 될 것이므로 이 문제에 관한 각국 대표들의 일반적인 의사를 타진하는데 매우 좋은 위치에 있다고 말하였음. 본직이 계속하여 미국의 적극적인 지지를 요청하였더니 동 차관보는 공식으로 미국이 그 입장을 발표할 성질의 것은 아니지만 비공식으로는 미국의 견해를 표명하겠다고 하면서 미국으로서는 언제던지 FRIENDLY WORDS 를 말하여 줄 용의가 있다고 약속 하였음.

월남 Ky수상의 발언

6. 본직은 또한 최근 당지 각 신문 지상에 보도된 월남 키 수상의 1년머 집권운운 보도에 대하여 문의 하였던바 번디 차관보, 머스크 장관이 지난 일요일 테레비 방송 기자와의 회견 석상에서 언급한 내용을 인용하면서 키 수상이 발언한 것은 헌법 기초 위원회를 구성 하고 제헌 국회를 구성후 선거까지 기간에는 그 정도의 시간이 필요할 것이라는 점을 말한 것이라고 말하였음.

0106

또한 동 차관보는 한국에서도 건국 초기에는 지금의 월남 사태와 비슷한 정치적인 과정을 밟았다는 사실을 기억한다고 답하면서 제헌 국회 선거를 통한 민간 정부 수립 과정을 밟고 있는 월남 사태는 좋은 기초라고 말하고 월남내 각 정파에서도 이러한 것에는 찬성하고 있다고 말했음. 그러나 한가지 우려되는 것은 만일 이러한 민간 정부 수립에의 과정을 키수상 정부가 민정으로의 복구에 반대하는 것으로 간주되고 선거를 싫어하는 것으로 잘못 해석된다면 매우 불행한 사태가 발생할 것이라고 지적하고 키수상이 말한것은 이런 민정 수립과정에 반대되는 것은 아니라고 말하였음. 번디 차관보는 현재 롯지 대사 및 기타 주월남 대사관 관계직원도 화부에 도착하였음으로 일련의 회의와 재검토를 하게 될 것이라고 말한후 이 검토가 끝나는 대로 다시 본직과 월남 문제에 관한 협의를 가지는것이 좋을 것이라고 말함으로 재회를 약속하고 더이상 언급하지 않았음. (구미, 아남, 의전, 정공)

예고 : 1966. 12. 31. 재분류.

0107

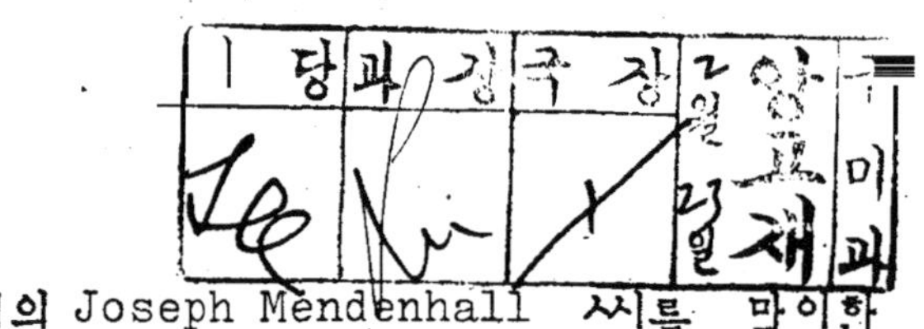

미국무성의 Joseph Mendenhall 씨를 맞이한 한.미간 회의 개최

1. 일 시: 1965 년 2 월 17 일 하오 4 시 부터 동 5 시 까지.

2. 장 소: 외무부 제 1 회의실

3. 참 석 자:

한국측: 문 덕 주 외무차관
장 상 문 구미국장
이 문 용 방교국장
소 상 영 정보국장
전 상 진 통상국장
이 남 기 미주과장

미국측:

Mr. Joseph Mendenhall	Director, Office of Regional Affairs, Bureau of Far-Eastern Affairs.
Mr. Philip C. Habib	Counselor American Embassy
Mr. Benjamin A. Fleck	First Secretary American Embassy
Mr. Frank R. LaMacchia	First Secretary American Embassy
Mr. Edward Hurwitz	2nd Secretary American Embassy

4. 회담 내용 (주둔군지위협정 체결 교섭관계)

문차관: 한.미간 실무자급에서 장기간 교섭이 진행되고 있는 주둔군지위협정 체결 교섭이 상금 타결을 보지 못하고 있는바 우리 정부나 국민은 동 협정이 조속한 시일 내에 체결되기를 희망하고 있다.

0108

귀하의 적극적인 협조를 바란다.

멘델홀: 한.미간 실무자급회담이 순조롭게 진행되고 있으므로 금년 내에는 체결 될 것으로 믿는다.

장국장: 미국무성의 동남아지역관계 책임자로서의 귀하에게 주둔군지위협정이 조속한 시일내에 체결되 수 있도록 협조하여 주기 바라며 우리 정부로서는 체결될 협정 특히 형사재판관할권의 형태는 미.일협정 또는 나토 협정과 유사하여야 함은 물론 현재 미국이 교섭을 진행중인 중국 비율빈등 극동지역 각국과 체결될 협정과도 동등한 형태로 체결되기를 바란다.

멘델홀: 본인으로서는 직접 협정 체결 교섭과는 관계가 없음으로 확실한 것은 말할 수 없으나 한국과 체결될 협정이 미.비간협정이나 또는 미.중간 협정과 동등한 것이어야 한다는 점은 당연한 것으로 사료되며 주한미국대사관의 "하비브"참사관 및 동 "푸렛"1등서기관등 미국측교섭 실무자들이 조속한 체결을 위하여 노력중임으로 금년 내에는 타결될 것으로 믿는 바이다.

0109

미주과	공람 4월 13일	담 당	과 장	국 장		차 관	장 관
		Lee					

The Gist of the Memorandum which the American Embassy received from the State Department on the Status of Forces Negotiations between Foreign Minister Tong Won Lee and Assistant Secretary for Far Eastern Affairs William P. Bundy

Minister Lee raised the problem of SOFA. Mr. Bundy said that he had given serious thought to the Korean position, especially on the waiver clause. He could not say specifically what the U.S. response would be. We wished to be fair to Seoul, Taipei and Manila. He hoped to be in a position to take action very soon, possibly before President Park makes state visit to Washington, D.C. All he could say was that we would "do our damnedest."

Minister Lee commented on the suggested language on this issue in the draft of Joint Statement. Mr. Bundy said it was hard for us to go further than our counter proposal. It would not be wise to arouse public hopes when we were not sure of fullfilling them. Ambassador Brown commented that if the agreement were reached later, at the time of President's visit, without advance announcement, it would give more credit to President.

He also said that it would be good to be careful in the statement. He knew that Minister Lee was besieged by the press.

Mr. Bundy said one of his ancestors who had been active in university circles had once said that a man can either do things or get credit for them. In this case, the important matter was to do things. Privately, he could say he really hoped we would reach agreement very soon. It would be necessary to consult with Joint Committee of Congress and Defense Department authorities, however, it would create difficulties if the State Department appeared to have placed itself in the position of trying to reach agreement under constraint, rather than on the merit of the case.

0110

65-6-38

65-6-11 (1)

[illegible] 23-1 (1)

0111

발신전보

대한민국 외무부

대지급

종 별

번 호: WUS-0471

일 시: 191220

수신인: 주미대사

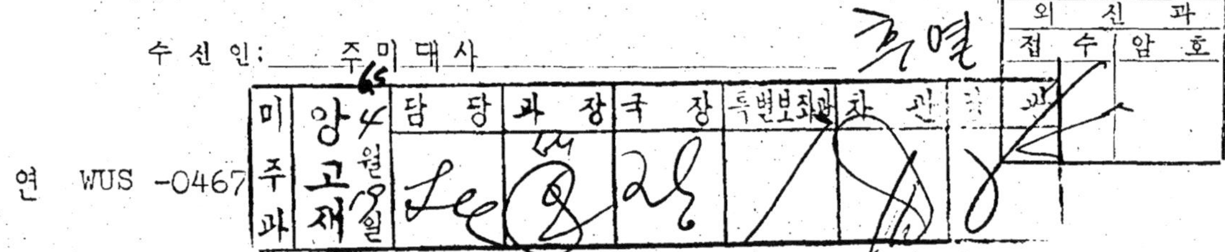

연 WUS-0467

1. 중국, 비율빈 및 일본국을 순회한 이남기 미주과장이 입수한 정보를 비롯한 제반정보에 의하면 미측은 형사재판관할권 문제를 서독식 WAIVER VERSION 으로 해결하려는 징조가 보이는바 귀관은 19일 출발전에 BUNDY 차관보를 방문하여 미국이 패전국인 일본과도 관대한 형태로 형사재판관할권 문제를 해결하였음을 지적하고 우리측이 재판관할권을 행사함에 있어서 일본형태와 뚜렷한 차이가 나는 내용의 모기조항을 수락할수 없으며 하물며 일본과의 협정보다 월등하게 차이가 나는 서독 VERSION 은 도저히 국회나 국민이 받어드리지 못할 것임을 강조하시기 바람.

2. 또한 동정보에 의하면 미국은 중국과의 교섭에서는 서독식 모기형태로, 비율빈국과는 그보다 유리한 형태로 해결할 것이라는바 우리정부가 대통령방미시 일괄 타결하기 위하여서는 전기 중국이나 비율빈국과의 형태보다는 유리한 내용이어야 한다는 것이 우리측 입장임.

송신시간:

통제관		자체 통제		기안처	
결 재					

타자·판치	검 인	주무자	과 장

필요 ☐ 보안불필요 ☐

0112

65 · 5 · 5 (2)

0113

대한민국외무부

발신전보

번 호;
일 시;

종 별

외 신 과	
접 수	암 호

수 신 인;

3. 만약에 미측의 관할권 모기조항에 관한 최종적 해결 방안이 서독식 형태라면 우리측은 차라리 SOFA 를 체결할수 없음을 강조하고 우리측이 미측에 제의한 모기조항(제 70 차 회의록 참조)을 중심으로 형사재판 관할권 문제를 타결할 것을 촉구하시고 귀국시 그결과를 보고하시기 바람. (외구미)

장 관

보통문서로 재분류(1966. 12. 31)

송신시간 :

통 제 관		자 체 통 제		기안자	
결 재					

필 요 ☐ 보안불필요 ☐

타자·판치	검 인	주무자	과 장

0114 65-5-18

65-5-5(2)

0115

회의각서 (제23호)

(SOFA 관계 발췌)

작성일자 1965.4.24.

작성자 양 달 승

제목 김현철주미대사와 백선엽주불대사의 예방

일시 1965.4.22 (16.00)

장소 청와대

참석인원 대통령, 문덕주외무차관, 김현철주미대사, 백선엽 주불대사, 비서실장, 박상길, 양달승, 비서관

김대사 (SOFA)

국무성 이야기에 의하면 수일전에 신훈령이 나갔다 하며 이번것은 한국측에 만족할만한 것이라 함.
Waiver Version 은 한국으로서는 불응하겠다고 말하였음.

문차관

외무부는 다되였으나 기획원은 아직 모르겠음. SOFA 는 서독형으로 될것같음. 대만과 비율빈은 서독형을 반대하고 있음. Brown 대사는 대만에 먼저 이것을 수락시키고 그후에 한국에 제안하겠다고도 하였음. 그러나 일본관계가 있어서 난점이 있음. 서독은 형사재판권을 미국이 요청하면 포기하고 서독이 요청하면 다시 얻게 되어있음. 일본은 합동위가 다루고 있음.

0116

6

<u>각하</u>

일본과 똑같이 해야 함. 일본과 한국에 등급을 메긴다는 것은 안될일임. 반대할것임. 이것이

<u>문차관</u>

한국이 이것을 수락하면 비율빈, 대만이 맹열히 반대할것임. 이것이 방미와 관련되어서 생각되기때문에 국내 피.알.을 안하고 있음. 각하 방미전에는 사실상 서독형을 받기 전에는 어려울 것임.

0117

0118

대한민국외무부

발신전보

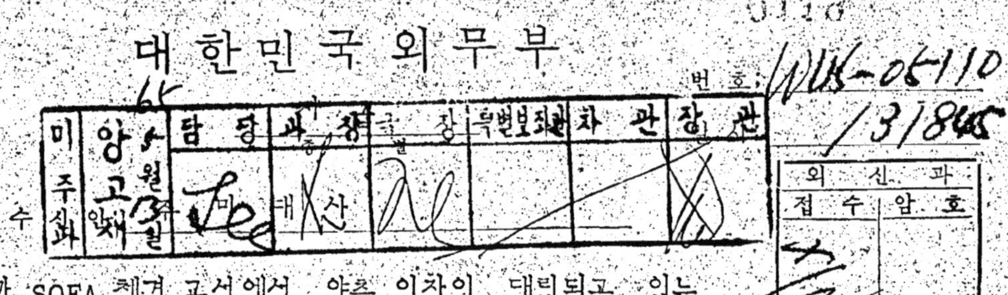

번호: WUS-05110

131845

수 주미대사

한·미간 SOFA 체결 교섭에서 양측 입장이 대립되고 있는 형사재판관할권, 민사청구권, 및 노무조항에 관하여 우리측이 1965.5.12.일자 제79차 회의 7가지 미측에 제안한 우리측 입장 요지는 다음과 같아오니 박대통령 방미 전에 미국무성당국과 접촉하여 박대통령 방미를 계기로 현안인 협정을 타결하기 위하여 우리측 입장을 일괄 수락할 것을 강력히 주장하고 그 결과를 보고하시기 바람.

1. 형사재판관할권

미측은 제74차 회의에서 형사재판관할권의 핵심인 한국의 제1차 관할권의 포기에 관하여 서독보충협정의 포기조항과 같은 규정(Article 19, NATO-German SOFA 참조)을 최종적 제안이라하여 제시한바 동 규정은 한국이 가지고 있는 제1차 관할권을 협정 발효와 동시에 포괄적으로 미국에 포기한 후 "한국당국이 특정사건에 있어서 특수한 사정을 이유로 대한민국의 사법상의 중대한 이익이 한국의 재판권 행사를 불가피하게 한다는 의견을 가질 경우에는 미국당국에 통고하여 포기한 재판권을 철회"할 수 있는 것으로 하였는바 우리측은 동 제안이 우리측 종전 입장과 상당한 거리가 있음에도 불구하고 현안인 협정을 이 기회에 타결하기 위하여 제77차 회의에서 미측 제안을 원칙적으로 수락하되 (1) 국회와 국민의 이해를 획득하고 (2) 실지운영에 있어서

송신시간:

통제관		자체 통제		기안처	
결재					

타자·판치	검인	주무자	과장

필요 □ 보안불필요 □

0118

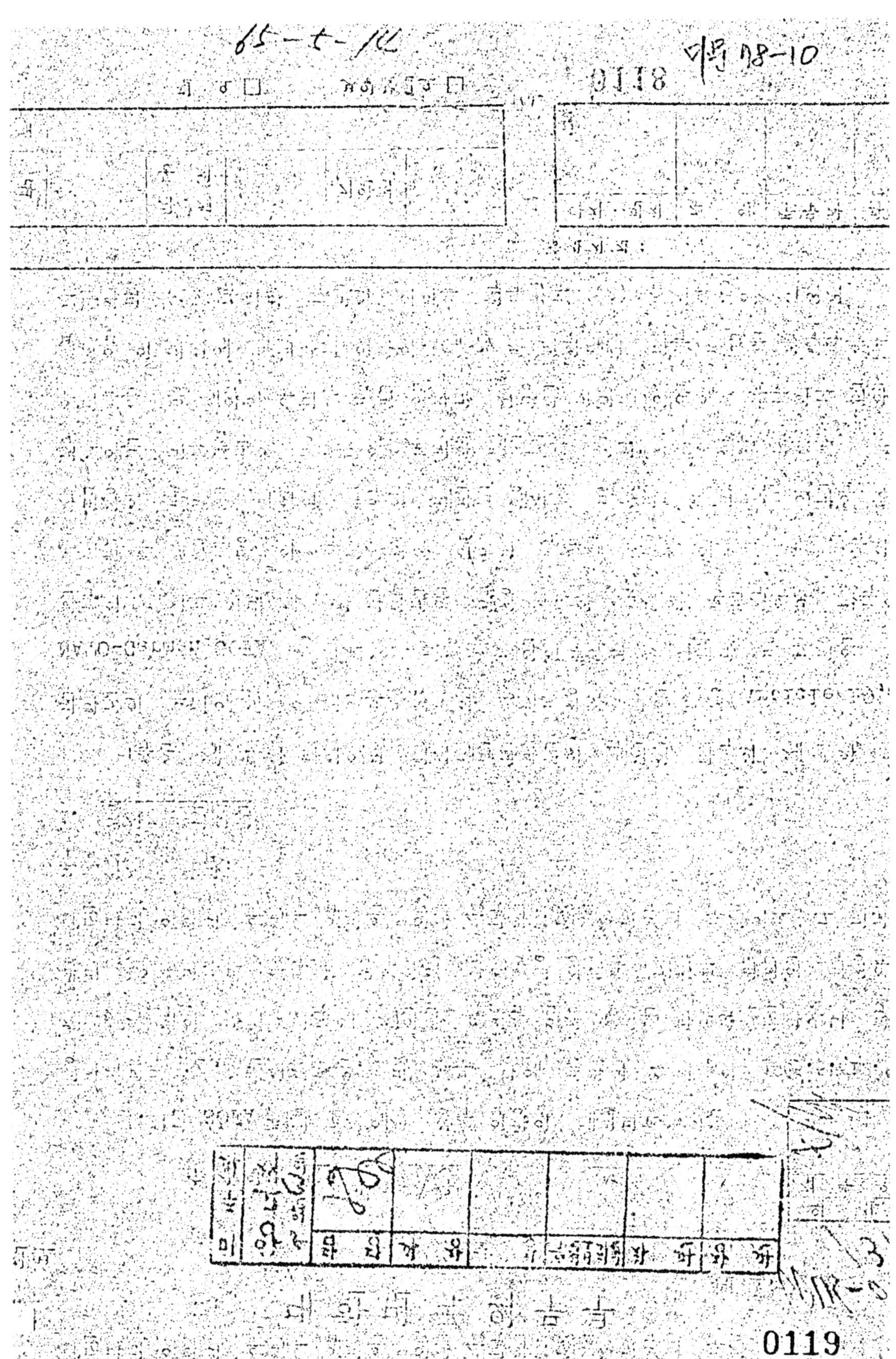

0119

0151

한·미양국이 상호 만족할 만한 운영을 기하기 위하여 미측 제안을 다음과 같이 일부 수정할 것을 제안하였음.

(가) 한국당국의 제 1 차관할권을 미측에 일괄적으로 포기할 것을 규정한 미측 제안 제 1 항 서두에 "At the request of the United States "문구를 삽입하여 개개의 사건 발생시 미측이 요청하면 포기할 것을 제안하고 이 것은 우리 나라가 주권국가의 체면을 살리기 위한 것인바 한국측 제안에 의하여도 미국이 동일한 효과를 얻을 수 있음을 지적하였음.

(나) 미국당국에 포기한 관할권을 철회함에 있어서 한국당국이 내리는 결정이 확정적인 것으로 하기 위하여 다음과 같은 규정을 미측제안 제 4 항 끝에 삽입할 것을 제안하였음:

"The recall of waiver shall be final and conclusive unless the statement for recall referred to in Paragraph 3 of this Minute is withdrawn by the Government of the Republic of Korea within a period of Twenty-one days after such statement for recall is made."

2. 노무조항

한.미 양측은 노무조달조항의 노동분쟁해결절차, 파업권, 및 노동조건의 적용범위에 관하여 다음과 같이 현격한 의견차이를 노정하고 있음.

(가) 노동분쟁해결절차

(1) 한국측: 노동분쟁이 발생하면 그 분쟁은 한국노동청(20일간), 합동위원회(50일간)에 회부되어 조정하기로 하되 70 일이 경과하여도 해결되지 않을 경우에는 고용인 혹은 고용인단체는 정상업무방해(파업권등)을 할 수 있다.

(2) 미국측: 분쟁해결기간(무기한)중에는 일체의 정상업무방해행위를 금지한다.

0120

65-5-45

65-1-14

미원 08-10

0121

(나) 파업권 행사

(1) 한국측: 파업권은 원칙상 고용인에게 부여되어야 하며 다만 합동위원회의 결정에 따라 일정한 인원의 파업권 행사를 금할 수 있다.

(2) 미국측: 파업권은 한국군 고용원과 비등한 직위에 있는 자와 동일하게 법적규제를 받게 한다.(이는 사실상 파업권 행사가 거이 불가능하게 됨)

(다) 노동조건의 적용범위

(1) 한국측: 합동위원회에서 별도로 사전에 합의되지 않는 한 한국노동법령을 준수하고 전시등 비상시에는 한국정부가 취하는 비상조치에 따라 적용을 제한한다.

(2) 미국측: 미군이 군사상 필요에 상반되지 않는 한 한국노동법, 관습, 관례를 준수하고 준수치 못 할 시는 가능한한 사전에 합동위원회에서 검토한다.

현재 노동조항에 관하여 노조와 각신문은 단체행동권은 단체조직권, 단체교섭권과 더불어 근로자의 3대 기본권의 하나임으로 확보되어야 한다고 주장하고 있는바 미국안은 이러한 민주주의국가에서 향유되는 기본권을 박탈하게 되는 것이오니 기필코 한국안이 수락되어야 하며 노동조건의 적용도 그와 더불어 한국측안이 수락되어야 함.

3. 민사청구권

본조항에 관하여는 76 차회의에서 미측이 한국이 제안한 Formula Concept 에 의한 해결방법을 채택하는데 원칙적으로 합의하였으나 다음과 같은 중요문제가

0122

65-5-66

65-5-14

0155

0123

0352

(가) 손해배상금의 양국정부 분담문제:

(1) 한국측안: 미국 책임 시: 한국 — 15%, 미국 — 85 %,

(2) 미국측안: 미국 책임 시: 한국 — 25%, 미국 75%

(나) 미국은 한국정부가 지불한 손해배상금에 있어 손해배상책임한계, 배상금액 및 양국정부의 분담안에 대하여 미국이 인정하는 것 만을 지불할 것을 주장하고 있으며, 한국은 상기 합의원칙을 인정하나 재판에 의하여 해결되는 사건은 양국정부를 구속하고 배상책임과 금액에 대하여 합의할 수 없으며 미국은 합의된 분담율의 금액을 부담하여야 됨을 주장.

(다) 미국측은 KSC 는 민사청구권조항을 위하여 한국군의 고용원으로 간주할 것을 주장하고 있으나, 한국측은 KSC 를 미군의 고용인으로 간주하고 손해배상책임을 미군이 져야함을 주장.

(라) 미측은 민사청구권조항의 주요규정의 발효시기를 서울시에 한하여 협정발효 6 개월 후, 기타 지역은 합동위원회에서 합의 시로 주장하고 있으며, 한국측은 상기 기타지역은 협정발효 1 년후에 적용할 것을 주장하고 있음. (외구미)

보통문서로 재분류(1966.12.31.)

장 관

0124

65-5-49

65-5-14(5)

08-10(5)

[illegible] (1/27/1967) [illegible]

[illegible]

[illegible]

[illegible]

(가) [illegible]

[illegible]

[illegible] KSC [illegible]

(나) [illegible] KSC [illegible]

[illegible]

[illegible]

[illegible]

[illegible]

[illegible]

(다) [illegible]

(1) [illegible]

(2) [illegible]

(라) [illegible]

0125

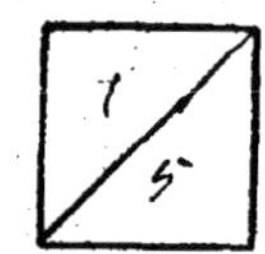

AIDE MEMOIRE

(Draft)

1965. 5. 10

I.

The Government of the Republic of Korea attaches great importance to the forthcoming state visit of President Park to the United States, beginning May 17, 1965.

The visit will demonstrate the strong ties of friendship and solidarity between the Republic of Korea and the United States at a time when Communist belligerency and aggressive acts present an increasingly grave threat to the peace and security in the Far East and in Southeast Asia.

The visit of President Park will also be of great significance as it will provide an opportunity for discussions with President Johnson on matters of mutual interest to the two countries at a time when the Republic of Korea stands on the threshold of normalizing relations with Japan and is beginning to show promise of substantially improving its economic prospects.

On the occasion of the visit of President Park to the United States, the Government of the Republic of Korea wishes to present the following views on matters of mutual concern to the two countries.

II.

The Government of the Republic of Korea is determined to move ahead with a final settlement with Japan with a view to establishing normal relations and close cooperation between the two neighbouring countries. It has been recognized that the normalization of Korea-Japan relations would not only be of significant benefit to the two countries but also advance the general free world interests in the Far East. The United States Government has repeatedly given assurances that the normalization of Korea-Japan relations would not affect the basic policy of the United States of extending military and economic assistance to the Republic of Korea.

However, strong opposition to an early settlement with Japan still exists in Korea for fears that the United States is prodding the settlement so as to "turn Korea over to Japan." Many Koreans view with anxiety that if and when Korea and Japan are brought into normal relations and economic cooperation the United States would gradually turn the burden of assisting Korea over to Japan. It is further being held that Korea would be placed in a secondary position in relation to Japan in the broad Far Eastern security arrangements.

Despite the assurances from the United States to the contrary, these doubts and anxieties about possible changes in the United States policy towards Korea are deep rooted in the minds of many Koreans. It may be noted that these anxieties have been utilized by the political opposition in an attempt to undermine the Government efforts to reach an early agreement with Japan.

The apprehension has been further buttressed by the recent diminishing trend in the over-all United States aid to Korea and by indications that the United States Government is considering a further reduction and an eventual termination of supporting assistance as the Korean economy improves.

III.

The Government of the Republic of Korea firmly stands by its determination to realize an early normalization of relations with Japan, but it must successfully tide over political difficulties before the agreements are put into effect.

The basic policy of the Government of the Republic of Korea for an early normalization of relations with Japan has been predicated upon assurances given by the United States that the normalization of Korea-Japan relations would not result in any change in the established United States policy toward Korea. It has been fundamental to our policy toward Japan that United States commitments to support the independence, security and economic development of the Republic of Korea would continue to be upheld. The nature and extent of United States commitments to Korea are such that they cannot be replaced in any part by Japan.

It is the view of the Government of the Republic of Korea that any possible contribution to the Korean economy to be made by Japan would be essentially an additive to, not a substitute for, the United States support of the Republic of Korea. If the normmalization of Korea-Japan relations should result in any reduction in United States aid to Korea in proportion to or commensurate with the inflow of Japanese capital, the whole purpose of a settlement with Japan would be defeated inasmuch as any additional resources to be made available would be offset by a corresponding decrease in United States aid.

If the normalization of Korea-Japan relations affects materially the United States assistance to Korea, it is bound to have profound effects upon the Government efforts to reach an early settlement with Japan. It would be increasingly difficult for the Government to justify the policy objectives which it has avowed to achieve in seeking to normalize relations with Japan. It may be noted that any venture to move ahead with the settlement under such circumstances would undermine political stability in Korea.

In order to bring about a successful conclusion of Korea-Japan negotiations and to ensure that the normalization of relationswith Japan would bring about the degree of contribution that would lend the Republic of Korea greater strength, it is essential to disprove, by positive actions, any doubt about the United States policy toward Korea following the normalization of relations between Korea and Japan.

V.

Despite the enormous obstacles, the Korean economy has nevertheless achieved considerable progress. The Republic of Korea has now reached an important juncture from which a great leap forward can be made toward a self-supporting economy.

The first five-year economic development plan, initiated in 1962, has contributed a great deal to the expansion of key industries, increased energy production and the development of social overhead capital. The Government has developed a promising economic stabilization program which is expected to curb inflation to a considerable degree and to permit balanced economic growth. Most noteworthy is the remarkable increase in exports, which have climbed from $20 million to $120 million in the last 5 years. Efforts are being made to attain a 40 percent further increase to $170 million in 1965.

On the basis of progress being made thus far, the Government of the Republic of Korea is now preparing the second five-year plan which is designed to accomplish the preconditions for a take-off into a sustained economic development.

With continuing United States support and assistance on a sustained basis, along with increasingly vigorous self-help efforts by the Korean people and government, Korea has a good chance of making significant progress toward a self-supporting economy. That chance may well be lost, however, if such sustained support and assistance are withheld.

VI.

The vital importance of continued United States assistance to the Republic of Korea is further accentuated when we appraise the magnitude of challenges with which Korea is now confronted in relation to the Communist regime in the northern part of Korea.

The Communist regime has succeeded in expanding its industrial production to a considerable degree, through effective exploitation of north Korea's rich natural resources and its enslaved manpower. It has also built up its military strength to such an extent that the Republic of Korea is exposed to an ever-growing threat of aggression by the north Korean Communist forces, supported by large Communist Chinese forces.

On the strength of their improving economic and

0130

military capacity, the north Korean Communists have been recently intensifying their efforts to undermine the internal and external standing of the Republic of Korea with a view to creating conditions favourable to ultimate Communist take-over of the whole Korean peninsula.

The growing threat of the north Korean Communists, coupled with the rise of Communist China as a major power with nuclear capability, will produce increasing pressures upon the Republic of Korea that can only be resisted through a combination of internal strength and external support.

VII.

In this connection, it will be pertinent to recall what President Truman said in his message to the Congress on Korean aid on June 7, 1949:

> "Korea has become a testing ground in which the validity and practical value of the ideals and principles of democracy which the Republic is putting into practice are being matched against the practices of Communism which has been imposed upon the people of north Korea. The survival and progress of the Republic toward a self-supporting, stable economy will have an immense and far-reaching influence on the people of Asia .... Moreover, the Korean Republic, by demonstrating the success and tenacity of democracy in resisting Communism, will stand as a beacon to the people of northern Asia in resisting the control of the Communist forces which have overrun them."

Since the Republic of Korea must maintain its freedom and security in the face of constant Communist menace, its survival depends upon an unequivocal demonstration of the superiority of free and democratic institutions over Communism. If the performance of the Republic of Korea in economic field is grossly inadequate in comparison with that in north Korea, public confidence in the Republic of Korea may be impaired with consequences that will be disruptive of political stability.

It is therefore essential that the Republic of Korea should maintain a position of strength in relation to the north Korean regime, not only in military posture but also in economic growth. It is the view of the Government of the Republic of Korea that our efforts should be directed towards strengthening the Republic of Korea to a point where it can not only withstand the growing Communist menace but also secure a position of strength vis-a-vis the Communist regime in north Korea, thus serving as the nucleus of eventual unification of the divided country.

VIII.

It is in the context of above considerations that the Government of the Republic of Korea presents the following views and requests for favourable consideration by the United States Government on the occasion of President Park's visit to the United States:

1. <u>Korea-U.S. Relations following the Normalization of Relations between Korea and Japan</u>

a. Mindful of the above-mentioned problems in connection with the normalization of Korea-Japan relations, it is hoped that the forthcoming meeting of President Park with President Johnson will serve as a timely occasion for the United States to reaffirm its established policy toward Korea.

b. The general assurances have already been given on several occasions by the United States. It is considered important, however, that on the occasion of President Park's visit the United States reiterate previously given assurances in more specific and positive terms so as to make the United States' policy and commitments toward Korea unmistakably clear.

2. U.S. Support of Korea's Long-Term Economic Development

a. It is further considered necessary that the assurances to be given by the United States concerning its basic policy toward Korea be followed by some positive actions. One of the most appropriate actions along this direction would be the pledge that the United States would continue to support the long-term economic development of the Republic of Korea and particularly to extend every possible assistance until such time as the Republic of Korea shall have achieved a stable, self-supporting economy.

It is requested that as a practical measure to substantiate the pledge, the United States would earmark at this time a substantial amount of long-term development loan funds to assist in financing agreed development projects.

b. It is also requested that on the occasion of President Park's visit, the United States Government take into favourable consideration the following U.S. aid requirements for the period of 1965 through 1971 when the projected second five-year plan ends, which have been the subject of discussion between the two countries:

1) Supporting assistance at the annual level of $70 million so as to meet the essential import requirements and to lighten the heavy military burden on the Korean economy.

The present level of supporting assistance is also needed to enable Korea to devote any additional resources to be made available following a Korea-Japan settlement to further economic development;

2) The grant of surplus agricultural products under Title I, PL 480, at the annual level of $50 million including additional amount necessary to meet any food shortage;

3) Increase in the grant of surplus agricultural products under Title II, PL 480, from the 1965 level of 110,000 (metric) tons to a level of 250,000 (metric) tons to assist Korea in enlarging food-for-work and other related projects;

4) Development loans at an annual level of more than $70 million to assist in financing development projects to be agreed between the two countries.

5) Development grants for technical cooperation at the annual level of $5 million to improve technical and managerial skills and to facilitate importation of engineering equipments;

6) Suspension of the projected MAP transfer until the second five-year plan shall have been successfully accomplished in view of the fact that the Korean Government is already assuming a greater share of the

defense burden and the transfer of further military burden would substantially increase defense expenditures and limit the resources available for development investment.

3. <u>U.S. Assistance to Korea's Efforts to Expand Exports</u>

a. It needs hardly be reiterated that the attainment of a self-sustaining economy depends greatly upon Korea's ability to expand its exports and to increase its foreign exchange earnings.

b. In view of the importance of U.S. market for Korean products and commodities, it is requested that the United States reduce the existing restrictions on the import of Korean products, particularly textile goods.

c. Appropriate measures should be taken to increase the military procurement of U.S. armed forces in Korea which have recently been decreasing and thus reducing Korea's foreign exchange earnings.

d. It is also requested that the United States assist Korea to expand its area of economic cooperation with Viet-Nam -- especially, the processing in Korea of U.S. surplus agricultural products to be provided for Viet-Nam and to increase in supply of materials made in Korea for use in Viet-Nam through U.S. aid programs.

4. <u>Strengthening of Korea-U.S. Mutual Defense Arrangements</u>

a. The Republic of Korea is constantly exposed to the threat of aggression from north Korea, supported by large Communist Chinese forces just across the border.

The growing Communist belligerency and aggressive acts in Southeast Asia make it ever more important to maintain an effective defense posture in Korea to deter any possible Communist aggression.

b. It is hoped that the forthcoming visit of President Park will provide an opportunity for the two countries to renew pledges to each other and discuss the matters relating to the strengthening of defense arrangements in this part of the world.

c. It is deemed necessary in this connection that the United States would affirm its determination to maintain its armed forces in Korea at the present level of strength so long as there exists the breach of peace or a threat of aggression in the area and until such time as conditions for a lasting peace shall have been established.

The continued presense of U.S. armed forces at the present level of strength is essential not only for the maintenance of peace and security but also to secure conditions of stability in Korea against growing Communist menace.

d. The recent reduction in U.S. military assistance to Korea has resulted in increasing pressures on the maintenance of the ROK armed forces within the limits of available resources. In particular, the reduction in force improvement funds brought about an increasing obsolescense in the equipments of the ROK forces in the face of an improving north Korean capability.

It is therefore requested that the U.S. Government examine ways in which it can accelerate the modernization of equipment as well as the effective maintenance of the ROK armed forces.

0136

5. Employment of Korean Farm Labours in the United States

a. The Korean Government is interested in the possible employment of Korean farm labours in the United States. As a result of initial contacts, the farmers in California have already expressed their willingness to employ Korean farm labours.

b. Korea is rich in manpower and has a large labour force, more than half of which is employed in agriculture. The Korean farm labours could be of considerable help in meeting the need of foreign labours in the United States.

At the same time, the employment of Korean farm labours will open new opportunities for Korean farm labours and give added impetus to the improvement of agricultural productivity and efficiency in Korea.

c. It is requested that the United States would consider favourably the possible employment of Korean farm labours and explore appropriate means of admitting farm labours from Korea.

6. Financial Support of Korea's Technical Assistance Program to Africa

a. Taking advantage of the advancing influence of Communist China, the Communist regime in the northern part of Korea has recently intensified its efforts to penetrate into the Afro-Asian countries - particularly the newly independent African states in an attemp to win their diplomatic recognition and support for Communist arguments for "withdrawal of foreign troops from south Korea" and "unification of Korea without outside interference."

The current diplomatic offensive staged by the north Korean Communists is directed toward not only undermining the position of the Republic of Korea but also, in collaboration with Communist China, spreading Communist influence and subversive activities in Africa. It thus poses a threat to the general interests of the free world as well as those of the Republic of Korea.

b. It is hoped therefore that the United States would give an early and favourable consideration to the requests for financial support of a technical assistance program to Africa, which were proposed by the Korean Government in an aide memoire to the American Embassy in Seoul on January 21, 1965.

May , 1965
Seoul, Korea.

관리 번호	1932

대한민국 외무부

착신암호전보

번호: USW-05127

일시: 151900

종별

수신인: 장 관

발신인: 주미대사

대: WUS -05110

대호 지시에따라 5. 14 윤공사는 윌리엄 번디 극동국장을 방문하고 한미행정협정 문제에관하여 회담하였는바 그요지를 아래와같이 보고함.

1. 먼저 윤공사는 협정초안중 미합의점에관하여 최대의 노력을 경주하여 대통령 각하의 방미시기에 맞추어 교섭이 성공적으로 완결되기를 바란다고 말하였음.

2. 이에대하여 동국장은 시간적으로봐아 그렇게되기가 힘들것으로 생각되나 한국측의 희망을 미국측 교섭당사자에게 연락하여 조속한 해결을 위하여 노력 하도록 하겠다고 말하였음. (외구미)

예고: 일반문서로 재분류. 65. 12. 31.

미주	그 5 17 일	담당	과장	국장		차관	장관

비서	✓	아주		통상		상공		청와대
총무		구미	O	경기		농림		총리
의전		정문	✓	국방		조달		공보부
여권		방교		중정		공보관		

외신과

검인

수신시간: 0139

1965 MAY 16 AM 4

1966. 1. 27. 에 예고문에 의거 일반문서로 재분류됨

65-5-14(5)

0130

[illegible]

WAS-0219

[illegible]

0138-1

관리번호 1935

대한민국 외무부

착신암호전보 "긴급"

번 호: SFW-0504
일 시: 161000

종 별

수 신 인: 외무부장관

발 신 인: 구미국장

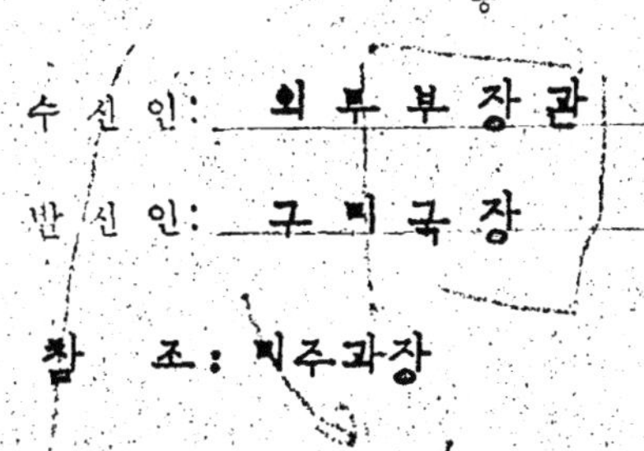

참 조: 미주과장

SOFA 콤뮤니케안

다음을 제시할 예정임. (요참고)

THE TWO PRESIDENTS REVIEWED AND DISCUSSED THE NEGOSIATIONS FOR SOFA AGREEMENT BETWEEN KOREA AND USA , AND AGREED UPON PRINCIPLES TO SETTLE UNSOLVED PROBLEMS IN THE NEGOTIATIONS. THEY ALSO AGREED THAT THE AGREEMENT WOULD BE SIGNED IN SEOUL UPON FINALE ACTION OF AGREEMENTS ON THE BASIS OF THE AGREED PRINCIPLE WITHIN PERIOD OF ONE MONTH.

5월 17일	담당	과장	국장		차관	장관
	Lee					

예고 : ~~조치후 파기~~

보통문서로 재분류 (1965. 12. 31)

아주		통상		상공		청와대
구미	○	경기		농림		총리
정문	✓	국방		조달		공보부
방교		중정		공보관		

검

수신시간: 0140

1965 MAY 17 AM 9

1966. 1. 27.에 예고문에 의거 일반문서로 재분류됨 Lee

INCOMING

TELEGRAM

KOREAN EMBASSY

WASHINGTON, D. C.

NO. WUS-05136

111 비 (긴급)

CLASSIFICATION

DATE 171515

TO 주미대사

참조 : 구미국장

대 : SFW -0504

제목 : SOFA 코뮤니케 초안

[illegible] 대호로 상신한 SOFA 코뮤니케 초안을 다음과같이 일부 수정제안하는것이 좋겠음.

"THE TWO PRESIDENTS REVIEWED AND DISCUSSED THE NEGOTIATIONS FOR THE STATUS OF FORCES AGREEMENT BETWEEN THE REPUBLIC OF KOREA AND THE UNITED STATES, AND ~~AGREED UPON PRINCIPLES TO SETTLE UNSOLVED~~ PROBLEMS IN THE NEGOTIATIONS. THEY ~~FURTHER AGREED~~ THAT THE AGREEMENT WOULD BE ~~SIGNED IN SEOUL WITHIN A PERIOD OF ONE MONTH (UPON CONSLUSION OF THE NEGOTIATIONS BASED ON THE AGREEDPRINCIPLES)~~."

([illegible] 외구미)

장 관

예고 : 일반문서로 재분류 (66.12. 31)

RECEIVED
MAY 17 1965
KOREAN EMBASSY
WASHINGTON, D. C.

DRAFTED BY ____ APPROVED BY ____ COUNSELOR ____ MINISTER ____ AMBASSADOR

CLEARANCE:

CENSOR ____

0141

REPRODUCTION FROM THIS COPY, IF CLASSIFIED, IS PROHIBITED

COMMUNICATIONS ROOM

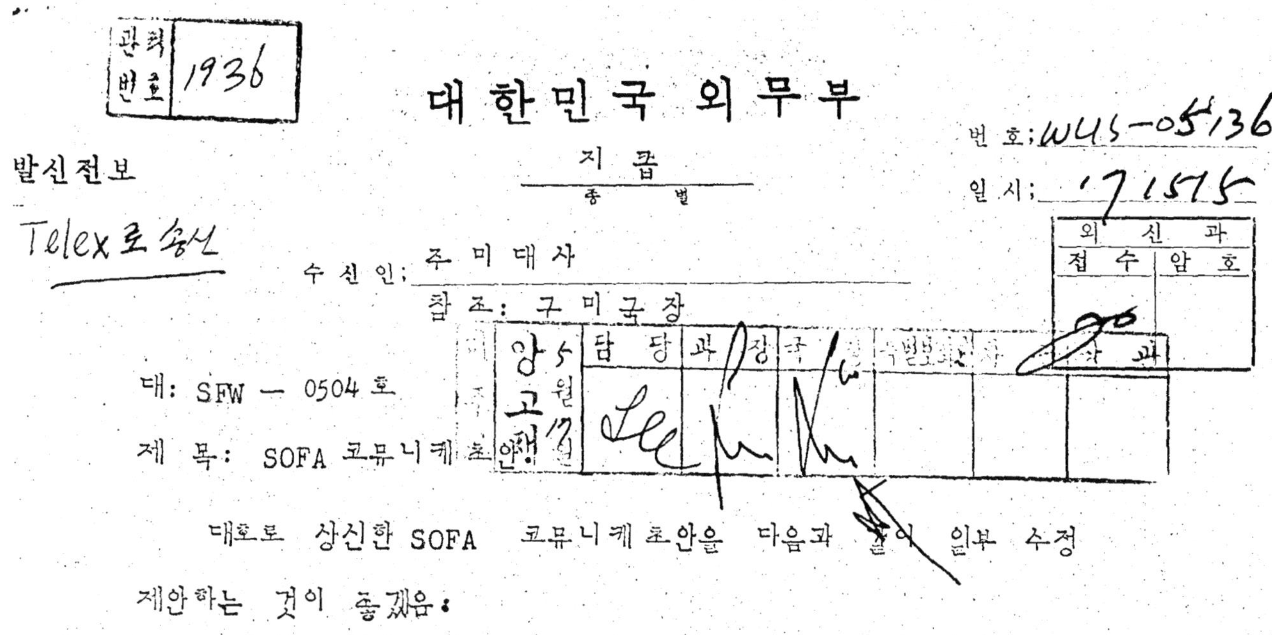

관리번호 1936

대한민국 외무부

발신전보

Telex로 송신

지급

종별

번호: WUS-05136

일시: 171515

수신인: 주미대사

참조: 구미국장

외신과	
접수	암호

대: SFW — 0504 호

제 목: SOFA 코뮤니케 초안

대호로 상신한 SOFA 코뮤니케 초안을 다음과 같이 일부 수정 제안하는 것이 좋겠음:

" The two Presidents reviewed and discussed the negotiations for the Status of Forces Agreement between the Republic of Korea and the United States, and agreed upon principles to settle unsolved problems in the negotiations. They further agreed that the Agreement would be signed in Seoul within a period of one month upon conclusion of the negotiations based on the agreed principles." (외구미)

보통문서로 재분류(1965.12.31.)

장 관

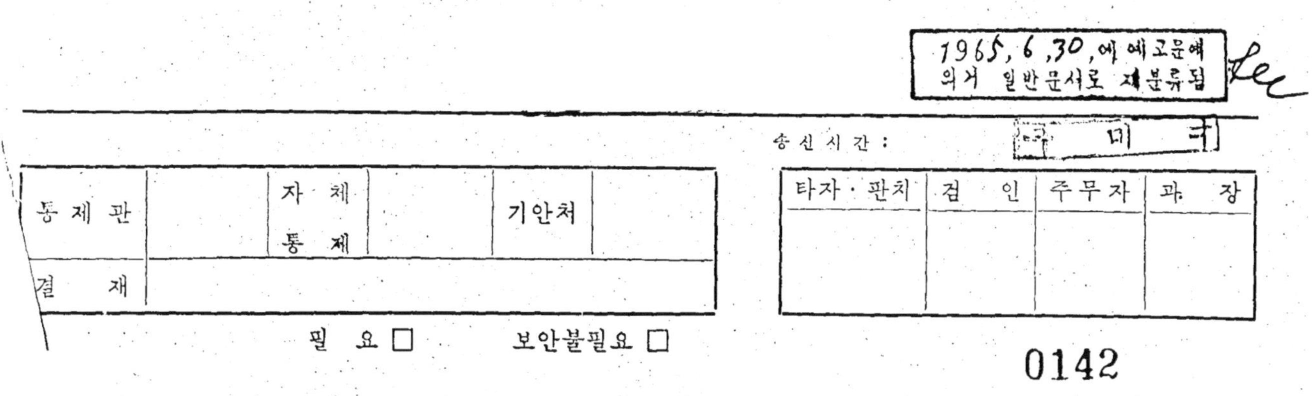

1965, 6, 30,에 예고문에 의거 일반문서로 재분류됨

송신시간: 구미

통제관		자체통제		기안처	
결재					

필요 ☐ 보안불필요 ☐

타자·판치	검인	주무자	과장

0142

대 한 민 국 외 무 부

착신암호전보

TOP URGENT

번 호: SFW-0505

일 시: 161000

수 신 인: 외무장관 (참조 미주과장)

발 신 인: 주미국장

1. 표기조항 해결을 위하여 일단 다음을 미측에 제안코저함.

2. 별문의 견해를 지급 회시바람.

다음: 미측제안. AGREED MINUTE 의 PARA 3 (B)

제 2 항에 다음 문장을 첨가함. THE NOTIFICASION SHALL BE REGARDED AS REQUEST FOR WAIVER REFERRED TO IN THE PRECEEDING PARAGRAPH.

또 (1) 항의 한국측 주장은 "미측의 요청에 의하여는" 그대로 둠.

비서	√	아주		통상		상공		청와대	
총무		구미	○	경기		농림		총리	
의전		정문	√	국방		조달		공보부	
여권		방교		중정		공보관			

외 신 과

수신시간:

검 인 1965 MAY 17 AM 10 08

0143

대한민국외무부

발신전보

Telex로 송신

지 급

종 별

번 호: WUS-05135

일 시: 171545

수신인: 주 미 대 사

참조: 구미국장

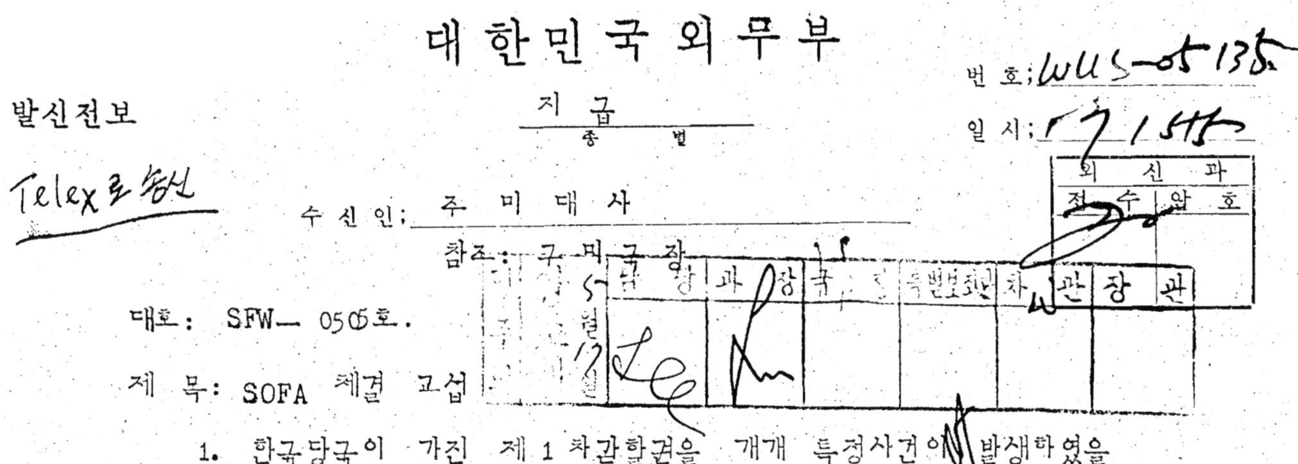

대호: SFW- 0505호.

제 목: SOFA 체결 교섭

1. 한국당국이 가진 제1차관할권을 개개 특정사건이 발생하였을 때에 미측 요청에 따라 포기하는 것으로 하기 위하여 미측 제1항 서두에 " At the request of the United States "용어를 추가 삽입하려는 제안은 우리측의 기본 방침임.

2. 대호로 상신한 제안초안은 제1항에 관한 우리측 제안의 취지와 일치하는 것으로서 미국당국의 포기 요청 시기를 명확히 하는 동시에 제2항에 규정된 Notification 절차 이외에 별도로 포기를 요청하는 절차를 생략하는 것임으로 우리측 주장을 관철하기 위하여 유리할 것임. 따라서 국무성당국과의 현지교섭에서 제78차회의 때의 우리측 제안에 대한 미측 반향을 본 후 적의 처리하시기 바람.

3. 그러나 우리측 제안은 일괄적포기를 주장하는 미측 제안의 취지와는 차이가 있음으로 제1항의 우리측 제안을 관철하기 위하여 대호 초안을 미측에 제안함에 있어서는 (1) 국회 및 국민에 대한 정부의 난처한 입장과 (2) 미측이 한국측 제안을 수락하는 경우에도 실지운영상 미측 제안과 동일한 효과를 얻을 수 있음을 강조하시기 바람. (외구미)

장 관

통제관	자체 통제	기안처	관	검 인	주무자	과 장
결 재		보통문서로 재분류 (1966.12.31)				

필 요 ☐ 보안불필요 ☐

0144

대 한 민 국 외 무 부

착신암호전보

번 호: USW-05139
일 시: 181930

수 신 인: 외무부장관
발 신 인: 주 미 대 사
참조: 미주과장

RUSK 장관과의 회담에서 SOFA 문제는 WAIVER FORMULA 및 LABOR 의 STRIKE 문제만에언급하고 WAIVER FORMULA 는 미측의 입장 STRIKE 문제는 한국측 입장을 각기 대체적으로 받어들인데는데 합의했으며 이러한 의미에서 MAJOR ISSUES 라고 언급하고 REMAINING ISSUES 는 TRIAL SAFEGUARD, CUSTODY 및 LABOR 의 KSC 문제등이라고 국무성 당국자들은 말하고있음을 참고로 알리나이다.(구미국장)

미주과	5월 18일	담당	과장	국장		차관	장관

비서	✓	아주	✓	통상		상공		청와대	
총무		구미	○	경기		농림		총리	
의전		정문	✓	국방		조달		공보부	
여권		방교		중정		공보관			

외 신 과

수신시간: 1965 MAY 19 AM 9 16

검 인

0145

대 한 민 국 외 무 부

착신암호전보

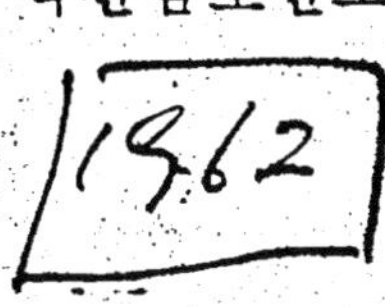

번 호: USW-0687

일 시: 111900

종 별

수 신 인: 외 무 부 장 관

발 신 인: 주 미 대 사

대: WUS---0646

대호로 지시한건 국무성 관계관과 접촉하였는바 상금 서울 미대사관으로부터 아국측 수정안을 접수하지못하였으며 접수함과동시 조속한 시일내에 타결하도록 최선의 노력을 하겠다고함으로 보고함.

예고: 일반문서로 재분류 (66. 12. 31)

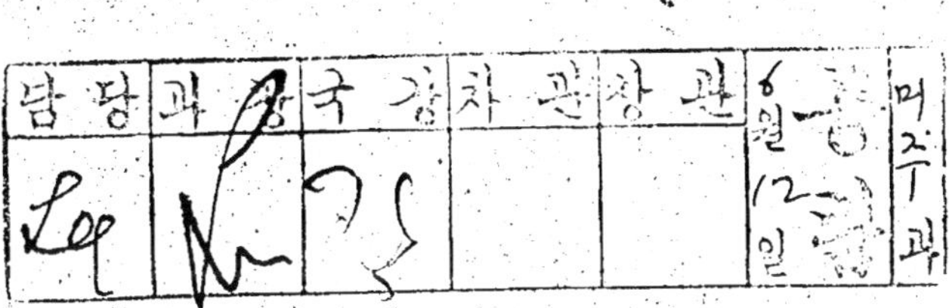

비서	√	아주		통상		상공		청와대
총무		구미		경기		농림		총리
의전		정문	√	국방		조달		공보부
여권		방교		증정		공보관		

외 신 과

수 신 시 간:

검 인 1965 JUN 12 AM 10 05

0146

대한민국 외무부

착신암호전보

번 호: USW-06159
일 시: 211900

종 별

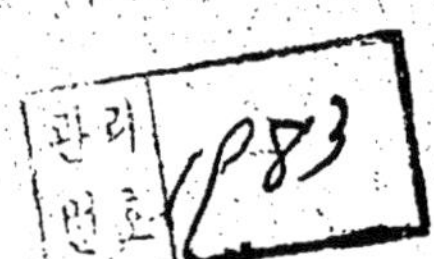

수 신 인: 외무부장관
발 신 인: 주 미 대사

국무성 관계당국에의하면 한미행정협정의 최종 타결을위하여 주한 미대사관의 건의에의거하여 새로운 지시가 2,3일내에 주한미대사관에 시달될것이라고 말하면서 금주 또는 내주중에 교섭이 완결될것으로 기대한다고 말하였음으로보고함. (외구미)

예고 : 일반문서로 재분류 (65.12.31)

공람 6월 22일	담당	과장	국장	특별보좌관	차관	장관

비서	✓	아주		통상		상공		청와대	
총무		구미	○	경기		농림		총리	
의전		정문	✓	국방		조달		공보부	
여권		방교		중정		공보관			

외 신 과

1965 JUN 22 AM 11 48

검 인

0147

1966, 1, 27,에 예고문에 의거 일반문서로 재분류됨

대한민국 외무부

착신암호전보

번 호: USW-6231
일 시: 291600

종 별

수신인: 장 관
발신인: 주미대사

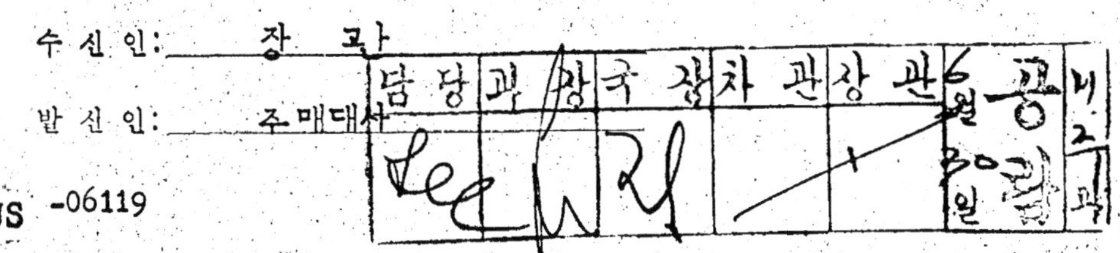

대 : WUS -06119

대호 지시의거 국무성 관계관과 접촉 내용을 보고함.

1. 국무성 관계관에 의하면 2 개 최종훈령을 이미 주한미대사관에 보냈으며 따라서 모든문제는 해결될것으로 믿는다고함.

2. 한미간 군대지위 협정이 타결된후 양국에서 발표될 신문발표문에 대하여서는 당지 화부에서는 간단히 ■■ 사실만을 발표한는데 끝일겠이라고함.

3. 대호전문 제 3 항에 관하여 이미 6.25. 국무성당국에서는 상원 외교분과위원회 및 국방분과위원회, 하원외교분과 위원에서 브리핑을 끝마치였으며 하원국방분과 위원회에서의 브리핑도 곧있을예정이라고함. 동관계관에 의하면 하원국방분과 위원회에서의 브리핑은 29 일또는 늦어도 30 일까지는 끝날것같다고함. (구미)

예고 : 65.12.31. 일반문서로 재분류

비서	V	아주		통상		상공		청와대	
총무		구미	O	경기		농림		총리	
의전		정문	V	국방		조달		공보부	
여권		방교		중정		공보관			

외 신 과

검안

수신시간: 0148

1965 JUN 30 AM 4 41

1966, 12, 31 에 예고문에 의거 일반문서로 재분류됨

대한민국 외무부

착신암호전보

번 호: CHW-0703

일 시: 051130

종 별

수 신 인: 장 관

발 신 인: 주 중 대 사

참조: 구미국장

SOFA 교섭이 거의 완료 되었다는 정보에 대하여 거의 동일한 입장에 있는 당지 외교부 에서도 많은 관심을 표시하고 이에 관한 최후 ISSUES 가 무엇이겠으며 어떻게 해결을 보았는지 또 조인은 대략 언제쯤 될것인지에 대하여 알고저 하고있으니 가능한대로 이에관하여 조속 회보바람.

예고: 일반문서로 재분류 (65. 12. 31)

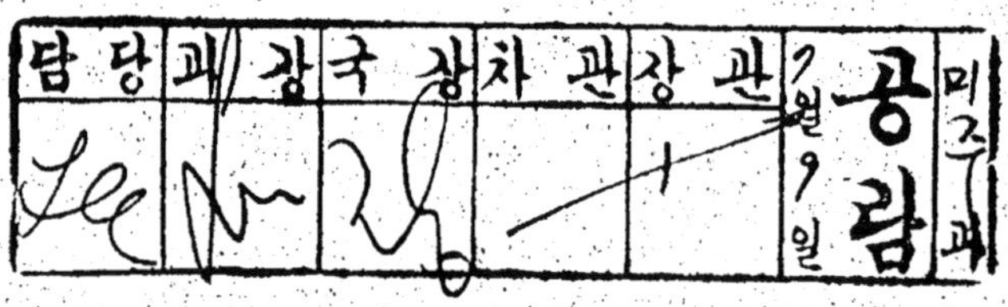

1965 JUL 6 PM 7 52

수신시간:

비서	✓	아주		통상		상공		청와대	
총무		구미	✓	경기		농림		총리	
의전		정문	✓	국방		조달		공보부	
여권		방교		중정		공보관			

외 신 과

검 인

0149

66.1.27

대 한 민 국 외 무 부

착신암호전보

번 호: USW-0748
일 시: 081800

종 별

수 신 인: 장 관
발 신 인: 주미대사

담당	과장	국장	차관	장관	공람
					7월 8일

대 : WUB -0727

대호로 지시한건에 관하여 7.8. 일 하오 윤공사는 버거 극동담당 부차관보가 신병으로 인하여 부재중임으로 동북아국장 휘아리 씨를 방문 면담한바 그요지를 보고함.

1. 아측은 먼저 오는 7.12. 개최될예정인 임시국회 이전에 군대지위 협정을 완결하여 조인할것을 원하고있으며 국회에대한 설명상으로보나 또는 일반국민에 대하여서도 아측이 최종으로 제시한 UNDERSTANDING 은 합리적인것임으로 미측에서 수락하여줄것을 강력히 요청하였음.

2. 이에 대하여 휘아리 씨는 아직 서울에서있는 주한미대사관으로부터 상세한 보고를 접수치 못하고있으나 이번 개최되는 임시국회 이전에 협정을 완결하고 조인하기저 미측에서도 원하고있으므로 우리측안을 검토한후 조속 타결되도록 노력하겠다고 말하였음.

3. 본건 미측과 계속 접촉하여 결과가 있는대로 보고할예정임.

(구미)

예고 : 65.12.31. 일반문서로 재분류

비서	✓	아주		통상		상공		청와대	
총무		구미	○	경기		농림		총리	
의전		정문	✓	국방		조달		공보부	
여권		방교		중정		공보관			

외 신 과

수 신 시 간: 0150

1965 JUL 8 PM 10 31

1966, 1, 27, 에 예고문에 의거 일반문서로 재분류됨

대 한 민 국 외 무 부

발신전보

종 별

번 호: WCH-0713
일 시: 091435

외	신	과
접	수	암 호

수 신 인: 주 중 대 사

대 : CHW-0703호

1. 현안이던 한.미간 SOFA 는 협정문 작성이 끝나는 대로 내주말 경에 서울에서 정식 조인될 예정임.

2. 협정문은 조인직후 파우치 편으로 송부 하겠음. (외구미)

장 관

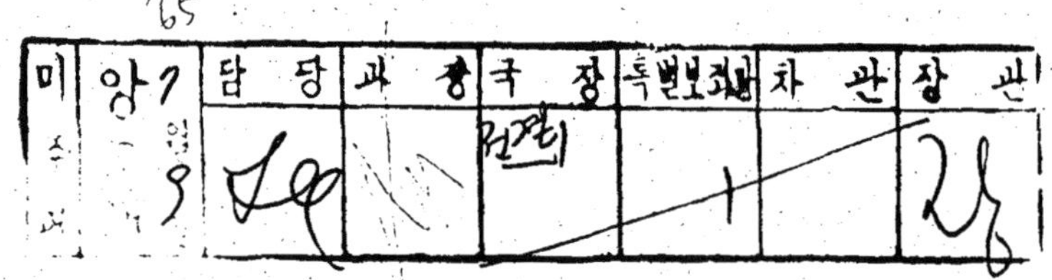

동 제 관		자 체 통 제		기안처	
결 재					

필 요 ☐ 보안불필요 ☐

송신시간 :

타자·판치	검 인	주무자	과 장

0151

대한민국 외무부

착신암호전보

번 호: USW-0755
일 시: 091500

종 별

수신인: 외무부장관

발신인: 주미대사

대: WUS-0735

대호 전문지시에관하여 국무성 당국에 재차 아국의 입장을 강력히 설명하고 아측 제안을 수락할것을 요청하였던바 국무성관계관은 금 7.9. 중으로 주한미대사관에 훈령을 발송할예정이며 아측제안을 수락하는듯한 시사가있아옵기 보고함.(외구미)

예고: 일반문서로 재분류 (65.12.31)

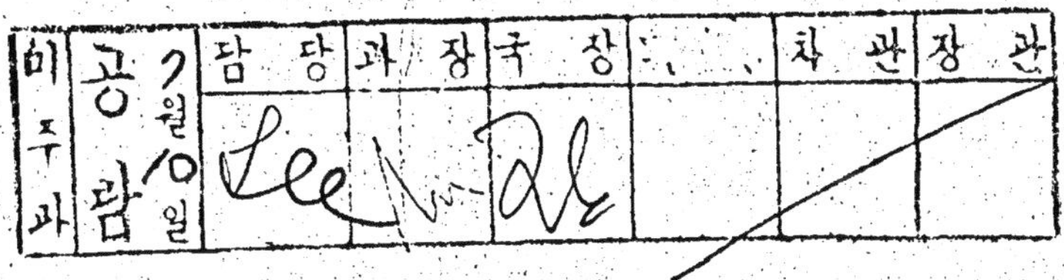

미주과	공람 7월 10일	담당	과장	국장		차관	장관

비서	✓	아주		통상		상공		청와대
총무		구미	○	경기		농림		총리
의전		정문	✓	국방		조달		공보부
여권		방교		중정		공보관		

외 신 과

접 인

1965 JUL 10 PM 12 45

0152

1966. 1. 27.에 예고문에 의거 일반문서로 재분류됨

대 한 민 국 외 무 부

발신전보 관리번호 2027

번 호: WUS-0779
일 시: 1918?45

종 별

수 신 인: 주 미 대 사

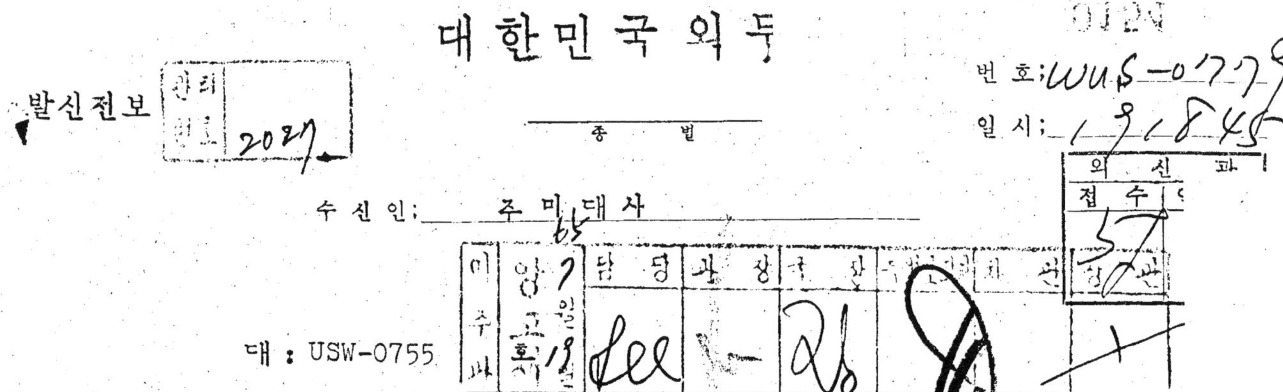

대 : USW-0755

1. 군계약자에 대한 우리나라 재판권 행사를 규정한 제 8 항의 규정에 관하여 미측은 우리측 요구를 수락하여 다음과 같은 Understanding 을 제의하여 온바 우리측은 차기 회의때 이를 수락함으로서 현안이면 SOFA 의 미해결문제에 최종적인 합의를 보게 될 것임.

"Unless otherwise agreed in the Joint Committee, the privileges provided for in the second sentence of Paragraph 8 of the Invited Contractors Article shall be extended only to United States nationals."

2. 현안이던 SOFA 체결교섭을 타결함에 있어서 귀관 및 관계관원이 국무성과 수시 접촉하여 우리측 입장을 관철하기 위하여 진력하신데 대하여 치하를 드리는 바임.

3. 최종회의 개최 및 정식 조인 일자는 상금 결정되지 않았으며 조문정리, 국무회의 상정 및 국회 사정등으로 말미아마 약간 지연될 것이 예상되는바 확실한 일자가 결정되는대로 통지 하겠음. ~~(외무부)~~

일반문서로 재분류 1966.12.31

송신시간:

구 미 과

통 제 관		자 체 통 제		기안처	
결 재					

타자·판치	검 인	주무자	과 장

필 요 ☐ 보안불필요 ☐

0153

65-5-17(2)

0154

4. 차후 본부 지시가 있을 시 까지 한.미 양국이 SOFA 에 완전 합의를 보았다는 사실을 대외적으로 극비에 부치시기 바람.(외구미)

장 관

0155

65.1.17 (2)

0156

외교문서 비밀해제: 주한미군지위협정(SOFA) 12
주한미군지위협정(SOFA) 서명 및 발효 12

초판인쇄 2024년 03월 15일
초판발행 2024년 03월 15일

지은이 한국학술정보(주)
펴낸이 채종준
펴낸곳 한국학술정보(주)
주 소 경기도 파주시 회동길 230(문발동)
전 화 031-908-3181(대표)
팩 스 031-908-3189
홈페이지 http://ebook.kstudy.com
E-mail 출판사업부 publish@kstudy.com
등 록 제일산-115호(2000. 6. 19)

ISBN 979-11-7217-023-3 94340
979-11-7217-011-0 94340 (set)

책에 대한 더 나은 생각, 끊임없는 고민, 독자를 생각하는 마음으로 보다 좋은 책을 만들어갑니다.